N1合格!
日本語能力試験問題集
The Workbook for the Japanese Language Proficiency Test

N1 語彙
スピードマスター

Quick Mastery of N1 Vocabulary
N1 词汇 快速掌握
N1 어휘 스피드 마스터

中島智子・高橋尚子・松本知恵 共著

Jリサーチ出版

はじめに

　日本語能力試験は2010年に改訂され、「コミュニケーション重視」した試験になりました。Ｎ１では、「幅広い場面で使われる日本語を理解できる」ことが求められています。コミュニケーションを図るためには、「読む・書く・聞く・話す」の四技能の総合的な能力が必要となりますが、語彙力はその基礎となるものです。

　言葉の学習では、単に一つ一つの言葉の意味を覚えるだけでなく、その言葉との関連性を踏まえ、言葉のネットワークを構築することが重要だと考えます。そのため本書では、大小のテーマを設定し、言葉の整理をしながら、効率よく語彙を増やせるよう工夫しました。また、実際のコミュニケーションですぐに活用できるよう、用例を豊富にしました。

　日常の会話場面のほか、新聞やニュース、大学の講義やビジネスなども重視し、さまざまなテーマ・話題の中でキーになる重要な語彙を広く取り上げるようにしました。

　本書を使った学習を通して、皆さんが日本語能力試験Ｎ１に合格すること、また本書が皆さんの日本語力の向上に役立つことを願っています。

著者一同

もくじ
Contents／目录／목차

はじめに··· 2
Preface／前言／머리말

もくじ··· 3
Contents／目录／목차

日本語能力試験と語彙問題·· 6
Japanese Language Proficiency Test and vocabulary comprehension exercises／
日语能力考试和词汇问题／일본어 능력 시험과 어휘 문제

この本の使い方··· 8
How to use this book／此书的使用方法／이 책의 사용법

ウォーミングアップ──復習ドリル 第1回～第5回·························· 10
Warming up: Drills for revision／准备活动─复习练习／워밍업──복습문제

PART 1　新しい言葉を覚えよう　Memorizing new words／记新单词／새 단어를 외우자 ······· 15

1　外見・性格・様子　Appearance, personality, and atmosphere／样貌・性格・样子／겉모습・성격・모습 ·········· 16
2　感情・気持ち　emotion and feeling／情・心情／감정・기분 ···················· 18
3　動作・感覚　action and sense／动作・感觉／동작・감각 ···························· 20
4　人と人　person to person／人和人／사람과 사람 ··· 22
5　体調・健康・治療　physical condition, health and treatment／身体状况・健康・治疗／몸 상태・건강・치료 ···· 24
6　意見・考え　opinion and idea／意见・想法／의견・생각 ························ 26
7　意志・態度　will and attitude／意志・态度／의지・태도 ·························· 28
8　読む・書く・聞く・話す　read, write, listen and speak／读・写・听・说／읽다・쓰다・듣다・말하다 ········ 30
● 第1回　実戦練習　Practice exercises／实战练习／실전연습 ························ 32

9　文化・芸術　culture and art／文化・艺术／문화・예술 ································ 34
10　スポーツ　Sport／体育运动／스포츠 ··· 36
11　衣食住　clothing, food and housing／衣食住行／의식주 ··························· 38
12　評価　evaluation／评价／평가 ··· 40
13　ものの様子・変化　Appearance of and changes to an object／事物的状况・变化／사물의 모습・변화 ···· 42
14　国と社会①　nation and society①／国家与社会①／국가와 사회① ······· 44
15　国と社会②　nation and society②／国家与社会②／국가와 사회② ······· 46
16　経済・産業　economy and industry／经济・产业／경제・산업 ················ 48
● 第2回　実戦練習　Practice exercises／实战练习／실전연습 ························ 50

3

17	商品・サービス	product and service／商品・服务／상품・서비스	52
18	仕事・ビジネス	work and business／工作・商业／일・비즈니스	54
19	教育・研究・科学	education, study and science／教育・研究・科学／교육・연구・과학	56
20	職業・身分・立場	occupation, status and position／职业・身份・立场／직업・신분・입장	58
21	事件・犯罪・裁判	affair, crime and court／事件・犯罪・审判／사건・범죄・재판	60
22	事故・安全	accident and security／事故・安全／사고・안전	62
23	自然	nature／自然／자연	64
24	色・形・場所	color, shape and place／颜色・形状・场所／색・형태・장소	66
● 第3回	実戦練習	Practice exercises／实战练习／실전연습	68
25	時間	time／时间／시간	70
26	副詞①──時期・頻度	adverb①─period・frequency／副词①──时期・频度／부사①──시기・빈도	72
27	副詞②──様子	adverb②─appearance／副词②──样子／부사②──모습	74
28	副詞③──強調・程度	adverb③─emphasis, degree／副词③──强调・程度／부사③──강조・정도	76
29	形容詞①──い形容詞	adjective①／形容词①／형용사①	78
30	形容詞②──な形容詞	adjective②／形容词②／형용사②	80
31	動詞①	verb①／动词①／동사①	82
32	動詞②	verb②／动词②／동사②	84
● 第4回	実戦練習	Practice exercises／实战练习／실전연습	86
33	する動詞①	do verbs①／する动词①／する-동사①	88
34	する動詞②	do verbs②／する动词②／する-동사②	90
35	する動詞③	do verbs③／する动词③／する-동사③	92
36	複合動詞	complex verb／复合动词／복합 동사	94
37	いろいろな意味を持つ言葉①	word with several meanings①／多义词①／여러 의미가 있는 말①	96
38	いろいろな意味を持つ言葉②	word with several meanings②／多义词②／여러 의미가 있는 말②	98
39	名詞①	noun①／名词①／명사①	100
40	名詞②	noun②／名词②／명사②	102
● 第5回	実戦練習	Practice exercises／实战练习／실전연습	104
41	類義語①──動詞	synonym①─verb／近义词①──动词／비슷한 말①──동사	106
42	類義語②──形容詞・副詞	synonym②─adjective and adverb／近义词②──形容词・副词／비슷한 말②──형용사・부사	108
43	類義語③──名詞	synonym③─noun／近义词③──名词／비슷한 말③──명사	110
44	対義語①──動詞	antonym①─Verb／反义词①──动词／반대말①──동사	112
45	対義語②──形容詞	antonym②─Adjective／反义词②──形容词／반대말②──형용사	114
46	対義語③──名詞	antonym③─noun／反义词③──名词／반대말③──명사	116
47	カタカナ語①	katakana word①／片假名词语①／가타카나 말①	118

#	Title	Description	Page
48	カタカナ語②	katakana word②／片假名词语②／가타카나 말②	120
● 第6回	実戦練習	Practice exercises／实战练习／실전연습	122
49	擬音語・擬態語①	Mimetic expressions①／拟声词·拟态词①／의성어·의태어①	124
50	擬音語・擬態語②	Mimetic expressions②／拟声词·拟态词②／의성어·의태어②	126
51	前に付く語・後ろに付く語	prefix and suffix／前缀语·后缀语／앞에 붙는 말·뒤에 붙는 말	128
52	自動詞・他動詞	intransitive verb and transitive verb／自动词·他动词／자동사 타동사	130
53	漢語と和語①	Chinese origin word and Japanese origin word①／汉语与和语①／한자어와 고유어①	132
54	漢語と和語②	Chinese origin word and Japanese origin word②／汉语与和语②／한자어와 고유어②	134
55	熟語・慣用句①	Phrase, idioms①／复合词·惯用语①／숙어·관용구①	136
56	熟語・慣用句②	Phrase, idioms②／复合词·惯用语②／숙어·관용구②	138
● 第7回	実戦練習	Practice exercises／实战练习／실전연습	140
57	慣用句①	Idioms①／惯用语①／관용구①	142
58	慣用句②	Idioms②／惯用语②／관용구②	144
59	慣用句③	Idioms③／惯用语③／관용구③	146
60	慣用句④	Idioms④／惯用语④／관용구④	148
61	基本漢字①	basic kanji①／基本汉字①／기본 한자①	150
62	基本漢字②	basic kanji②／基本汉字②／기본 한자②	152
63	基本漢字③	basic kanji③／基本汉字③／기본 한자③	154
64	基本漢字④	basic kanji④／基本汉字④／기본 한자④	156
65	基本漢字⑤	basic kanji⑤／基本汉字⑤／기본 한자⑤	158
66	もう一丁！	One more!／还有一页！／한 그릇 더！	160
● 第8回	実戦練習	Practice exercises／实战练习／실전연습	162

解答用紙（模擬試験用） Answer sheet／答案纸／해답용지 · · · · · · 164

PART 2 模擬試験 Mock examinations／模拟考试／모의고사 · · · · · · 165

解答用紙サンプル Sample answer sheet／答案纸样本／해답용지 샘플 · · · · · · 165

第1回 模擬試験 · · · · · · 166
第2回 模擬試験 · · · · · · 170

索引 Index／索引／색인 · · · · · · 174

別冊──解答 Appendix: Answers／附册──解答·例文的翻译／별책──해답·예문 역

- ●目的：日本語を母語としない人を対象に、日本語能力を測定し、認定すること。
  ※課題遂行のための言語コミュニケーション能力を測ることを重視。
- ●試験日：年2回（7月、12月の初旬の日曜日）
- ●レベル：N5（最もやさしい）→ N1（最も難しい）

N1：幅広い場面で使われる日本語を理解することができる。
N2：日常的な場面で使われる日本語の理解に加え、より幅広い場面で使われる日本語をある程度理解することができる。
N3：日常的な場面で使われる日本語をある程度理解することができる。
N4：基本的な日本語を理解することができる。
N5：基本的な日本語をある程度理解することができる。

レベル	試験科目	時間	得点区分	得点の範囲
N1	言語知識（文字・語彙・文法）・読解	110分	言語知識（文字・語彙・文法）	0〜60点
			読解	0〜60点
	聴解	55分	聴解	0〜60点
N2	言語知識（文字・語彙・文法）・読解	105分	言語知識（文字・語彙・文法）	0〜60点
			読解	0〜60点
	聴解	50分	聴解	0〜60点
N3	言語知識（文字・語彙）	30分	言語知識（文字・語彙・文法）	0〜60点
	言語知識（文法）・読解	70分	読解	0〜60点
	聴解	40分	聴解	0〜60点
N4	言語知識（文字・語彙）	25分	言語知識（文字・語彙・文法）・読解	0〜120点
	言語知識（文法）・読解	55分		
	聴解	35分	聴解	0〜60点
N5	言語知識（文字・語彙）	20分	言語知識（文字・語彙・文法）・読解	0〜120点
	言語知識（文法）・読解	40分		
	聴解	30分	聴解	0〜60点

※N1・N2の科目は2科目、N3・N4・N5は3科目

- ●認定の目安：認定の目安を「読む」「聞く」という言語行動でN5－N1まで表している。
- ●合格・不合格：「総合得点」と各得点区分の「基準点（少なくとも、これ以上が必要という得点）」で判定する。

☞くわしくは、日本語能力試験のホームページ〈https://www.jlpt.jp/〉を参照してください。

N1について

	N1のレベル
読む	● 幅広い話題について書かれた新聞の論説、評論など、論理的にやや複雑な文章や抽象度の高い文章などを読んで、文章の構成や内容を理解することができる。 ● さまざまな話題の内容に深みのある読み物を読んで、話の流れや詳細な表現意図を理解することができる。
聞く	● 幅広い場面において自然なスピードの、まとまりのある会話やニュース、講義を聞いて、話の流れや内容、登場人物の関係や内容の論理構成などを詳細に理解したり、要旨を把握したりすることができる。

語彙問題の内容

	大問 ※1は漢字、5〜7は文法、8〜13は読解問題		小問数	ねらい
言語知識・読解	2	文脈規定	○ 7	文脈によって意味的に規定される語が何であるかを問う
	3	言い換え類義	○ 6	出題される語や表現と意味的に近い語や表現を問う
	4	用法	○ 6	出題語が文の中でどのように使われるのかを問う

○以前の試験でも出題されていたもの

※小問の数は変更される場合もあります。

この本の使い方

◆ PART 1「新しい言葉を覚えよう」では、N1レベルとして新たに学習する語を中心に取り上げ、大小のテーマでまとめながら提示しています。ほかの語との共通点や違い、使い方なども考えながら、覚えていきましょう。

◆ PART 1では計8回、実戦形式の練習問題をして復習をします。そして最後に、模擬試験（2回）で実力をチェックします。

学習対象として取り上げた語句を太く表示しています。

その言葉を使った表現の例を紹介します。

意味や使い方についての補足説明です。

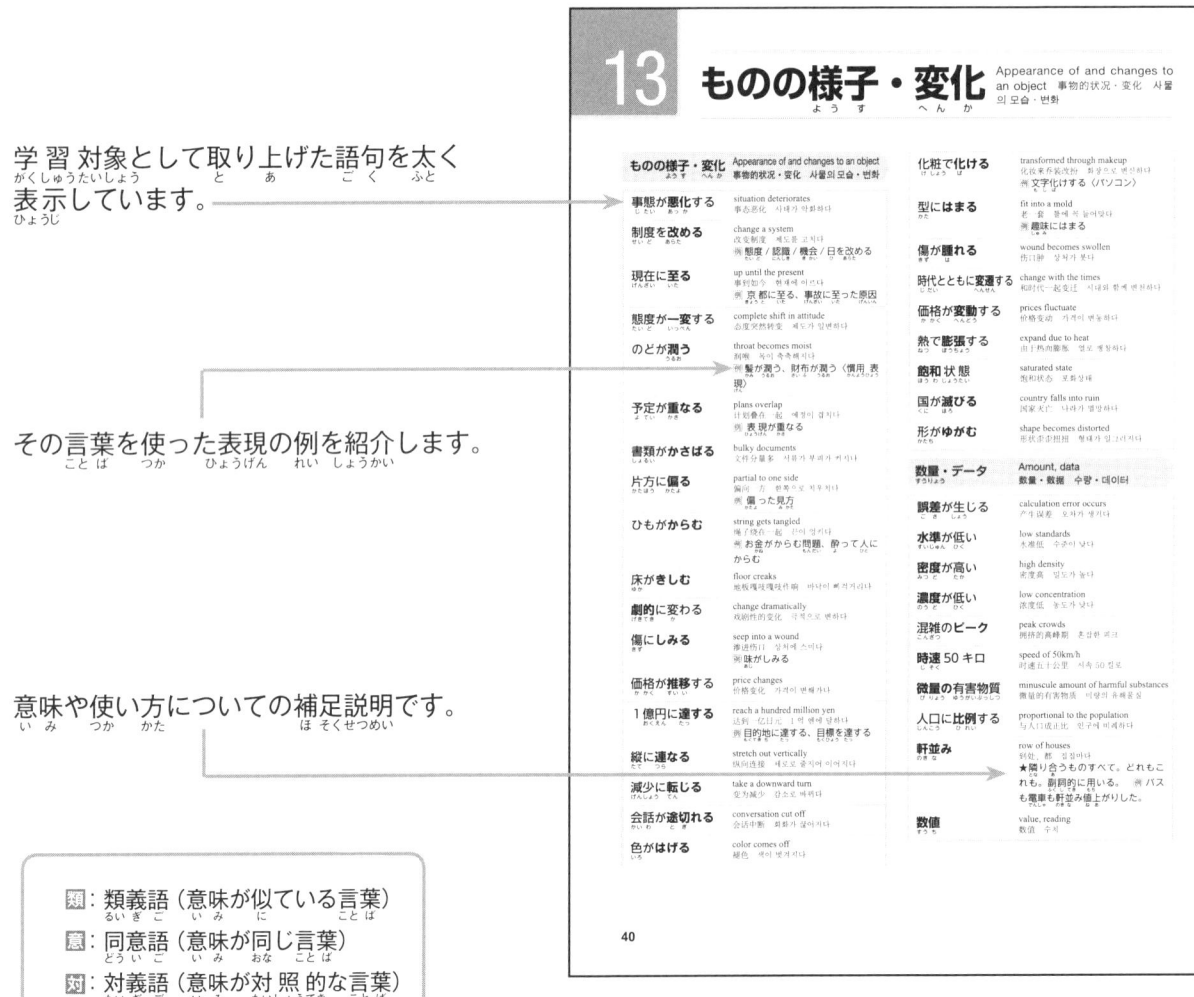

類：類義語（意味が似ている言葉）
同：同意語（意味が同じ言葉）
対：対義語（意味が対照的な言葉）

ドリル

1 つぎの（　　）に合うものをそれぞれa〜dの中から一つ選びなさい。
① 考えを（　　）　　② 表面が（　　）
③ 株価が（　　）　　④ 3万人に（　　）

　　a. 改める　　b. 変動する　　c. はげる　　d. 達する

⑤ （　　）120キロ　　⑥ （　　）を過ぎる
⑦ （　　）を上回る　　⑧ （　　）の電流

　　a. 微量　　b. 時速　　c. 水準　　d. ピーク

2 a、bのうち、正しいほうを一つ選びなさい。
① 同じサイズでも、若干の（a. 誤差　b. 変遷）がある場合があります。
② この不況で、大学4年生の就職率は（a. 軒並み　b. 比例）低下しています。
③ 日本の場合、総じて、北側より南側の地域のほうが人口（a. 密度　b. 濃度）が高い。
④ ときどき電話の音声が（a. 途切れる　b. 滅びる）んだけど、電波が入りにくい場所にいるの？

3 つぎの（　　）に合うものをa〜eの中から一つ選びなさい。
① 買ってきた棚を自分で組み立てたら、うまくできずに（　　）しまった。
② バッグのファスナーにひもが（　　）、なかなか取れない。
③ 昨日虫に刺されたところが、ひどく（　　）いる。
④ その日はたまたま用事が（　　）しまって、私は行けないんです。

　　a. きしんで　　b. 腫れて　　c. からんで　　d. 重なって　　e. 歪んで

4 つぎの（　　）に合うものをa〜eの中から一つ選びなさい。
① お肉だけじゃなくて野菜もちゃんと食べないと、栄養が（　　）よ。
② 荷物が（　　）から、それは持っていかない。
③ 症状が少し（　　）ので、薬が合っていないようだ。
④ 状況が（　　）ため、すぐに対策会議を開くことになった。

　　a. 転じた　　b. 悪化した　　c. かさばる　　d. 偏る　　e. 一変した

13 ものの様子・変化

各ユニットで3〜4のドリルをして、左のリストの語の意味や使い方を確認します。

ウォーミングアップ──復習ドリル

次の文の（　）に入れるのに最もよいものを、1・2・3・4から一つ選びなさい。

第1回　「N2 語彙スピードマスター」UNIT1-30参照

1　私が入社した（　　　）は、まだ一人に一台パソコンがある状態ではなかった。
　　1　日付　　　　2　当日　　　　3　当時　　　　4　日時

2　このホテルは（　　　）の駅まで、送り迎えのサービスがある。
　　1　最寄り　　　2　最近　　　　3　近所　　　　4　近々

3　電話会社のミスで、1カ月に2回も電話代を（　　　）された。
　　1　領収　　　　2　勘定　　　　3　会計　　　　4　請求

4　（　　　）な数に上る犠牲者が、ここに眠っている。
　　1　大体　　　　2　大半　　　　3　膨大　　　　4　大量

5　病気を理由に、社長が（　　　）した。
　　1　辞任　　　　2　被害　　　　3　独立　　　　4　責任

6　コンピューターウイルスをチェックするシステムはあるが、うまく（　　　）していない。
　　1　性能　　　　2　機能　　　　3　能率　　　　4　構造

7　突然、犬が（　　　）出したので、びっくりして子供が泣き出した。
　　1　呼び　　　　2　叫び　　　　3　鳴き　　　　4　吠え

8　熱や鼻水などの（　　　）が出ているので、風邪を引いているに違いない。
　　1　衛生　　　　2　症状　　　　3　診察　　　　4　治療

9　駅の階段で下りてきた人と（　　　）ときに、肩がぶつかった。
　　1　すれ違った　2　見送った　　3　追い付いた　4　遠回りした

10　コピーをとるのに失敗して、書類が（　　　）になってしまった。
　　1　隅　　　　　2　端　　　　　3　斜め　　　　4　向かい

ウォーミングアップ――復習ドリル

第2回　「N2 語彙スピードマスター」UNIT1-30参照

1 このコンテストで優勝すると、駅の入口に作品が（　　　）される。
1 鑑賞　　2 企画　　3 創作　　4 展示

2 （　　　）が足りないと、大学を卒業できない。
1 単位　　2 知識　　3 学問　　4 実習

3 今年度は新入社員の（　　　）はしない。
1 要求　　2 応募　　3 募集　　4 勤務

4 取引先との打ち合わせの日程を（　　　）しなければならない。
1 提案　　2 調整　　3 処理　　4 検討

5 この映画の女優たちの演技は（　　　）だった。
1 見事　　2 尊重　　3 有能　　4 豪華

6 ひらがなを漢字に（　　　）するときに間違えてしまった。
1 変化　　2 変更　　3 変換　　4 交換

7 今日の試合には勝ったが、内容を見ると負けに（　　　）。
1 並ぶ　　2 次第に　　3 次ぐ　　4 等しい

8 大学生のとき留学を諦めたことを、今でも（　　　）いる。
1 憎んで　　2 悔やんで　　3 恐れて　　4 あせって

9 この仕事は山下さんに（　　　）ことにした。
1 頼りにする　　2 だます　　3 任せる　　4 責める

10 会議の（　　　）になるようなことは言ってはいけない。
1 妨げ　　2 遅れ　　3 憧れ　　4 騒ぎ

11

第3回　「N2 語彙スピードマスター」UNIT1-30参照

1　この映画を見て、イタリアに行ってみたいという気持ちが（　　　）強くなった。
　　1　いずれ　　　　2　一段と　　　　3　一切　　　　4　かつて

2　今日はいろいろな出来事が起こって（　　　）一日だった。
　　1　慌ただしい　　2　ずうずうしい　3　厚かましい　4　のろい

3　台風が来るため、祭りの日程が（　　　）され、一日早く終わった。
　　1　供給　　　　　2　否定　　　　　3　縮小　　　　4　短縮

4　まだ慣れていないんだから、これくらいのミスで（　　　）はかわいそうだ。
　　1　治めて　　　　2　責めて　　　　3　突いて　　　4　留めて

5　営業時間外に銀行からお金を下ろすと、手数（　　　）がかかる。
　　1　代　　　　　　2　賃　　　　　　3　料　　　　　4　金

6　テレビで紹介されていたケーキを買ってみたが、（　　　）おいしくなかった。
　　1　大して　　　　2　さっぱり　　　3　一切　　　　4　必ずしも

7　部長はいつもみんなの予定を無視して、（　　　）に会議の時間を決める。
　　1　嫌み　　　　　2　欲張り　　　　3　意地悪　　　4　強引

8　そんなに短いスカートは、仕事に行くのに（　　　）ないと思う。
　　1　くどく　　　　2　ふさわしく　　3　めでたく　　4　やばく

9　車を駐車場に止める時に、となりの車に（　　　）しまった。
　　1　くっつけて　　2　つまづいて　　3　すれ違って　4　ぶつけて

10　まだみんな集まっていないので、始まりの時間を少し（　　　）ことにしよう。
　　1　ずらす　　　　2　ゆずる　　　　3　やむ　　　　4　とどまる

ウォーミングアップ──復習ドリル

第4回　「N2 語彙スピードマスター」UNIT31-45参照

1 会社から帰る時、パソコンの電源を（　　　）のを忘れた。
　1　切る　　　　　2　伸ばす　　　　3　出す　　　　4　取る

2 今年に（　　　）から初めて雪が降った。
　1　進んで　　　　2　当たって　　　3　入って　　　4　受けて

3 見たかったテレビ番組を（　　　）しまって、すごく悔しい。
　1　持ち込んで　　2　見逃して　　　3　取り組んで　　4　立て替えて

4 カンさんの日本語をほめたら、「まだまだです」と（　　　）していた。
　1　油断　　　　　2　考慮　　　　　3　納得　　　　4　謙遜

5 この野菜はあと1カ月ほどで（　　　）できる。
　1　完了　　　　　2　実施　　　　　3　収穫　　　　4　合図

6 いろいろ調べたが、故障の原因が（　　　）できなかった。
　1　特定　　　　　2　選択　　　　　3　統一　　　　4　保存

7 就職試験では、自分の長所を上手に（　　　）することが大切だ。
　1　アレンジ　　　2　ガイド　　　　3　フォロー　　　4　アピール

8 街を歩いていると、新しく出る化粧品の（　　　）を配っていた。
　1　コマーシャル　2　イベント　　　3　サンプル　　　4　コード

9 （　　　）して資料をまとめたのに、上司からやり直しと言われた。
　1　延長　　　　　2　注目　　　　　3　克服　　　　4　苦労

10 駅のホームで並んでいたら、私の前に子供が（　　　）来た。
　1　振り込んで　　2　割り込んで　　3　持ち込んで　　4　思い込んで

第5回　「N2 語彙スピードマスター」UNIT31-45参照

1. 地元の野球チームが優勝し、街中がお祝い（　　　）になっている。
    1　テーマ　　2　ムード　　3　ブーム　　4　ルール

2. 事件解決のため夜も寝ないで働き続ける警察官には、頭が（　　　）。
    1　下がる　　2　上がる　　3　来る　　4　出す

3. 全部英語で書かれていて、私には（　　　）わからない。
    1　ばったり　　2　さっぱり　　3　こっそり　　4　ぐったり

4. 旅行は楽しかったけど、家に着いたとたん、（　　　）疲れが出た。
    1　どっと　　2　せっせと　　3　ずらっと　　4　ちらっと

5. お急ぎでしたら2日で修理いたします。（　　　）その場合、費用が通常の2倍かかります。
    1　だが　　2　さて　　3　なお　　4　ただ

6. （　　　）あの二人は別れたようだ。
    1　どうか　　2　どうせ　　3　どうやら　　4　どうしても

7. 部長なら（　　　）帰りましたよ。
    1　要するに　　2　とっくに　　3　しきりに　　4　たまたま

8. 政府は来年度から、一部の税金を（　　　）と発表した。
    1　返却する　　2　打ち消す　　3　外れる　　4　引き下げる

9. 山下さんは、孫の写真が送られてくるのを首を（　　　）待っている。
    1　引いて　　2　伸びて　　3　長くして　　4　出して

10. 彼はダイエットのために毎日プールで泳いでいるそうだが、（　　　）前と全然変わっていない。
    1　そのうえ　　2　それとも　　3　それにしては　　4　そこで

PART **1**

新しい言葉を覚えよう

1 外見・性格・様子

Appearance, personality, atmosphere 外貌・性格・样子 겉모습・성격・모습

外見 (がいけん)
appearance 外貌、外形 겉모습

服のセンスがいい	have a good taste in clothes 对时尚敏感 옷의 센스가 좋다
たくましい腕	strong arm 魁梧的手臂 다부진 팔
若々しい肌	youthful skin 看起来年轻的肌肤 젊어 보이는 피부
色気があるしぐさ	sexual gesture 有魅力（性感）的动作 색기있는 몸짓 関 色っぽい
大柄な女性	large woman 身材高大的女性 몸집이 큰 여성
小柄な男性	small man 身材矮小的男性 몸집이 작은 남성
素朴なデザイン	simple design 朴实的设计 소박한 디자인 例 素朴な疑問／暮らし／雰囲気／人柄 関 質素、かざらない、素直な
だらしない格好	slovenly 邋遢的穿着 단정하지 않은 모습
みすぼらしい服	shabby clothes 褴褛的衣衫 초라한 옷
質素な暮らし	frugal life 朴素的生活 검소한 생활

性格 (せいかく)
personality 性格 성격

誠実な人柄	honest personality 诚实的人品 성실한 인품
気が短いのが欠点	short-tempered (as a fault) 性子急是缺点 성질이 급한 것이 결점
気まぐれな性格	fickle, capricious 反复无常的性格 변덕스러운 성격 関 気ままな、気分屋
気ままな旅	travel just as one wishes 自由自在的旅行 마음이 내키는 대로 하는 여행 関 気まぐれな、気分屋
気さくな人柄	easygoing 爽快的性格 소탈한 인품 例 気さくに話しかける
思いやりのある人	compassionate person 有同情心的人 남을 생각할 줄 아는 사람
几帳面な性格	methodical 一丝不苟的性格 꼼꼼한 성격 例 何でも几帳面に整理する父の書棚は、いつもきれいだ。
臆病な動物	timid animal 胆小的动物 겁이 많은 동물
まめな人	attentive person 勤快的人 부지런한 사람 例 まめに連絡をとる、まめに通う
純粋な気持ち	innocent feeling 单纯的心情 순수한 기분
おせっかいを焼く	meddle 多管闲事 공연히 덥적거리다 例 おせっかいな人
時間にルーズな人	unpunctual person 不遵守时间的人 시간을 잘 못 지키는 사람
好奇心が強い	very curious 好奇心强 호기심이 강하다
社交的な性格	outgoing personality 善于交际的性格 사교적인 성격
大らかな気持ち	open-minded 心胸开阔、宽厚的秉性 대범하고 느긋한 성격 例 人の目なんか気にしないで、もっと大らかに考えたら？
せっかちな性格	impatient personality 性急 조급해하는 성격 例 慌てなくったって大丈夫だよ。せっかちだなあ。
協調性に欠ける	uncooperative 欠缺协调性 협조성이 없다
責任感が強い	have a strong sense of responsibility 责任感强 책임감이 강하다
気楽な仕事	easy work 轻松的工作 맘 편한 일 例 どうぞ気楽にしてください。
頑固な職人	stubborn craftsman 顽固的行家 완고한 장인 例 頑固に言い張る

様子 (ようす)
atmosphere 样子、状态 모습, 모양

愛想がいい	friendly 待人亲切 애교가 있다 対 愛想が悪い、愛想がない、無愛想
無口でおとなしい	calm and quiet 又沉默寡言、又老实 말수가 없고 얌전하다
孤独な人生	life of loneliness 孤独的人生 고독한 인생
活発な少年	lively boy 活泼的少年 활발한 소년 例 活発に動き回る
無邪気な笑顔	innocent smile 天真烂漫的笑脸 천진하게 웃는 얼굴 例 親の心配をよそに、子供たちは無邪気に遊んでいる。
なれなれしい態度	overly friendly attitude 熟不拘礼的态度 친한 듯한 태도

親密な関係 しんみつ　かんけい	close relationship 亲密的关系　친밀한 관계	ほがらかな笑顔 　　　　　えがお	bright smile 开朗的笑脸　밝게 웃는 얼굴 ★明るく、晴れ晴れとしている様子。
聞くのもけがらわしい き	disgusting even to hear 问都感到肮脏　듣기에도 추접스럽다	勇敢な兵士 ゆうかん　へいし	brave soldier 勇敢的士兵　용감한 병사 例 勇敢に戦う 　　ゆうかん　たたか
軽率な行動 けいそつ　こうどう	rash behavior 轻率的行动　경솔한 행동		
会社に忠実な社員 かいしゃ　ちゅうじつ　しゃいん	loyal worker 忠于公司的职员　회사에 충실한 사원		

ドリル

1 つぎの（　）に合うものをそれぞれa〜dの中から一つ選びなさい。

① （　　）がない　　　　　② （　　）に意見を出す
③ （　　）を持つ　　　　　④ （　　）が悪い

　　　a. 活発　　b. 好奇心　　c. 愛想　　d. 協調性
　　　　かっぱつ　　　こうきしん　　　あいそ　　　きょうちょうせい

⑤ （　　）な性格　　　　　⑥ （　　）な生活
⑦ （　　）に連絡をする　　⑧ （　　）を感じる

　　　a. まめ　　b. 気まま　　c. 大らか　　d. 孤独
　　　　　　　　　　き　　　　　　　おお　　　　　　こどく

2 a、bのうち、正しいほうを一つ選びなさい。

① 父は（a. 頑固　b. 無口）で、家ではほとんど話さない。
② あの人はいつも、シンプルで（a. 質素　b. 素朴）なデザインの服を着ている。
③ 私は（a. せっかち　b. おせっかい）なので、すぐにメールの返事が来ないとイライラする。
④ 彼は（a. 気まぐれ　b. 気さく）な性格で、約束をしても来ないことがある。

3 つぎの（　）に合うものをa〜eの中から一つ選びなさい。

① あの部長は、部下の名前を呼ぶとき、（　　）呼び方をする。
② 彼は失敗してもすぐに立ち直る（　　）精神力を持っている。
③ 祖母は75歳になるが、いつまでも（　　）。
④ 弟は（　　）ので、部屋の中がいつも散らかっている。

　　a. 若々しい　b. だらしない　c. なれなれしい　d. たくましい　e. けがらわしい
　　　わかわか

2 感情・気持ち

Feelings and emotions　感情、心情　감정・기분

プラスの気持ち・行動 | Positive feeling and attitude
积极的心情・行动　긍정적인 기분・행동

親の愛情を感じる	feel parental affection 感到父母的爱　부모의 애정을 느끼다
感激の対面	emotional encounter 感动的会面　감격스러운 대면 例 プレゼントに感激する、感激の涙
心強い味方	reliable ally 心里有底的伙伴　마음 든든한 아군
先輩を慕う	worship a senior 钦慕高年级同学　선배를 따르다
政治への関心	interest in politics 对政治的关心　정치에 대한 관심 例 関心を持つ / 抱く / 示す
勝利を確信する	confident of victory 确信胜利　승리를 확신하다 例 確信を持つ / 抱く

マイナスの気持ち・行動 | Negative feeling and attitude
负面的心情・行动　부정적인 기분・행동

うっとうしい天気	gloomy weather 郁闷的天气　잔뜩 찌푸린 날씨
自慢話にうんざりする	fed up with someone's boasting 对于自吹自擂已彻底厌烦　자랑하는 말에 싫증이 나다
一人で心細い	alone and feel lonely 一个人心里没底　혼자여서 허전하다
細かいことにこだわる	obsess over the details 拘泥于细腻之处　사소한 일에 구애되다
ばかばかしい映画	stupid film 无聊的电影　시시한 영화
情けない結果	miserable result 可悲的结果　한심한 결과 例 そんな情けない顔するなよ。
失礼な態度にむかつく	be irritated by a rude attitude 对没礼貌的态度很生气　실례되는 태도에 화가 나다
空しい気分	feel that all is in vain 空虚的心情　허무한 기분
未練が残る	have lingering regret 留恋　미련이 남다
相手を恨む	hold a grudge against someone 憎恨对方　상대를 원망하다
別れを惜しむ	reluctant to part 依依不舍　이별을 아쉬워하다
ささいな一言にキレる	to get angry over a trivial comment 因为一句话就生气了　사소한 한 마디에 흥분하다
ライバルをけなす	speak ill of a rival 贬低对手　라이벌을 헐뜯다
やったことを後悔する	regret what one has done 很后悔自己所做的时期　한 일을 후회하다
部下の失敗を嘆く	grumble about a subordinate's failure 感叹部下的失败　부하의 실수를 개탄하다
言うのをためらう	hesitate to say 犹豫说出来　말을 할지 망설이다
大声で怒鳴る	yell loudly 大声怒吼　큰소리로 고함치다
同僚の成功を妬む	envy a colleague's success 嫉妒同事的成功　동료의 성공을 질투하다
自分の成績を恥じる	feel ashamed of one's record 羞耻于自己的成绩　자신의 성적을 부끄러워하다

複雑な気持ち | A mix of emotion
复杂的心情　복잡한 기분

片思いの相手	unrequited love 单相思的对象　짝사랑 상대
切ない恋の物語	heartbreaking love story 烦恼恋情的故事　애달픈 사랑 이야기

ドリル

1 つぎの（　）に合うものをそれぞれa〜dの中から一つ選びなさい。
① 合格を（　　）
② 課長を（　　）部下
③ プレゼントに（　　）
④ 発言を（　　）

> a. 感激する　　b. 後悔する　　c. 確信する　　d. 慕う

⑤ 毎日暑くて（　　）する
⑥ 応援が（　　）
⑦ （　　）気持ちになる
⑧ （　　）がある

> a. うんざり　　b. 未練　　c. 心強い　　d. 空しい

2 a、bのうち、正しいほうを一つ選びなさい。
① 彼女は1年以上、同僚のAさんに（a. 愛情　b. 片思い）している。
② 私は小さいことに（a. こだわる　b. けなす）性格だ。
③ この事件は、世の中の（a. 関心　b. 確信）を集めている。
④ 店員がミスをしたので文句を言ったら、逆に向こうが（a. むかついて　b. キレて）しまった。

3 つぎの（　）に合うものをa〜eの中から一つ選びなさい。
① こんなまずい料理に5000円も払うなんて（　　）。もう二度と来ないよ。
② 一人で病院に行くのは（　　）ので、母に一緒に行ってもらうつもりだ。
③ この曲を聴くと昔を思い出して（　　）気持ちになる。
④ 社会人になったのに朝一人で起きられないなんて、（　　）。

> a. 情けない　　b. 心細い　　c. 切ない　　d. ばかばかしい　　e. うっとうしい

4 つぎの（　）に合うものをa〜eの中から一つ選びなさい。
① 一人だけ合格できなかったことを（　　）いるようだ。
② 彼の死を（　　）、多くのファンがここを訪れる。
③ 兄はすぐに仕事を辞めるので、親がいつも（　　）いる。
④ 仕事の関係でいらいらして、つい子供に（　　）しまった。

> a. 恥じて　　b. 惜しんで　　c. 恨んで　　d. 怒鳴って　　e. 嘆いて

3 動作・感覚

Actions and feelings 动作・感觉 동작・감각

手・足 hands and feet 手・足 손・발

髪の毛をいじる	touch one's hair 摆弄头发 머리카락을 만지다
雑誌をめくる	flip through a magazine 翻阅杂志 잡지를 넘기다 例 ページをめくる
指を指す	point at 用手指指 손가락으로 가리키다 例 看板を指す
耳をつまむ	pinch one's ear 捏耳朵 귀를 잡다 例 はしでつまむ
足をさする	rub one's foot 按摩脚 발을 문지르다
荷物をかつぐ	carry a baggage 担行李 짐을 지다
馬にまたがる	sit astride a horse 骑马 말에 올라타다
石につまずく	stumble over a stone 被石头绊倒 돌에 채이다
階段でこける	fall down on the stairs 在楼梯上摔倒 계단에서 넘어지다
道にしゃがむ	squat down on the street 蹲在路上 길에서 쭈그리고 앉다

口 mouth 口 입

耳元でささやく	whisper into one's ear 在耳边低声私语 귓가에서 속삭이다
小声でつぶやく	murmur under one's breath 小声自语 작은 소리로 중얼거리다
沈黙する	become silent 沉默 침묵하다
はちみつをなめる	lick the honey 舔蜂蜜 꿀을 핥다
うなる	groan, roar, howl 吼叫 신음하다 例 うちの犬は知らない人を見ると、すぐうなる。

その他 others 其他 그 밖

頭を突く	give someone a butt 撞头 머리를 찌르다
黙ってうつむく	look down silently 低头沉默 묵묵히 고개를 숙이다
荷物をどける	get the baggage out of the way 挪开行李 짐을 치우다
どいてください。[どく]	Would you please get out of the way? 请让一下。 비켜주세요
ボールをよける	dodge a ball 避开球 공을 피하다
門をくぐる	go through the gate 穿过门 문을 넘다
腰をひねる	twist one's waist 扭腰 허리를 뒤틀다
振り返る	turn around 回头看 뒤돌아 보다
ドアにもたれる	lean against the door 靠着门 문에 기대다
お風呂につかる	sit in the bath 泡澡 목욕물에 몸을 담그다
もがく	flounder 挣扎、翻滚 발버둥치다 例 穴から出ようともがく
仰向けになる	turn over on one's back 身子仰着 위를 향하다
うつ伏せになる	lie face down 俯身 엎드리다

ドリル

1 つぎの（　）に合うものをそれぞれa〜dの中から一つ選びなさい。
① 大雨で床が水に（　　）
② 壁に（　　）
③ 独り言を（　　）
④ バイクに（　　）

　　a. つぶやく　　b. またがる　　c. もたれる　　d. つかる

⑤ 足首を（　　）
⑥ 呼ばれて（　　）
⑦ 人にぶつかって（　　）
⑧ 高熱で（　　）

　　a. ひねる　　b. こける　　c. 振り返る　　d. うなる

2 a、bのうち、正しいほうを一つ選びなさい。
① 彼女が指を（a. 指す　b. 突く）ほうを見たら、小さな子猫がいた。
② 彼のシャツがあまりに汗臭かったので、思わず鼻を（a. いじった　b. つまんだ）。
③ その椅子を使うから、上の荷物を（a. どいて　b. どけて）くれる。
④ 泣いている子供の背中を、母親が（a. さすって　b. ささやいて）いた。

3 つぎの（　）に合うものをa〜eの中から一つ選びなさい。
① 子供が（　　）といけないので、床に荷物を置かないようにしている。
② 朝、転んでひざを打ったせいで、（　　）とすごく痛い。
③ この歌手は（　　）ような歌い方をする。
④ 踏切の棒を（　　）のは、絶対にやめてください。

　　a. かつぐ　　b. くぐる　　c. ささやく　　d. つまずく　　e. しゃがむ

4 つぎの（　）に合うものをa〜eの中から一つ選びなさい。
① カレンダーを（　　）もらえる？　先月のままになってる。
② 結婚式の間ずっと、花嫁は恥ずかしそうに（　　）いた。
③ 車が通りますので、ちょっと（　　）いただけますか。
④ のどが痛いので、飴を（　　）いる。

　　a. よけて　　b. うつむいて　　c. なめて　　d. もがいて　　e. めくって

4 人と人
ひと ひと

Relationships 人和人 사람과 사람

人に対する働きかけ
ひと たい はたら
getting other people to do something
对人做工作 사람에게 요청

サークルに**勧誘**する（かんゆう）	invite someone to join a club / 劝别人参加俱乐部 / 서클을 권유하다 例 不動産の勧誘、しつこい勧誘
参加を**促**す（さんか うなが）	encourage participation / 催促参加 / 참가를 재촉하다 例 注意／行動／退職／成長を促す
親を**説得**する（おや せっとく）	persuade one's parents / 说服父母 / 부모님을 설득하다
子供に**説教**する（こども せっきょう）	give a reprimand to a child / 教育孩子 / 아이에게 설교하다
後輩に**忠告**する（こうはい ちゅうこく）	admonish a junior/subordinate / 忠告后辈 / 후배에게 충고하다
援助を**申**し**出**る（えんじょ もう で）	offer assistance to / 申请援助 / 원조를 자청하다
親に**内緒**にする（おや ないしょ）	keep something secret from one's parents / 对父母保密 / 부모님께 비밀로 하다
親に小遣いを**ねだる**（おや こづか）	ask parents for one's allowance / 向父母硬要零用钱 / 부모님에게 용돈을 조르다
仲間を**励**ます（なかま はげ）	encourage a fellow / 鼓励伙伴 / 동료를 격려하다
怒っている人を**なだめる**（おこ ひと）	calm an angry person / 安慰生气的人 / 화를 내는 사람을 달래다
おだててその気にさせる［おだてる］	cajole someone into doing something / 怂恿别人 / 치켜세워 할 마음이 들게 하다
客を**もてなす**（きゃく）	treat guests with hospitality / 招待客人 / 손님을 대접하다
女性を**いたわる**（じょせい）	be kind to women / 照顾女性 / 여성을 친절하게 대하다
部下の失敗を**かばう**（ぶか しっぱい）	cover up for a subordinate's mistakes / 庇护下属的失败 / 부하의 실수를 감싸다
勘弁してあげる（かんべん）	forgive / 宽恕 / 참아주다
新婚カップルを**冷**やかす（しんこん ひ）	make fun of a newlywed couple / 戏弄新婚夫妇 / 신혼 커플을 놀리다
嫌がらせをする（いや）	pester, harass / 故意找人麻烦 / 짓궂게 괴롭히다
他人を**侮辱**する（たにん ぶじょく）	insult someone / 侮辱他人 / 타인을 모욕하다
相手チームを**中傷**する（あいて ちゅうしょう）	slander the other team / 中伤对方队伍 / 상대 팀을 중상하다
先輩から**指図**される（せんぱい さしず）	take orders from one's senior / 受到高年级同学指使 / 선배로부터 지시를 받다
おどして金を取る（かね と）	extort money from someone / 恐吓拿钱 / 협박해 돈을 뜯다
粗品を**進呈**する（そしな しんてい）	give a little gift / 赠送礼品 / 증정품을 드리다 例 記念品／ポイントを進呈する
花束を**贈呈**する（はなたば ぞうてい）	give a flower bouquet / 赠送花束 / 꽃다발을 증정하다 例 メダルを贈呈する

話す
はな
talking 说 말하다

全員で**討論**する（ぜんいん とうろん）	discuss with everyone / 全员讨论 / 전원이 토론하다
友達と**言**い**合**いになる（ともだち い あ）	have a quarrel with one's friend / 和朋友吵架 / 친구와 말다툼이 벌어지다
上司の意見に**反論**する（じょうし いけん はんろん）	argue with a boss / 反驳上司的意见 / 상사의 의견에 반론하다
本音を言う（ほんね い）	say what one really feels / 说真心话 / 본심을 말하다 対 建前（たてまえ）
自己主張が強い（じこしゅちょう つよ）	assertive / 自我主张强烈 / 자기주장이 강하다
失礼を**詫**びる（しつれい わ）	apologize for one's rudeness / 为不礼貌的行为表示歉意 / 실례를 사과하다
好きな人に**告白**する（す ひと こくはく）	declare one's love for someone / 向喜欢的人告白 / 좋아하는 사람에게 고백하다 例 愛／思い／罪／嘘を告白する
悩みを**打**ち**明**ける（なや う あ）	confess one's worries / 诉说烦恼 / 고민을 털어놓다
取引先と**交渉**する（とりひきさき こうしょう）	negotiate with a business partner / 跟交易方交涉 / 거래처와 교섭하다
友達の秘密を**ばらす**（ともだち ひみつ）	lay a friend's secret wide open / 暴露朋友的秘密 / 친구의 비밀을 폭로하다
異論がある（いろん）	disagree with / 存在不同意见 / 이의가 있다
本当のことを**白状**する（ほんとう はくじょう）	confess the truth / 坦白真实的事情 / 사실을 자백하다

その他
た
Others 其他 그 밖

近所の人と**もめる**（きんじょ ひと）	quarrel with the neighbors / 和邻居发生纠纷 / 이웃과 말썽이 나다
関係が**こじれる**（かんけい）	relationships become entangled / 关系别扭 / 관계가 악화하다
人の失敗を**嘲笑**する（ひと しっぱい ちょうしょう）	laugh at someone's failure / 嘲笑别人的失败 / 다른 사람의 실수를 비웃다
五人の子供を**養**う（ごにん こども やしな）	provide for five children / 抚养五个孩子 / 다섯 명의 아이를 부양하다
人と**接**する仕事（ひと せっ しごと）	work that involves dealing with people / 与人接触的工作 / 사람과 접촉하는 일
異性にもてる（いせい）	be popular among members of the other sex / 有异性缘 / 이성에게 인기가 있다
待遇を**改善**する（たいぐう かいぜん）	give someone better treatment / 改善待遇 / 대우를 개선하다

ドリル

1 つぎの（　）に合うものをそれぞれa〜dの中から一つ選びなさい。

① 先輩から（　）をされた。
② 他人を（　）する
③ 兄弟同士で（　）をする
④ （　）の話をする

a. 言い合い　　b. 内緒　　c. 中傷　　d. 嫌がらせ

⑤ 家族を（　）
⑥ 手料理で（　）
⑦ 失敗を（　）
⑧ 外国人と（　）仕事

a. 詫びる　　b. 養う　　c. もてなす　　d. 接する

2 a、bのうち、正しいほうを一つ選びなさい。

① 母は、バレエをやりたがらない妹を、何とか（a. おだてて　b. おどして）、やらせることに成功した。
② 会議で意見を言ったら、みんなに（a. 討論　b. 反論）されてしまった。
③ 彼はついに、自分が盗んだと（a. 白状　b. 忠告）した。
④ （a. 説教　b. 説得）して、彼にバンドに入ってもらった。

3 つぎの（　）に合うものをa〜eの中から一つ選びなさい。

① 友達が映画の結末を（　）ので、もう見る気がなくなった。
② どこに旅行に行くかで、妻と（　）。
③ 彼のミスで負けたようなものだが、監督は彼を（　）。
④ 父に新しい携帯電話がほしいと（　）ら、しぶしぶ買ってくれた。

a. ねだった　　b. ばらした　　c. もてた　　d. かばった　　e. もめた

4 つぎの（　）に合うものをa〜eの中から一つ選びなさい。

① もうちょっと安くしてもらえないか、お店の人に（　）してみた。
② 生命保険に（　）された。
③ 当店のアンケートにお答えいただくと、100ポイント（　）いたします。
④ 1分でも遅刻しないようにと、先輩に（　）された。

a. 侮辱　　b. 勧誘　　c. 忠告　　d. 交渉　　e. 進呈

5 体調・健康・治療
たいちょう・けんこう・ちりょう

Physical condition, health and treatment　身体状况・健康・治疗　몸 상태・건강・치료

体調・症状 たいちょうしょうじょう
Physical condition and symptom　身体状况・症状　몸의 상태・증상

体がだるい（からだ）	feel sluggish　身体疲惫　몸이 나른하다
疲労がたまる（ひろう）	extremely exhausted　疲劳堆积　피로가 쌓이다
過労で倒れる（かろう・たお）	collapse from overwork　由于过于疲惫而倒地　과로로 쓰러지다
症状が現れる（しょうじょう・あらわ）	symptoms appearing　出现症状　증상이 나타나다 例 症状が治まる（しょうじょう・おさ）
体力が衰える（たいりょく・おとろ）	to become weak　体力衰弱　체력이 쇠약해지다
老衰で亡くなる（ろうすい・な）	die of old age　衰老死亡　노쇠로 돌아가시다
めまいがする	feel dizzy　头晕　현기증이 나다
風邪で体調を崩す（かぜ・たいちょう・くず）	fall sick due to a cold　由于感冒身体变差　감기로 몸의 리듬이 무너지다
ウイルスに感染する（かんせん）	infected with a virus　感染病菌　바이러스에 감염되다
細菌の繁殖（さいきん・はんしょく）	growth of bacteria　细菌的繁殖　세균의 번식 例 細菌に感染する（さいきん・かんせん）
下痢（げり）	diarrhea　泻肚　설사
ぜんそくにかかる	have asthma　患上哮喘　천식에 걸리다
がん	cancer　癌症　암
内臓の病気（ないぞう・びょうき）	intestinal disease　内脏的病症　내장의 병
乾燥して目がかすむ（かんそう・め）	have dry eyes and blurry vision　干燥眼睛看不清　건조해 눈이 부옇게 보이다
近視の眼鏡をかけている（きんし・めがね）	wear glasses for myopia　戴着近视眼镜　근시 안경을 쓰다 対 遠視（えんし）
虫に刺される（むし・さ）	get bitten by an insect　被虫子咬　벌레에 물리다
ノイローゼ気味（ぎみ）	slightly neurotic　有点神经衰弱　노이로제 기미

病院・治療 びょういん・ちりょう
Hospital and treatment　医院・治疗　병원・치료

診察を受ける（しんさつ・う）	get a checkup　接受诊断　진찰을 받다
内科の先生（ないか・せんせい）	doctor of internal medicine　内科医生　내과 의사
外来の受付（がいらい・うけつけ）	outpatient reception　门诊受理　외래 접수
医師の診断（いし・しんだん）	doctor's diagnosis　医师的诊断　의사의 진단
レントゲン（写真）を撮る（しゃしん・と）	take an X-ray　照X光　엑스레이（사진）를 찍다 関 X線（せん）
処方せんを出す（しょほう・だ）	issue a prescription　写处方单　처방전을 내주다
患者の付き添い（かんじゃ・つ・そ）	accompany a patient　陪伴患者　환자의 시중을 듦 例 娘が病院に行くのに付き添った。（むすめ・びょういん・い・つ・そ）
健康保険に入る（けんこうほけん・はい）	purchase health insurance　参加健康保险　건강보험에 들다 例 健康保険証（けんこうほけんしょう）
保険の適用を受ける（ほけん・てきよう・う）	be entitled to be covered by insurance　将保险用于诊治　보험의 적용을 받다
医療関係の仕事（いりょうかんけい・しごと）	health care job　医疗关系的工作　의료 관계의 일
休養をとる（きゅうよう）	take sick leave　休养生息　휴양을 하다
家で安静にする（いえ・あんせい）	rest at home　在家里静养　집에서 안정을 취하다
酔った人を介抱する（よ・ひと・かいほう）	look after a drunk person　照顾酒醉的人　취한 사람을 부축하다 ★病人やけが人の世話をすること。「介護」は普通に動けない人の継続的な生活補助。一般によく使うのは「看病」。（びょうにん・にん・せわ・かいご・ふつう・うご・けいぞくてき・せいかつほじょ・いっぱん・つか・かんびょう）
老いた親を介護する（お・おや・かいご）	look after one's aging parents　照顾年老的双亲　늙은 부모를 돌보다
体力をつける（たいりょく）	get stronger　增加体力　체력을 늘리다
消化にいい（しょうか）	good for digestion　对消化好　소화에 좋다
脂肪がつく（しぼう）	get fat　长脂肪　지방이 붙다

ドリル

1 つぎの（　）に合うものをそれぞれa～dの中から一つ選びなさい。

① けが人を（　　）
② 蜂に（　　）
③ 筋肉が（　　）
④ 目が（　　）

    a. 刺される　　b. 衰える　　c. かすむ　　d. 介抱する

⑤ （　　）で遠くが見えない
⑥ 医者に（　　）してもらう
⑦ （　　）に携わる
⑧ （　　）が増えるのを抑える薬

    a. 診察　　b. 近視　　c. 細菌　　d. 医療

2 a、bのうち、正しいほうを一つ選びなさい。

① そんなに仕事ばかりしていたら（a. 疲労　b. 過労）で死んでしまうよ。
② お腹の周りに（a. 脂肪　b. 内臓）がたまっている。
③ 最近忙しかったので、今週末はしっかり（a. 休養　b. 体調）しよう。
④ 昨日重い荷物を運んだので、今日は腕が（a. めまい　b. だるい）。

3 つぎの（　）に合うものをa～eの中から一つ選びなさい。

① この食べ物は（　　）が悪いので、たくさん食べないほうがいい。
② 母は10年間、自宅で祖父の（　　）をした。
③ 今日の（　　）の受付は、午前で終わりです。
④ インフルエンザに（　　）しないよう、しっかりと予防に努めてください。

    a. 介護　　b. 外来　　c. 診断　　d. 感染　　e. 消化

4 つぎの（　）に合うものをa～eの中から一つ選びなさい。

① そんなに心配はいりません。（　　）にしていれば、すぐに治りますよ。
② （　　）に入っておかないと、病気やけがをしたときに大変困る。
③ のどが痛いとか、咳が出るとか、何か辛い（　　）はありますか。
④ マラソンを完走するには、もっと（　　）をつけなければいけない。

    a. 症状　　b. 安静　　c. 内科　　d. 健康保険　　e. 体力

6 意見・考え
いけん　かんが

opinion and idea　意见・想法　의견・생각

話し合う
はな あ

Discuss 谈话、商量　서로 이야기하다

それぞれの**主張** しゅちょう	assertion of each person 各自的主张　각자의 주장 例 自分の主張を述べる じぶん　しゅちょう　の
彼の意見に**反論**する かれ　いけん　はんろん	counter his argument 反对他的意见　그의 의견에 반론하다
見解を述べる けんかい　の	express one's view 叙述见解　견해를 말하다
活発な**議論** かっぱつ　ぎろん	lively discussion 活跃地讨论　활발한 논의 例 政治について議論する せいじ　ぎろん
結論を出す けつろん　だ	come to a conclusion 得出结论　결론을 내다
納得がいく なっとく	be convinced 理解　납득이 가다

意見・考え
いけん かんが

opinions and thoughts 意见・想法　의견・생각

視点を変える してん　か	change one's point of view 改变观点　시점을 바꾸다
見込みがある みこ	have potential 有希望　전망이 있다 例 見込みのない選手 みこ　せんしゅ
見当をつける けんとう	figure out 能预计、能估计　짐작을 하다 例 どうなるか、見当もつかない。 けんとう
見通しを立てる みとお　た	make a prediction 有指望　전망을 세우다 例 見通しが立たない みとお　た
理想の住まい りそう　す	ideal home 理想的住所　이상적인 주거
ユニークな**発想** はっそう	unique idea 独特的想法　독특한 발상
新しい**概念**が生まれる あたら　がいねん　う	emergence of a new concept 产生新的概念　새로운 개념이 생기다
相手の**意向**を伺う あいて　いこう　うかが	confirm one's intentions 询问对方的意见　상대의 의향을 묻다
新しい**政策**の**提言** あたら　せいさく　ていげん	proposal for a new policy 提倡新政策　새로운 정책을 제언
政府が**提唱**する案 せいふ　ていしょう　あん	plan proposed by a government 政府提出的方案　정부가 제창하는 안
アンケートに**回答**する かいとう	answer a questionnaire 回答问卷调查　앙케트에 답하다
事件について**コメント**する じけん	comment on the incident 就事件进行评论　사건에 대해 코멘트하다
批判を受ける ひはん　う	receive criticism 接受批判　비판을 받다
事情を**考慮**する じじょう　こうりょ	consider circumstances 考虑原因　사정을 고려하다

犯罪を**企てる**
はんざい　くわだ

mastermind a crime
企图犯罪　범죄를 계획하다

本音と**建前**
ほんね　たてまえ

real intention and stated reason
真心话和场面话　속마음과 표면상 원칙

気持ち
きも

Feeling 心情　기분

価値観が合う かちかん　あ	have similar values 价值观相符　가치관이 맞다
内心は反対 ないしん　はんたい	opposed to something at heart 内心表示反对　내심은 반대 例 顔には見せないけど、父は内心 かお　み　ちち　ないしん は喜んでいるはずだ。 よろこ
彼の意見に**同感**だ かれ　いけん　どうかん	agree with his opinion 同意他的意见　그의 의견에 동감이다 例 私も同感です。 わたし　どうかん

ドリル

1 つぎの（　）に合うものをそれぞれa～dの中から一つ選びなさい。
① （　　）が出る
② （　　）をされる
③ （　　）で語る
④ （　　）を説明する

a. 批判　　b. 結論　　c. 本音　　d. 概念

⑤ （　　）できない
⑥ （　　）を立てる
⑦ （　　）を伝える
⑧ （　　）をつける

a. 意向　　b. 見当　　c. 反論　　d. 政策

2 a、bのうち、正しいほうを一つ選びなさい。
① 政府は初めて、この問題に関する公式な（a. 見当　b. 見解）を発表した。
② 昨日の会議では、来年度の経営方針について（a. 議論　b. 結論）がされた。
③ 料理の世界でも、常に新たな（a. 理想　b. 発想）が求められる。
④ 私も、彼の意見に（a. 同感　b. 価値観）です。

3 つぎの（　）に合うものをa～eの中から一つ選びなさい。
① 新商品に関するアンケートに（　　）ら、プレゼントをくれた。
② 今回の犯罪計画を（　　）グループは、過去にも同様の事件を起こしていた。
③ 周辺住民の意見を（　　）結果、工事は平日のみ行うこととした。
④ 田中教授が（　　）理論は、その後のあらゆる研究の基礎になった。

a. 提唱した　b. 回答した　c. 反論した　d. 考慮した　e. 企てた

4 つぎの（　）に合うものをa～eの中から一つ選びなさい。
① このチームが優勝する（　　）はない。
② 彼は落ち着いているように見えたが（　　）はドキドキしていた。
③ 息子は将来に対する（　　）が甘い。
④ 私は気が弱いので、会議で自分の意見を（　　）することができない。

a. 見込み　b. 見通し　c. 視点　d. 主張　e. 内心

7 意志・態度(いし・たいど)

will and attitude 意志・态度 의지・태도

意志(いし)   Will 意志 의지

企画(きかく)の意図(いと)	aim of the project 计划的意图 기획의 의도 類 ねらい
仕事(しごと)への意欲(いよく)がわく	feel motivated to work 有对事业的热情 일에 대한 의욕이 솟다
高(たか)い志(こころざし)を持(も)つ	extremely motivated, ambitious 拥有高尚的志向 높은 뜻을 가지다 例 同(おな)じ志(こころざし)を持(も)つ仲間(なかま)
政治家(せいじか)を志(こころざ)す	aspire to be a politician 立志当政治家 정치가를 지망하다
念願(ねんがん)がかなう	realize one's wish 如愿以偿 염원이 이루어지다
望(のぞ)みをかなえる	to be able to fulfill one's wish 实现愿望 희망이 이루어지다
会社(かいしゃ)の経営方針(けいえいほうしん)	company's business policy 公司的经营方针 회사의 경영방침
子供(こども)の扱(あつか)いを心得(こころえ)ている [心得(こころえ)る]	know how to deal with children 懂得照顾孩子 아이를 다루는 법을 알고 있다 [이해하다]
面接(めんせつ)の心構(こころがま)え	preparedness for an interview 面试的思想准备 면접 볼 때의 마음가짐
意気込(いきご)みを語(かた)る	express enthusiasm for 诉说热情 적극적인 마음가짐을 말하다 例 必(かなら)ず優勝(ゆうしょう)するぞと意気込(いきご)む。
意地(いじ)を張(は)る	be stubborn 赌气 고집을 부리다 例 意地(いじ)の悪(わる)い人(ひと)
野心(やしん)を抱(いだ)く	be highly ambitious 抱有野心 야심을 품다

態度(たいど)   Attitude 态度 태도

節約(せつやく)を心掛(こころが)ける	try to save money 注意节约 절약에 유의하다 例 毎日(まいにち)の心(こころ)がけが大切(たいせつ)だ。
率先(そっせん)して意見(いけん)を言(い)う [率先(そっせん)する]	take the initiative and express one's opinion 带头提意见 [带头、率先] 솔선하여 의견을 말하다 [솔선하다]
寛容(かんよう)な態度(たいど)	generous attitude 宽容的态度 관용적인 태도
寛大(かんだい)な処置(しょち)	lenient treatment 宽大处理 관대한 조처
懸命(けんめい)な努力(どりょく)	long and hard effort 拼命努力 필사적인 노력 例 懸命(けんめい)に作業(さぎょう)を続(つづ)けた。
使命(しめい)を果(は)たす	accomplish the mission 实现使命 사명을 다하다 類 責務(せきむ)
慎重(しんちょう)な態度(たいど)	careful attitude 慎重的态度 신중한 태도 例 慎重(しんちょう)に行動(こうどう)する。
伝統(でんとう)を重(おも)んじる	value the tradition highly 重视传统 전통을 중시하다 類 重視(じゅうし)する
義務(ぎむ)を怠(おこた)る	fail in one's duty 懈怠义务 의무를 게을리하다 例 注意(ちゅうい)/反省(はんせい)/連絡(れんらく)を怠(おこた)る
仕事(しごと)が疎(おろそ)かになる	be negligent of one's work 工作马虎 일을 소홀히 하다
家庭(かてい)を顧(かえり)みない	not care about family 罔顾家庭 가정을 돌보지 않는다
怠慢(たいまん)な職員(しょくいん)	lazy office staff 怠忽职守的职员 태만한 직원 例 職務怠慢(しょくむたいまん)で注意(ちゅうい)を受(う)ける。
限界(げんかい)に挑(いど)む	stretch one's limit 挑战界限 한계에 도전하다
うぬぼれる	get overconfident 骄傲自大 자만하다 例 実力(じつりょく)もないのにうぬぼれるな。 N うぬぼれ
恐怖(きょうふ)に怯(おび)える	be terrified 害怕恐怖 공포에 떨다

気持(きも)ち   Feeling 心情 기분

仕事(しごと)に誇(ほこ)りを持(も)つ	be proud of one's work 对工作有荣耀 일에 자긍심을 가지다.
主催者(しゅさいしゃ)の熱意(ねつい)を感(かん)じる	feel the host's enthusiasm 感觉到主办方的热情 주최자의 열의를 느끼다 類 情熱(じょうねつ)
誠意(せいい)を示(しめ)す	show one's sincerity 显示诚意 성의를 보이다 類 真心(まごころ)
善意(ぜんい)の輪(わ)が広(ひろ)がる	pervade the feeling of goodwill 善意之心不断扩大 선의의 원이 넓어지다 類 良心(りょうしん)
自尊心(じそんしん)が傷(きず)つく	hurt one's pride 伤害自尊心 자존심이 상처를 받다

ドリル

1 つぎの（　）に合うものをそれぞれa〜dの中から一つ選びなさい。
① （　　　）を果たす　　② （　　　）な対応
③ （　　　）に進める　　④ （　　　）を持つ

　　a. 寛大　　b. 慎重　　c. 志　　d. 念願

⑤ 自分の才能に（　　　）　　⑥ 早寝早起きを（　　　）
⑦ 医者を（　　　）　　⑧ 記録の更新に（　　　）

　　a. 心掛ける　　b. 挑む　　c. 志す　　d. うぬぼれる

2 a、bのうち、正しいほうを一つ選びなさい。
① あの人の話し方には（a. 誠意　b. 善意）が感じられない。
② 一緒に戦ったチームの仲間を（a. 誇り　b. 望み）に思っている。
③ 彼女は（a. 心得　b. 自尊心）が高いので、そんなことはしないだろう。
④ この問題の（a. 意地　b. 意図）がよくわからない。

3 つぎの（　）に合うものをa〜eの中から一つ選びなさい。
① この仕事の経験が、外国で生活したいという夢を（　　　）くれた。
② この学校は礼儀を（　　　）いる。
③ 出張の報告を（　　　）いたため、部長に叱られた。
④ 子供が犬に（　　　）いる。

　　a. 怠って　　b. かなえて　　c. 怯えて　　d. 顧みて　　e. 重んじて

4 つぎの（　）に合うものをa〜eの中から一つ選びなさい。
① いつか自分の会社を作るために、彼は（　　　）に働いている。
② 担当者の（　　　）で、書類が届いてなかった。
③ 先輩に、看護師が患者さんと接するときの（　　　）を聞いた。
④ 「嘘をつかない」というのが、わが家の第一の教育（　　　）だ。

　　a. 意欲　　b. 怠慢　　c. 心構え　　d. 方針　　e. 懸命

8 読む・書く・聞く・話す

read, write, listen and speak　读・写・听・说　읽다・쓰다・듣다・말하다

読む・書く
read and write　读・写　읽다・쓰다

説明書を熟読する	read a manual thoroughly　熟读说明书　설명서를 숙독하다
詩を朗読する	recite a poem　朗读诗　시를 낭독하다
資料を閲覧する	consult a document　阅览资料　자료를 열람하다
伝聞情報	information obtained through hearsay　传闻信息　전문 정보
つづりを確かめる	check the spelling　确认拼写　철자를 확인하다
記述式の問題	written question　记述式的问题　서술형 문제
手書きの原稿	hand-written draft　手写的稿子　손으로 쓴 원고
清書して提出する	write up and hand in　誊写后提交　정서하여 제출하다

スピーチ・表現
speech and expression　演讲・表现　연설・표현

会見を開く	hold a news conference　召开记者招待会　회견을 열다　例 記者会見が行われる。
前置きをする	make prefatory remarks　前言　서론을 말하다
祝辞を述べる	offer one's congratulations　叙述祝贺词　축사를 말하다
質疑応答の時間を作る	take time for question-and-answer section　给出提问答辩的时间　질의 응답 시간을 만들다
皮肉を言う	make ironical remarks　讽刺　비꼬다
新聞に投稿する	contribute to the newspaper　向报纸投稿　신문에 투고하다
無言の訴え	silent appeal　无言的诉说　무언의 호소
CDを試聴する	preview CD　试听CD　CD를 시청하다

文法・言語
grammar and language　语法・语言　문법・언어

口語表現	colloquial expression　口语表现　구어표현
母語で話す	speak in one's mother tongue　用母语来说　모어로 말하다　例 母国語
訛りがある	have an accent　有乡音　사투리가 있다
イントネーションが違う	intonation is different　声调不同　억양이 다르다
名詞を修飾する	modify a noun　修饰名词　명사를 수식하다

本・文書・文章
book, document and writing　书・文件・文章　책・문서・문장

古い書物	old book　旧书籍　오래된 책
文献を探す	look for the literature/references　找寻文献　문헌을 찾다
文脈を捉える	understand the context　抓住文脉　문맥을 짚다
要旨をまとめる	summarize the key points　总结要旨　요지를 정리하다
要点をまとめる	summarize a point　总结要点　요점을 정리하다　例 ポイント
論文を要約する	summarize a thesis　总结论文　논문을 요약하다
主題を明確にする	clarify a theme　明确主题　주제를 명확하게 하다
あらすじを読む	read a summary/abstract　阅读故事梗概　줄거리를 읽다
記載事項	items mentioned　记载事项　기재사항
雑誌に掲載する	publish in magazine　在杂志上登载　잡지에 게재하다
資料を引用する	quote a source　引用资料　자료를 인용하다
注釈を付ける	annotate　添加注释　주석을 달다
大意をつかむ	get the gist of　抓住大意　대강의 뜻을 파악하다
資料を参照する	refer to a document　参照资料　자료를 참조하다
参考文献の一覧	list of background materials　参考文献一览　참고문헌의 일람
3つの章に分かれる	be divided into 3 chapters　分为三个章节　3개의 장으로 나누어지다
詩の一節	a passage in a poem　诗的一节　시의 한 구절
下線を引く	underline　引用下划线　밑줄을 긋다
読みやすい字体	clear, legible font　容易阅读的字体　읽기쉬운 글자체
内容を改訂する	revise the content　改订内容　내용을 개정하다　例 改訂版が出る

雑誌を購読する	subscribe a magazine 订阅杂志 잡지를 구독하다 例 定期購読する	彼の生涯を描いた伝記	biography of his life 描述他一生的传记 그의 생애를 그린 전기
夕刊／月刊	evening newspaper / monthly 晚报／月刊 석간／월간 例 朝刊、週刊、日刊、新刊、休刊		

ドリル

1 つぎの（　）に合うものをそれぞれa〜dの中から一つ選びなさい。

① （　　）表にする
② （　　）が長い
③ （　　）を間違える
④ 本を（　　）できる

　　a. つづり　　b. 一覧　　c. 閲覧　　d. 前置き

⑤ 図書館で本を（　　）
⑥ 400字に（　　）
⑦ 専門誌に論文を（　　）
⑧ 新首相が記者（　　）

　　a. 会見する　　b. 投稿する　　c. 閲覧する　　d. 要約する

2 a、bのうち、正しいほうを一つ選びなさい。

① 年賀状はやはり、（a. 清書　b. 手書き）のもののほうが、もらった時に嬉しい。
② 私は毎月2冊の雑誌を（a. 朗読　b. 購読）している。
③ 首相はなるべく頻繁に（a. 注釈　b. 会見）を行うようにしている。
④ （a. 要点　b. 前置き）を示しながら、話してほしい。

3 つぎの（　）に合うものをa〜eの中から一つ選びなさい。

① 詳しい内容を知りたい方は、こちらの報告書をご（　　）ください。
② この本は、いろいろな論文に（　　）されている。
③ この教科書は、2年前に（　　）になっている。
④ スタッフは、このマニュアルを（　　）しておいてください。

　　a. 熟読　　b. 参照　　c. 改訂　　d. 修飾　　e. 引用

第1回 実戦練習（UNIT 1〜8）

問題1 （　　）に入れるのに最もよいものを、1・2・3・4から一つ選びなさい。

① 嫌がる母を何とか（　　）して、手術を受けさせることにした。
1　説教　　　　2　説得　　　　3　指図　　　　4　弁護

② 兄は一人暮らしなので、自由で（　　）な生活をしている。
1　気楽　　　　2　気まぐれ　　3　気さく　　　4　気分屋

③ この方針に（　　）のある方は、意見を述べてください。
1　討論　　　　2　異論　　　　3　議論　　　　4　結論

④ 最近はインターネットで、自分で健康状態を（　　）して薬を注文することもできる。
1　診察　　　　2　体調　　　　3　症状　　　　4　診断

⑤ 彼は先輩なのに、後輩を（　　）ようなことをよく言っている。
1　むかつく　　2　けなす　　　3　うんざりする　4　こだわる

⑥ 山に登るときは、たいてい30キロほどある荷物を（　　）歩く。
1　かついで　　2　くぐって　　3　よろけて　　4　もがいて

⑦ この英語は（　　）が間違っているので修正が必要だ。
1　字体　　　　2　あいづち　　3　つづり　　　4　訛り

⑧ 本の表紙を（　　）と、最初のページに著者の写真が載っていた。
1　いじる　　　2　つまむ　　　3　さする　　　4　めくる

⑨ 今回出版された日本史の教科書は、大幅に（　　）が加えられている。
1　引用　　　　2　要約　　　　3　改訂　　　　4　文脈

⑩ 新入社員の研修で、営業という仕事の（　　）を教わった。
1　志　　　　　2　心得　　　　3　望み　　　　4　野心

問題2 ＿＿＿の言葉に意味が最も近いものを、1・2・3・4から一つ選びなさい。

① ちょっとそこの荷物、どけてもらえる。
　　1　取って　　　2　置いて　　　3　持って　　　4　動かして

② 急いで作成した資料なので、小さいミスは勘弁してください。
　　1　直して　　　2　許して　　　3　見つけて　　4　減らして

③ このいたずらはいったい誰が企てたものですか。
　　1　実行した　　2　手伝った　　3　計画した　　4　指示した

④ 彼は若い頃、教師を志していた。
　　1　目指して　　2　困らせて　　3　嫌って　　　4　避けて

問題3 次の言葉の使い方として最もよいものを、1・2・3・4から一つ選びなさい。

① ひねる
　1　誰かに呼ばれた気がして、首をひねったが誰もいなかった。
　2　「わかりましたか」と聞いたら、学生たちは「はい」と大きくひねった。
　3　転んだ時に、思い切り足首をひねった。
　4　その店なら、次の角を左にひねったところにありますよ。

② 安静
　1　薬を飲んで3日間ぐらい安静にしていれば、すぐに治りますよ。
　2　この海岸は、いつも波がなくて安静だ。
　3　妹は性格が安静なので、人と話すのが好きではない。
　4　この辺りは夜はとても安静なので、住みやすいところですよ。

③ 心細い
　1　1000人もいる全社員の前であいさつをするなんて、心細くてできない。
　2　心細い性格なので、ちゃんと鍵をかけたか何度も確認してしまう。
　3　父は最近体調が心細く、毎日薬を飲んでいる。
　4　迷子の子供は、しばらくおもちゃで遊んでいたが、心細くなったのか、また泣き出した。

9 文化・芸術

Culture and art　文化・艺术　문화・예술

文学 (ぶんがく)　Literature　文学　문학

～著 (ちょ)	written by ～	～著　～저
著書 (ちょしょ)	one's book	著书　저서
小説を創作する (しょうせつをそうさくする)	produce a novel	创作小说　소설을 창작하다　例 創作意欲、創作活動 (そうさくいよく、そうさくかつどう)
新刊の書評 (しんかんのしょひょう)	book review of a new book	新刊的书评　신간의 서평
来月の刊行 (らいげつのかんこう)	to be published next month	下个月出版发行　다음 달 간행
初版 (しょはん)	first edition	初版　초판
改訂版 (かいていばん)	revised edition	改订版　개정판
長編小説 (ちょうへんしょうせつ)	full-length novel	长篇小说　장편소설
文芸作品 (ぶんげいさくひん)	literary work	文艺作品　문예작품
古典から学ぶ (こてんからまなぶ)	learn from the classics	从古典中学习　고전에서 배우다

音楽 (おんがく)　Music　音乐　음악

楽譜 (がくふ)	score	乐谱　악보
ピアノの音色 (ねいろ)	timbre of piano	钢琴的音色　피아노의 음색
歌を口ずさむ (うたをくちずさむ)	sing to oneself	哼歌　노래를 흥얼거리다
コーラス	chorus	合唱团，合唱　코러스
童謡 (どうよう)	nursery rhyme	童谣　동요
民謡 (みんよう)	folk music	民谣　민요

美術 (びじゅつ)　Art　美术　미술

主役を演じる (しゅやくをえんじる)	play the lead role	饰演主角　주역을 연기하다
風景を描写する (ふうけいをびょうしゃする)	depict a scene	描写风景　풍경을 묘사하다　例 心理描写 (しんりびょうしゃ)
デッサン	sketch	素描　데생
版画 (はんが)	print	版画　판화
絵画 (かいが)	painting	绘画　회화
彫刻 (ちょうこく)	sculpture	雕刻　조각

演劇 (えんげき)　Drama　戏剧　연극

オペラ	opera	歌剧　오페라
戯曲 (ぎきょく)	drama	戏曲　희곡
歌舞伎 (かぶき)	kabuki	歌舞伎　가부키
芝居を見る (しばいをみる)	see a play	看戏　연극을 보다
映画の脚本 (えいがのきゃくほん)	screenplay	电影剧本　영화의 각본
ドラマのシナリオ	drama scenario	电视剧的剧本　드라마의 시나리오
台本を読む (だいほんをよむ)	read a script	阅读剧本　대본을 읽다
有名なせりふ (ゆうめいなせりふ)	famous lines	有名的台词　유명한 대사
衣装 (いしょう)	costume	戏装，舞台装　의상

その他 (た)　Others　其他　그 밖

店を装飾する (みせをそうしょくする)	decorate a shop	装饰店铺　가게를 장식하다　例 装飾品 (そうしょくひん)
趣味に打ち込む (しゅみにうちこむ)	devote oneself to a hobby	热衷于兴趣爱好　취미에 열중하다
作者の意図 (さくしゃのいと)	intention of the author	作者的意图　작자의 의도
細かいニュアンス (こまかいニュアンス)	subtle nuance	细微的差别，微妙的感觉　세세한 뉘앙스
映像 (えいぞう)	image	图像　영상
動画 (どうが)	video, film	动画　동영상
音声 (おんせい)	voice	声音　음성
魅力的なコンテンツ (みりょくてきなコンテンツ)	attractive content	有魅力的内容　매력적인 콘텐츠
著作権を守る (ちょさくけんをまもる)	protect a copyright	保护著作权　저작권을 지키다

工芸品 こうげいひん	artifact 工艺品 공예품	茶道 さどう	tea ceremony 茶道 다도
手芸 しゅげい	handicraft 手工 수예	織物 おりもの	woven fabric 纺织品 직물
陶芸 とうげい	pottery 陶艺 도예		

ドリル

1 つぎの（　）に合うものをそれぞれa〜dの中から一つ選びなさい。

① （　）の練習
② 問題集の（　）版
③ （　）文学
④ （　）を着る

　　　　a. 衣装　　　b. 古典　　　c. 改訂　　　d. デッサン

⑤ 劇の（　）を覚える
⑥ 作品の（　）が伝わる
⑦ 子どもと（　）を歌う
⑧ 数々の（　）品

　　　　a. 童謡　　　b. 装飾　　　c. 意図　　　d. せりふ

2 a、bのうち、正しいほうを一つ選びなさい。

① 再生ボタンを押したのに、なぜか（a. 版画　b. 映像）が見られない。
② どこからか、バイオリンの（a. 音色　b. コーラス）が聞こえてきた。
③ 〈雑誌の企画〉歌舞伎俳優のAさんに（a. 芝居　b. シナリオ）の魅力について語ってもらった。
④ メールだと、細かい（a. ニュアンス　b. コンテンツ）がうまく伝わらない。

3 つぎの（　）に合うものをa〜eの中から一つ選びなさい。

① この作家の作品の特徴は、とにかく心理（　）が細かいところです。
② 彼女は主にテレビドラマの（　）を書いています。
③ 曲は全部覚えているので、（　）がなくても弾けますよ。
④ 子供が舞台に出ているところは、写真でなく（　）で撮影しました。

　　　　a. 楽譜　　b. 絵画　　c. 動画　　d. 描写　　e. 脚本

10 スポーツ

Sport　体育运动　스포츠

試合 (しあい) — Game　比赛　시합

プレーする	play a game	进行比赛	플레이하다
試合を観戦する (しあいをかんせん)	watch a game	观看比赛	시합을 관전하다
攻撃と守備 (こうげきとしゅび)	offense and defense	攻击和防守	공격과 수비
反撃に出る (はんげきにでる)	counterattack	进行反击	반격에 나오다
ファンの声援 (せいえん)	support of fans	爱好者的声援	팬의 성원
優位に立つ (ゆういにたつ)	to dominate a game	处于优势	우위에 서다
相手を圧倒する (あいてをあっとう)	overwhelm the opposite team	凌驾与对方之上	상대를 압도하다
健闘を称える (けんとうをたたえる)	admire a brave fight	表扬其勇敢奋斗	건투를 칭송하다
前半 (ぜんはん)	first half	前半场	전반
後半 (こうはん)	second half	后半场	후반

勝ち負け (かちまけ) — Victory and defeat　胜负　승부

試合に圧勝する (しあいにあっしょう)	win an overwhelming victory over the game	比赛胜出	시합에 압승하다
逆転勝利 (ぎゃくてんしょうり)	comeback win	形势逆转取得胜利	역전 승리
勝利 (しょうり)	victory	胜利	승리
敗北 (はいぼく)	defeat	败北, 失败	패배
相手を負かす (あいてをまかす)	defeat an opponent	战胜对手	상대를 지게 하다
記録を破る (きろくをやぶる)	break a record	打破记录	기록을 깨다
成績の不振 (せいせきのふしん)	poor performance	成绩不好	성적 부진
予選を勝ち抜く (よせんをかちぬく)	win a preliminary round	取得预选胜利	예선을 이겨내다
決勝に進む (けっしょうにすすむ)	move into final	进入决赛	결승에 진출하다
決勝戦を制する (けっしょうせんをせいする)	win a final game	决赛取得主动权	결승전을 제압하다
引き分ける (ひきわける)	tie	平局	비기다
	例 引き分け (ひきわけ)		

その他 (た) — Others　其他　그 밖

練習に励む (れんしゅうにはげむ)	practice a lot	鼓励练习	연습에 힘쓰다
有望な選手 (ゆうぼうなせんしゅ)	promising player	有希望的选手	유망한 선수
選手を育成する (せんしゅをいくせい)	nurture a player	培养选手	선수를 육성하다
技術を養成する (ぎじゅつをようせい)	cultivate a skill	训练技术	기술을 양성하다
作戦を練る (さくせんをねる)	work out a game plan	推敲作战	작전을 짜다
巧みな動き (たくみなうごき)	clever move	灵巧的动作	능숙한 움직임
チームの結束 (けっそく)	team unity	队伍的团结	팀의 결속
フォームが乱れる (みだれる)	in poor form	(比赛) 姿势乱了	자세가 흐트러지다
順位 (じゅんい)	rank	名次	순위
判定に抗議する (はんていにこうぎ)	protest a verdict	抗议裁判	판정에 항의하다
反則 (はんそく)	foul	违反规则	반칙
戦力を補う (せんりょくをおぎなう)	beef up one's competitiveness	补充战斗力	전력을 보충하다
控えの選手 (ひかえのせんしゅ)	reserve player	候补选手	대기 선수
	例 申込書の控え (もうしこみしょのひかえ)		

ドリル

1 つぎの（　）に合うものをそれぞれa～dの中から一つ選びなさい。

① （　　）が固い　　② 十分（　　）になる
③ 将来が（　　）だ　　④ （　　）を立てる

　　　a. 戦力　　b. 結束　　c. 作戦　　d. 有望

⑤ 厳しい選挙戦を（　　）　　⑥ 専門家を（　　）
⑦ 計画を（　　）　　⑧ サッカーを（　　）

　　　a. 観戦する　　b. 練る　　c. 養成する　　d. 制する

2 a、bのうち、正しいほうを一つ選びなさい。

① 子どもが生まれてから、彼はますます仕事に（a. 破る　b. 励む）ようになった。
② この小説は、（a. 前半　b. 予選）は面白いんだけど、だんだん抽象的になって難しくなる。
③ 去年の大会よりも、（a. 優位　b. 順位）が下がってしまった。
④ 〈記事〉チームの優勝を（a. 練って　b. 称えて）、賞金10万円が贈られた。

3 つぎの（　）に合うものをa～eの中から一つ選びなさい。

① 試合中も、仲間や家族の（　　）がよく聞こえて、力になりました。
② この書類のコピーを1部とって（　　）にしてください。
③ 捕まった男は、言葉（　　）に少女をだます行為を繰り返していた模様です。
④ 最近、食欲（　　）で、何を見ても食べる気が起きないんです。

　　　a. 不振　　b. 声援　　c. 反則　　d. 巧み　　e. 控え

4 つぎの（　）に合うものをa～eの中から一つ選びなさい。

① 一人の小さなミスを皆で（　　）するのは、感心しない。
② 昨日の試合は、10対1で私たちの（　　）だった。
③ 昨日は観客の数に（　　）されて、うまくスピーチができませんでした。
④ 国の決定に（　　）して、多くの人がデモに参加した。

　　　a. 判定　　b. 圧勝　　c. 攻撃　　d. 圧倒　　e. 抗議

11 衣食住 (いしょくじゅう)

Clothing, food and housing 衣食住行 의식주

服装 (ふくそう) — Clothing 服装 복장

身なりを整える (みなりをととのえる)	tidy up one's appearance / 整理装束 / 옷차림을 가다듬다
ズボンの裾 (ズボンのすそ)	trouser cuff / 裤子的裤脚 / 바짓부리
バレエの衣装 (バレエのいしょう)	ballet costume / 芭蕾服 / 발레 의상
普段着で行く (ふだんぎでいく)	go in ordinary attire / 穿便服去 / 평상복으로 가다
古着の店 (ふるぎのみせ)	secondhand clothing store / 旧衣服店 / 헌 옷 가게
衣類を扱う (いるいをあつかう)	deal in clothing / 经营衣服 / 의류를 취급하다
衣服の歴史 (いふくのれきし)	history of clothing / 衣服的历史 / 의복의 역사
ファスナーを開ける (ファスナーをあける)	unzip / 打开拉链 / 지퍼를 열다

食事 (しょくじ) — Food 饮食 식사

賞味期限が切れる (しょうみきげんがきれる)	be past the expiry date / 保质期要到了 / 유통 기한이 지나다
熱湯を加える (ねっとうをくわえる)	add boiling water / 加热水 / 뜨거운 물을 붓다
香辛料 (こうしんりょう)	spice / 香辣调味料 / 향신료
主食 (しゅしょく)	staple food / 主食 / 주식 例）日本人にとって、主食の米は特に大切だ。(にほんじんにとって、しゅしょくのこめはとくにたいせつだ。)
料理の腕前 (りょうりのうでまえ)	cooking skill / 烹饪才能 / 요리 솜씨
新鮮な素材 (しんせんなそざい)	fresh ingredients / 新鲜的素材 / 신선한 소재
自然の恵み (しぜんのめぐみ)	bounties of nature / 自然的恩惠 / 자연의 은총
県の名産 (けんのめいさん)	specialty of the prefecture / 县里的特产 / 현의 명산물
特産品 (とくさんひん)	local products / 特产 / 특산품
旬の食材 (しゅんのしょくざい)	seasonal food / 最新鲜的饮食材料 / 제철 음식재료
本場の味 (ほんばのあじ)	authentic flavor / 正宗的味道 / 본 고장의 맛
あっさりした食べ物 (あっさりしたたべもの)	lightly seasoned food / 清淡的食物 / 깔끔한 음식 ★味付けが控えめで、塩分や油分などが少ないこと。(あじつけがひかえめで、えんぶんやゆぶんなどがすくないこと。)
味覚 (みかく)	sense of taste / 味觉 / 미각
香ばしい香り (こうばしいかおり)	fragrant aroma / 香味 / 고소한 향기
焦げ臭い (こげくさい)	smell something burning / 焦臭 / 타는 냄새가 나다
水に浸す (みずにひたす)	steep in water / 浸在水里 / 물에 담그다

住居 (じゅうきょ) — Housing 住处 주거

新築の賃貸マンション (しんちくのちんたいマンション)	newly built rental apartment / 新建的租赁公寓 / 신축 임대 아파트
部屋の間取り (へやのまどり)	layout of an apartment / 房屋的布局 / 방의 구조
改修工事 (かいしゅうこうじ)	repair work / 改修工程 / 개수 공사
建物の外観 (たてもののがいかん)	building façade / 建筑物的外观 / 건물 외관
玄関の照明 (げんかんのしょうめい)	hallway illumination / 门口的照明 / 현관 조명 例）照明器具、街／ビル／住まいの照明 (しょうめいきぐ、まち／ビル／すまいのしょうめい)
デザインに凝る (デザインにこる)	obsess over details of the design / 精心于设计 / 디자인에 공을 들이다
AB線の沿線 (ABせんのえんせん)	along the AB line / AB线的沿线 / AB 선의 선로가
車庫 (しゃこ)	garage / 车库 / 차고
汚れを拭きとる (よごれをふきとる)	wipe away dirt / 擦掉污渍 / 더러운 것을 닦다
床がきしむ (ゆかがきしむ)	floor creaks / 地板嘎吱嘎吱作响 / 바닥이 삐걱거리다

その他 (た) — Others 其他 그 밖

家計のやりくり (かけいのやりくり)	management of family finance / 安排家庭生活 / 가계를 꾸림
生計を立てる (せいけいをたてる)	earn a living / 谋生 / 생계를 꾸리다
店を営む (みせをいとなむ)	run a shop / 经营店铺 / 가게를 경영하다 例）事業／農業／工場／生活を営む (じぎょう／のうぎょう／こうじょう／せいかつをいとなむ)
健やかに育つ (すこやかにそだつ)	grow up physically and mentally sound / 健康成长 / 건강하게 자라다
7時に起床する (しちじにきしょうする)	wake up at seven o'clock / 七点起床 / 7시에 기상하다
住民を悩ます (じゅうみんをなやます)	bother, harass the residents / 让居民烦恼 / 주민을 괴롭히다 例）政府を悩ます、頭を悩ます問題 (せいふをなやます、あたまをなやますもんだい)

ドリル

1 つぎの（　）に合うものをそれぞれa〜dの中から一つ選びなさい。

① （　）の中華料理　　② スカートの（　）
③ （　）に気をつける　　④ 町の（　）

　　　a. 本場　　b. 身なり　　c. 名産　　d. 裾

⑤ （　）を開ける　　⑥ 家の（　）
⑦ 秋の（　）　　⑧ ピアノの（　）

　　　a. 腕前　　b. ファスナー　　c. 間取り　　d. 味覚

2 a、bのうち、正しいほうを一つ選びなさい。

① 今は会社員だけど、いつかは作家として（a. 家計　b. 生計）を立てたいと思っている。
② これらの（a. 衣装　b. 衣類）は、どれも今度の劇で使うものです。
③ 魚なら、今の季節はサンマが（a. 旬　b. 素材）です。安くておいしいですよ。
④ 何か（a. 香ばしい　b. 焦げ臭い）と思ったら、鍋を火にかけたままだった。

3 つぎの（　）に合うものをa〜eの中から一つ選びなさい。

① 今度の会は、皆さんどうぞ（　）でいらしてください。
② この4月から一人で（　）マンションに住んでいます。
③ 夜の12時になると、会社の看板も（　）が消えるようになっています。
④ このヨーグルト、（　）が今日までだから、食べちゃって。

　　　a. 普段着　　b. 古着　　c. 賃貸　　d. 賞味期限　　e. 照明

4 つぎの（　）に合うものをa〜eの中から一つ選びなさい。

① 洗剤を使った後でもう一度ぬれた布で（　）といいですよ。
② 学校もだいぶ古くなってきたので、建物を（　）ことになりました。
③ 毎朝、6時には（　）ようにしています。
④ 退職後は、妻と二人で小さなレストランを（　）予定だ。

　　　a. 起床する　　b. 拭きとる　　c. 改修する　　d. 浸す　　e. 営む

11 衣食住

12 評価(ひょうか)

Evaluating, assessing　评价　평가

プラスの評価 | Positive evaluation 积极的评价　플러스 평가

功績(こうせき)を残(のこ)す	make great achievements　留下功绩　공적을 남기다 例 功績をたたえる、功績があった
業績(ぎょうせき)をあげる	improve business performance　取得业绩　업적을 올리다 例 業績を残す
研究(けんきゅう)の成果(せいか)	product of one's research　研究成果　연구 성과 例 成果をあげる、成果を収める
多才(たさい)な人物(じんぶつ)	multitalented person　多才多艺的人物　재능이 많은 인물
売上(うりあげ)が好調(こうちょう)	good sales performance　销售额良好　매상이 호조 対 不調、低調
若者(わかもの)に好評(こうひょう)	well-received among young people　受到年轻人的欢迎　젊은이에게 호평 対 不評、悪評
格別(かくべつ)な味(あじ)	exceptional flavor　特别的味道　각별한 맛
完璧(かんぺき)な出来(でき)	flawless performance　做得很完美　완벽하게 됨
適切(てきせつ)な対応(たいおう)	appropriate support　处理得当　적절한 대응
正当(せいとう)な評価(ひょうか)	fair evaluation　合理的评价　정당한 평가
有望(ゆうぼう)な若者(わかもの)	promising young man　有希望的年轻人　유망한 젊은이
勤勉(きんべん)な学生(がくせい)	diligent student　勤奋的学生　근면한 학생
申(もう)し分(ぶん)ない結果(けっか)	ideal outcome　无可挑剔的结果　나무랄 데가 없는 결과
要領(ようりょう)がいい	clever　得心应手，巧于经营　요령이 좋다
名誉(めいよ)ある賞(しょう)	prestigious prize　有名誉的奖项　명예 있는 상
傑作(けっさく)	masterpiece　杰作　걸작
評価(ひょうか)に値(あたい)する	Deserve acclaim for　值得评价　평가할 만하다 例 称賛に値する、一見に値する

マイナスの評価(ひょうか) | Negative evaluations 消极的评价　마이너스 평가

客(きゃく)に不評(ふひょう)	have poor reputation among customers　在客人中评价不好　손님에게 평가가 좋지 않음 例 不評を買う
不良品(ふりょうひん)	defective product　次品　불량품
粗悪(そあく)な品物(しなもの)	crude, inferior product　粗劣品　조잡한 물건
悪質(あくしつ)ないたずら	vicious prank　性质恶劣的恶作剧　악질적인 장난 例 悪質な手口、悪質な業者
貧弱(ひんじゃく)な体(からだ)	frail body　贫弱的身体　빈약한 몸
安易(あんい)な考(かんが)え	simple idea　简单的想法　안이한 생각

その他(た) | Others 其他　그 밖

無難(ぶなん)な選択(せんたく)	safe choice　安全的选择　무난한 선택
順当(じゅんとう)な結果(けっか)	reasonable outcome　应有的结果　당연한 결과
不可欠(ふかけつ)な要素(ようそ)	indispensable element　不可欠缺的要素　불가결한 요소
切実(せつじつ)な願(ねが)い	deep wish　殷切的希望　절실한 바람
平穏(へいおん)な毎日(まいにち)	peaceful days　每天都很平静　평온한 매일
本格的(ほんかくてき)な料理(りょうり)	authentic cuisine　正宗料理　본격적인 요리
合理的(ごうりてき)な考(かんが)え	logical, rational way of thinking　合理的考虑　합리적인 생각
客観的(きゃっかんてき)な評価(ひょうか)	objective evaluation　客观的评价　객관적인 평가
オーソドックスな方法(ほうほう)	orthodox way　正统的方法　정통적인 방법
予想外(よそうがい)の結果(けっか)	unexpected result　预料之外的结果　예상외의 결과
選考結果(せんこうけっか)	screening results　选拔结果　선고 결과 例 書類選考(しょるいせんこう)に通(とお)る
適性(てきせい)がある	have an aptitude for　有适应性　적성이 있다
よしあし	both good and bad　好坏　좋고 나쁨

ドリル

1 つぎの（　）に合うものをそれぞれa〜dの中から一つ選びなさい。
① 利用客に（　　）
② （　　）を残す
③ 将来が（　　）
④ （　　）をつかむ

a. 要領　　b. 有望　　c. 業績　　d. 好評

⑤ （　　）な日々
⑥ （　　）な判断
⑦ （　　）な製品
⑧ （　　）な若者

a. 勤勉　　b. 客観的　　c. 平穏　　d. 粗悪

2 a、bのうち、正しいほうを一つ選びなさい。
① 電源を入れても動かないよ。これ、(a. 不評　b. 不良) 品かもしれないね。
② 田中さんなら、この仕事をお願いするのに (a. 申し分ある　b. 申し分ない) 人物です。
③ 問題が起こったことよりも、(a. 適切な　b. 正当な) 説明がなかったことがよくない。
④ こうして大自然の景色を見ながら食べる食事は、また (a. 格別　b. 名誉) だね。

3 つぎの（　）に合うものをa〜eの中から一つ選びなさい。
① 鈴木さんは（　　）な人で、どんな分野のことでも上手にできるんです。
② 彼はこのことで有罪になりましたが、尊敬に（　　）する人だと思っています。
③ 彼女は何をするにも（　　）が悪くて、無駄に時間がかかってしまいます。
④ Aチームが1位で予選通過というのは、（　　）な結果ですね。

a. 多才　　b. 好調　　c. 要領　　d. 値　　e. 順当

4 つぎの（　）に合うものをa〜eの中から一つ選びなさい。
① おいしい料理を作るには、まずおいしい水が（　　）だ。
② まじめなのも（　　）で、たまに彼の柔軟性のないところにいらいらすることもある。
③ この小説は、彼の多くの作品の中でも最高（　　）だと言われている。
④ そんなに失敗ばかりするなんて、仕事に（　　）がないんじゃない？

a. 不可欠　　b. 適性　　c. 選考　　d. 傑作　　e. よしあし

12 評価

13 ものの様子・変化

Appearance of and changes to an object　事物的状況・変化　사물의 모습・변화

ものの様子・変化 | Appearance of and changes to an object　事物的状況・変化　사물의 모습・변화

事態が悪化する	situation deteriorates　事态恶化　사태가 악화하다
制度を改める	change a system　改变制度　제도를 고치다 例 態度／認識／機会／日を改める
現在に至る	up until the present　事到如今　현재에 이르다 例 京都に至る、事故に至った原因
態度が一変する	complete shift in attitude　态度突然转变　태도가 일변하다
のどが潤う	throat becomes moist　润喉　목이 축축해지다 例 髪が潤う、財布が潤う〈慣用表現〉
予定が重なる	plans overlap　计划叠在一起　예정이 겹치다 例 表現が重なる
書類がかさばる	bulky documents　文件分量多　서류가 쌓이다
片方に偏る	partial to one side　偏向一方　한쪽으로 치우치다 例 偏った見方
ひもがからむ	string gets tangled　绳子绕在一起　끈이 엉키다 例 お金がからむ問題、酔って人にからむ
床がきしむ	floor creaks　地板嘎吱嘎吱作响　바닥이 삐걱거리다
劇的に変わる	change dramatically　戏剧性的变化　극적으로 변하다
傷にしみる	seep into a wound　渗进伤口　상처가 따갑다 例 味がしみる
価格が推移する	price changes　价格变化　가격이 변해가다
1億円に達する	reach a hundred million yen　达到一亿日元　1억 엔에 달하다 例 目的地に達する、目標を達する
縦に連なる	stretch out vertically　纵向连接　세로로 줄지어 이어지다
減少に転じる	take a downward turn　变为减少　감소로 바뀌다
会話が途切れる	conversation cut off　会话中断　회화가 끊어지다
色がはげる	color comes off　褪色　색이 벗겨지다
化粧で化ける	transformed through makeup　化妆来乔装改扮　화장으로 변신하다 例 文字化けする〈パソコン〉
型にはまる	fit into a mold　老一套　틀에 꼭 들어맞다 例 趣味にはまる
傷が腫れる	wound becomes swollen　伤口肿　상처가 붓다
時代とともに変遷する	change with the times　和时代一起变迁　시대와 함께 변천하다
価格が変動する	prices fluctuate　价格变动　가격이 변동하다
熱で膨張する	expand due to heat　由于热而膨胀　열로 팽창하다
飽和状態	saturated state　饱和状态　포화상태
国が滅びる	country falls into ruin　国家灭亡　나라가 멸망하다
形がゆがむ	shape becomes distorted　形状歪歪扭扭　형태가 일그러지다

数量・データ | Amount, data　数量・数据　수량・데이터

誤差が生じる	calculation error occurs　产生误差　오차가 생기다
水準が低い	low standards　水准低　수준이 낮다
密度が高い	high density　密度高　밀도가 높다
濃度が低い	low concentration　浓度低　농도가 낮다
混雑のピーク	peak crowds　拥挤的高峰期　혼잡한 피크
時速50キロ	speed of 50km/h　时速五十公里　시속 50 킬로
微量の有害物質	minuscule amount of harmful substances　微量的有害物质　미량의 유해물질
人口に比例する	proportional to the population　与人口成正比　인구에 비례하다
軒並み	row of houses　到处，都　집집마다 ★隣り合うものすべて。どれもこれも。副詞的に用いる。 例 バスも電車も軒並み値上がりした。
数値	value, reading　数值　수치

ドリル

1 つぎの（　）に合うものをそれぞれa〜dの中から一つ選びなさい。

① 考えを（　　）
② 表面が（　　）
③ 株価が（　　）
④ 3万人に（　　）

　　a. 改める　　b. 変動する　　c. はげる　　d. 達する

⑤ （　　）120キロ
⑥ （　　）を過ぎる
⑦ （　　）を上回る
⑧ （　　）の電流

　　a. 微量　　b. 時速　　c. 水準　　d. ピーク

2 a、bのうち、正しいほうを一つ選びなさい。

① 同じサイズでも、若干の（a. 誤差　b. 変遷）がある場合があります。
② この不況で、大学4年生の就職率は（a. 軒並み　b. 比例）低下しています。
③ 日本の場合、総じて、北側より南側の地域のほうが人口（a. 密度　b. 濃度）が高い。
④ ときどき電話の音声が（a. 途切れる　b. 滅びる）んだけど、電波が入りにくい場所にいるの？

3 つぎの（　）に合うものをa〜eの中から一つ選びなさい。

① 買ってきた棚を自分で組み立てたら、うまくできずに（　　）しまった。
② バッグのファスナーにひもが（　　）、なかなか取れない。
③ 昨日虫に刺されたところが、ひどく（　　）いる。
④ その日はたまたま用事が（　　）しまって、私は行けないんです。

　　a. きしんで　　b. 腫れて　　c. からんで　　d. 重なって　　e. 歪んで

4 つぎの（　）に合うものをa〜eの中から一つ選びなさい。

① お肉だけじゃなくて野菜もちゃんと食べないと、栄養が（　　）よ。
② 荷物が（　　）から、それは持っていかない。
③ 症状が少し（　　）ので、薬が合っていないようだ。
④ ここは人気のお店で、客が（　　）ことがない。

　　a. 転じた　　b. 悪化した　　c. かさばる　　d. 偏る　　e. 途切れる

13 ものの様子・変化

14 国と社会①

Nation and society ①　国家与社会①　국가와 사회①

国・政治 / Nation and politics / 国家・政治 / 국가・정치

国家の安全（こっかのあんぜん）	national security　国家的安全　국가의 안전　例 国家公務員（こっかこうむいん）
国を支配する（くにをしはいする）	rule a country　支配国家　국가를 지배하다
国を統治する（くにをとうちする）	govern a country　統治国家　국가를 통치하다
秩序を保つ（ちつじょをたもつ）	maintain order　保持秩序　질서를 유지하다
治安を守る（ちあんをまもる）	maintain public order　維护治安　치안을 지키다
政権をとる（せいけんをとる）	come to power　夺取政权　정권을 잡다
新しい体制で臨む（あたらしいたいせいでのぞむ）	start with a new regime　用新的体制来統治国家　새 체세로 임하다
内閣（ないかく）	Cabinet　内阁　내각　例 内閣支持率（ないかくしじりつ）
声明を発表する（せいめいをはっぴょうする）	make a statement, declaration　发表声明　성명을 발표하다
方針を示す（ほうしんをしめす）	announce a policy　晓示方针　방침을 제시하다　例 方針を転換する（ほうしんをてんかんする）
政府首脳（せいふしゅのう）	government leader　政府首脑　정부수뇌　例 各国首脳による会議（かっこくしゅのうによるかいぎ）
衆議院と参議院（しゅうぎいんとさんぎいん）	House of Representatives and Upper House　众议院和参议院　중의원과 참의원
政党（せいとう）	party　政党　정당
政策を掲げる（せいさくをかかげる）	set forth a policy　提出政策　정책을 내걸다
党の公約（とうのこうやく）	commitment of the party　党的公约　당의 공약
与党（よとう）	government party　在朝党　여당
野党（やとう）	nongovernment party　在野党　야당
法案を提出する（ほうあんをていしゅつする）	introduce a bill　提出法案　법안을 제출하다
国会で審議する（こっかいでしんぎする）	discuss in Diet　在国会审议　국회에서 심의하다
具体策を協議する（ぐたいさくをきょうぎする）	discuss concrete plans　协议具体政策　구체적인 계획을 협의하다
意見を表明する（いけんをひょうめいする）	express one's opinion　表明意见　의견을 표명하다
大衆（たいしゅう）	public　大众　대중
マスコミ	mass communication　宣传媒体　매스컴
マスメディア	mass media　大众媒体　매스미디어
世論（よろん）	public opinion　社会輿论　여론　例 世論調査、世論の動向（よろんちょうさ、よろんのどうこう）
当選する（とうせんする）	be elected　当选　당선하다
落選する（らくせんする）	be defeated in an election　落选　낙선하다
革命（かくめい）	revolution　革命　혁명
独裁国家（どくさいこっか）	dictatorship　独裁国家　독재국가
資本主義（しほんしゅぎ）	capitalism　资本主义　자본주의
共産主義（きょうさんしゅぎ）	communism　共产主义　공산주의
社会主義（しゃかいしゅぎ）	socialism　社会主义　사회주의
保守（ほしゅ）	conservative　保守　보수　例 保守派、保守政党（ほしゅは、ほしゅせいとう）
革新（かくしん）	reform　革新　혁신　例 革新派、革新政党（かくしんは、かくしんせいとう）
改革を唱える（かいかくをとなえる）	propose a reform　提倡改革　개혁을 외치다
立法・司法・行政（りっぽう・しほう・ぎょうせい）	legislature・judiciary・executive　立法・司法・行政　입법・사법・행정
国の繁栄（くにのはんえい）	prosperity of a nation　国家的繁荣　국가의 번영
産業の衰退（さんぎょうのすいたい）	decline of an industry　产业衰退　산업의 쇠퇴

ドリル

1 つぎの（　）に合うものをそれぞれa〜dの中から一つ選びなさい。
① （　）的な考え方
② （　）にアピールする
③ （　）を転換する
④ （　）の必要性を訴える

　　a. 大衆　　b. 改革　　c. 保守　　d. 方針

⑤ （　）の動向を探る
⑥ （　）が崩壊する
⑦ （　）を審議する
⑧ （　）を維持する

　　a. 体制　　b. 法案　　c. 世論　　d. 治安

2 a、bのうち、正しいほうを一つ選びなさい。
① 今回の選挙で大勝利を収めたA党が、初めて（a. 政権　b. 秩序）を取ることとなった。
② 果たして（a. 公約　b. 法案）を実現できるのか、新内閣の実行力が問われる。
③ 皆が自由に意見を（a. 審議して　b. 表明して）、活発に議論がされるようにすべきだ。
④ 事故の報告を受け、政府は緊急の会議を開き、対応を（a. 掲げた　b. 協議した）。

3 つぎの（　）に合うものをa〜eの中から一つ選びなさい。
① 税制度に関する政府の（　）が発表された。
② 彼らは、今の（　）を維持するために、あらゆる手段を使うだろう。
③ （　）が確実となった候補者に、早速マイクを向けてみたいと思います。
④ 野党からも年金制度に関する新たな法案が（　）される模様です。

　　a. 統治　　b. 当選　　c. 提出　　d. 体制　　e. 方針

4 つぎの（　）に合うものをa〜eの中から一つ選びなさい。
① 国王の（　）は、これらの小さな島々にも及んだ。
② A党は、（　）を味方にして、選挙戦を有利に戦うつもりだ。
③ この地方でかつて盛んだった石炭産業は、時代とともに（　）し、今ではほとんど見られない。
④ 各国の（　）が集まり、まずは国際的な金融危機について話し合いが持たれました。

　　a. 革命　　b. 衰退　　c. 支配　　d. 世論　　e. 首脳

15 国と社会②

Nation and society ②　国家与社会 ②　국가와 사회②

法律・ルール・行政 | laws, rules, administration 法律・规则・行政　법률・규칙・행정

法律を制定する	establish a law　制定法律　법률을 제정하다
法律を施行する	enforce a low　施行法律　법률을 시행하다
法律を整備する	streamline laws　调整法律　법률을 정비하다　例 道路を整備する
法律を改正する	amend a law　修改法律　법률을 개정하다
制度を改定する	revise a system　重新规定法律　제도를 개정하다　例 ルールを改定する
規範を示す	set a pattern　显示规范　규범을 보이다
規律を守る	observe a rule　遵守规律　규율을 지키다
違反を取り締まる	crack down on violations　取缔违法行为　위반을 단속하다
不正を追及する	investigate an injustice　追究违法行为　부정을 추궁하다
罰則を設ける	impose penal regulations　设立惩罚条例　벌칙을 만들다
免許を交付する	issue a license　发给驾照　면허를 교부하다
税金を免除する	exempt from paying tax　免除税金　세금을 면제하다
制度を廃止する	abolish an institution　废除制度　제도를 폐지하다
～省	Ministry　～省（日本中央政府的官厅）　~부
官庁	government office　官厅　관청
官僚	bureaucrat　官僚　관료
課税する	impose a tax　征收税金　과세하다
税を申告する	declare taxes　申报税金　세를 신고하다
財政の危機	financial crisis　财政危机　재정의 위기
天下り	cushy jobs for retired bureaucrats　高管退任后转到民间担任要职　낙하산 인사
自治体	self-governing body　具有行政自治权的公共团体　자치 단체
条例を定める	enact a regulation　制定条例　조례를 정하다

権利を保障する	guarantee rights, privileges　保障权利　권리를 보장하다
緊急の措置	urgent measures　紧急措施　긴급한 조치

国際 | international 国际　국제

国土	national territory　国土　국토
国連に加盟する	join the United Nations　加盟国联　국제 연합에 가맹하다
情勢を見守る	keep an eye on the situation　关注形势　정세를 지켜보다
条約を採択する	adopt a treaty　通过条约　조약을 채택하다
条約に調印する	sign a treaty　在条约上签字　조약에 조인하다
友好な関係	harmonious relationship　友好的关系　우호적인 관계
親善に努める	work to maintain goodwill　致力于亲善　친선에 노력하다
隣国を侵略する	invade a neighboring country　侵略邻国　이웃 나라를 침략하다
領海に侵入する	illegally enter territorial water　侵入领海　영해에 침입하다
領土を侵す	intrude on one's territory　侵入领土　영토를 침범하다
紛争地帯	conflict zone　纷争地带　분쟁 지대
内戦が続く	civil war continues　持续内战　내전이 이어지다
難民	refugee　难民　난민
母国	home country, motherland　祖国　모국

ドリル

1 つぎの（　）に合うものをそれぞれa〜dの中から一つ選びなさい。

① 料金を（　）する
② 特別手当を（　）する
③ 道路の（　）を進める
④ 市町村などの（　）

a. 改定　　b. 自治体　　c. 廃止　　d. 整備

⑤ （　）行為が繰り返される
⑥ （　）を解決する
⑦ （　）を受け入れる
⑧ （　）を強化する

a. 紛争　　b. 侵略　　c. 取り締まり　　d. 難民

2 a、bのうち、正しいほうを一つ選びなさい。

① 現在、約200近くの国が国連に（a. 加盟　b. 調印）している。
② 被害の大きい住民に対して、国による特別な（a. 採択　b. 措置）が必要だ。
③ 特に成績が優秀な学生には、授業料が（a. 交付　b. 免除）される。
④ 異国の地から（a. 母国　b. 領土）への思いを歌にしたのがこの曲です。

3 つぎの（　）に合うものをa〜eの中から一つ選びなさい。

① 海外との取引が増える中、国際（　）には常に注意を向けなければならない。
② この法律が施行されて15年になるが、まだ一度も（　）されていない。
③ （　）が続くこの国では、家族が離れ離れになるケースが増えている。
④ 1週間にわたって行われる研修では、まず（　）正しい生活が求められる。

a. 情勢　　b. 内戦　　c. 規律　　d. 制定　　e. 改正

4 つぎの（　）に合うものをa〜eの中から一つ選びなさい。

① 事故を起こした遊園地の管理責任が厳しく（　）されるだろう。
② 路上でたばこを吸うことを（　）で禁止している自治体もある。
③ 個人で事業を行っている人は、自分で納税の（　）をしなければならない。
④ 両国の間では、（　）を目的としたこのようなイベントが定期的に行われている。

a. 保障　　b. 申告　　c. 親善　　d. 条例　　e. 追及

16 経済・産業

Economy and industry　经济・产业　경제・산업

経済 (けいざい) | Economy 经济 경제

景気が低迷する (けいきていめい)	economy stagnates 经济状况低迷　경기가 침체하다
失業する (しつぎょう)	become unemployed 失业　실업하다
規制を緩和する (きせいかんわ)	ease regulations 缓和规定　규제를 완화하다
融資を受ける (ゆうし)	obtain financing 接受融资　융자를 받다
所得を得る (しょとくえ)	gain an income 得到收入　소득을 얻다
外貨を稼ぐ (がいかかせ)	earn foreign exchange 赚取外汇　외화를 벌다
為替の相場 (かわせそうば)	exchange rates 外汇市场　환전 시세
通貨 (つうか)	currency 通货　통화
株を運用する (かぶうんよう)	manage stock 灵活运用股票市场　주식을 운용하다 例 株価、株式 (かぶか、かぶしき)
A社に投資する (しゃとうし)	invest in company A 投资到A公司　A 사에 투자하다 例 投資家 (とうしか)
価格が高騰する (かかくこうとう)	price soars 价格高涨　가격이 등귀하다 例 株価が高騰する (かぶかこうとう)
株が暴落する (かぶぼうらく)	stock plunges 股票暴跌　주식이 폭락하다 例 円が暴落する (えんぼうらく)
需要と供給 (じゅようきょうきゅう)	demand and supply 需要和供给　수요와 공급
動向を見る (どうこうみ)	watch a trend 看动向　동향을 보다
収支の内訳 (しゅうしうちわけ)	breakdown of income and expenditure 收支的内详　수지의 내용
均衡を図る (きんこうはか)	balance (income and expenditure, budget) 谋求均衡　균형을 꾀하다
負債を抱える (ふさいかか)	have debts 承担负债　부채를 껴안다
雇用を増やす (こようふ)	increase employment 增加雇佣　고용을 늘리다
関税を引き下げる (かんぜいひさ)	reduce tariffs, duties 削减关税　관세를 내리다
物価が上がる (ぶっかあ)	cost of living rises 物价上涨　물가가 오르다
国の財政 (くにざいせい)	national finance 国家财政　나라의 재정
法人を対象にする (ほうじんたいしょう)	target corporation 以法人为对象　법인을 대상으로 하다

産業 (さんぎょう) | Industry 产业 산업

物資の輸送 (ぶっしゆそう)	transportation of goods 物资的运送　물자의 수송
商品の流通 (しょうひんりゅうつう)	flow of goods 商品的流通　상품의 유통
鉱山 (こうざん)	mine 矿山　광산
鉄鋼 (てっこう)	iron and steel 钢铁　철강
酪農 (らくのう)	dairy farming 乳业　낙농
肥料 (ひりょう)	fertilizer 肥料　비료
石油の産出量 (せきゆさんしゅつりょう)	volume of oil production 石油的生产量　석유의 산출량
原子力発電 (げんしりょくはつでん)	nuclear power generation 原子能发电　원자력 발전
放射能 (ほうしゃのう)	radioactivity 放射能　방사능
金属の加工 (きんぞくかこう)	metal processing 金属的加工　금속의 가공
画期的な商品 (かっきてきしょうひん)	groundbreaking product 划时代的商品　획기적인 상품
精密な機械 (せいみつきかい)	precise machine 精密的机械　정밀한 기계
農業に従事する (のうぎょうじゅうじ)	be engaged in agriculture 从事农业　농업에 종사하다
8月に着工する (がつちゃっこう)	begin construction in August 八月份开工　8 월에 착공하다

ドリル

1 つぎの（　）に合うものをそれぞれa～dの中から一つ選びなさい。

① （　　）機器　　② （　　）が厳しい
③ 家賃の（　　）　　④ （　　）が高い

　　a. 精密　　b. 物価　　c. 相場　　d. 財政

⑤ 農業に（　　）する　　⑥ 株価が（　　）する
⑦ 資産を（　　）する　　⑧ 売上が（　　）する

　　a. 高騰　　b. 低迷　　c. 従事　　d. 運用

2 a、bのうち、正しいほうを一つ選びなさい。

① 庭で野菜を作るのに、(a. 酪農　b. 肥料)が要るんです。
② この不景気で、国民の(a. 所得　b. 通貨)も減少傾向にあるようだ。
③ 銀行から1千万の(a. 融資　b. 投資)を受けて、会社を設立した。
④ 日本では現在、石油(a. 加工　b. 産出)量は、ほぼゼロに等しい。

3 つぎの（　）に合うものをa～eの中から一つ選びなさい。

① 大きな工場ができることで、町の（　　）が増えることが期待される。
② この製品には、これまでと違う（　　）な技術が使われている。
③ 駅前の大型ビルの建設は、来年2月に（　　）の予定です。
④ 第55回港祭りの（　　）の内訳は、ホームページでも見ることができます。

　　a. 収支　　b. 画期的　　c. 着工　　d. 関税　　e. 雇用

4 つぎの（　）に合うものをa～eの中から一つ選びなさい。

① この海でとれた魚は、すぐに冷凍された後、各地に（　　）される。
② この大きさのパックは業務用のものなので、一般には（　　）していません。
③ A社は多額の（　　）を抱え、ついに先月、倒産してしまった。
④ 夫は先月（　　）したので、新しい仕事を探しているところです。

　　a. 負債　　b. 流通　　c. 暴落　　d. 失業　　e. 輸送

第2回 実戦練習(UNIT 9～16)

問題1 ( )に入れるのに最もよいものを、1・2・3・4から一つ選びなさい。

① ( )の際には、こちらの電話番号に連絡してください。
　　1　変遷　　　　2　緊急　　　　3　緩和　　　　4　結束

② 将来は妻と二人、海のそばでレストランを( )のが夢です。
　　1　潤う　　　　2　励む　　　　3　練る　　　　4　営む

③ 国の( )が年々厳しくなる中、国民の将来への不安も増す一方だ。
　　1　投資　　　　2　物価　　　　3　財政　　　　4　負債

④ メールのやりとりだけでは、細かい( )はうまく伝わらない。
　　1　ニュアンス　　2　マスコミ　　3　ピーク　　　4　フォーム

⑤ 田中さんが言っていたとおり、値段といい味といい、( )のない店だった。
　　1　旬　　　　　2　こってり　　3　要領　　　　4　申し分

⑥ ( )な機器なので、湿気の多い所に置いたり落としたりしないでください。
　　1　安易　　　　2　傑作　　　　3　完璧　　　　4　精密

⑦ 最近は肉料理ばかり食べているので、栄養が( )いると思う。
　　1　至って　　　2　偏って　　　3　かさばって　　4　ゆがんで

⑧ 明日の試合では日頃の練習の( )を見せられると思います。
　　1　結束　　　　2　成果　　　　3　功績　　　　4　業績

⑨ このスパイスを加えると、ぐっと( )の味に近づきます。
　　1　本場　　　　2　味覚　　　　3　主食　　　　4　平穏

⑩ 友達の結婚式と( )ので、その日の集まりには行けそうにありません。
　　1　変動した　　2　連なった　　3　転じた　　　4　重なった

問題2 ＿＿＿の言葉に意味が最も近いものを、1・2・3・4から一つ選びなさい。

① 首相はテレビで声明を発表した。
　　1　音声　　　　2　コメント　　　　3　結果　　　　4　内容

② たかしは、サッカーに打ち込んでいる。
　　1　関わって　　2　挑戦して　　　　3　適して　　　4　熱中して

③ 台風のため、イベントは軒並み中止になった。
　　1　ひとつ　　　2　全て　　　　　　3　いくつか　　4　ほとんど

④ 年間の所得に応じて納税額が決まる。
　　1　長所　　　　2　荷物　　　　　　3　趣味　　　　4　収入

問題3 次の言葉の使い方として最もよいものを、1・2・3・4から一つ選びなさい。

① 誤差
　　1　製品のサイズは次のとおりですが、若干の誤差が生じる場合があります。
　　2　漢字に少し誤差があったから、修正しておきました。
　　3　私と林さんには、営業についての意見の誤差がある。
　　4　見た限り、この2種類の商品にそれほどの誤差は感じられません。

② 免除
　　1　棚のほこりは免除して、きれいに掃除してください。
　　2　セール期間中は、一部を免除して、ほとんどの商品が6割引です。
　　3　バイトをするときは、学校に免除をとってください。
　　4　優秀な学生は、当校の授業料が免除されます。

③ 推移
　　1　原さんの風邪が、私に推移してしまったようだ。
　　2　日本の人口の推移は、次のグラフのようになっています。
　　3　この件はこれでいいですね。では、次の議題に推移しましょう。
　　4　そろそろ時間なので、パーティー会場に推移しましょうか。

17 商品・サービス
しょうひん

Product and service　商品・服务
상품・서비스

販売 はんばい	Sale　出售　판매	税込価格 ぜいこみかかく	price including tax 含税的价格　세금 포함 가격 対 税抜き価格、税別価格 　ぜいぬ　かかく　ぜいべつかかく
販促（販売促進） はんそく　はんばいそくしん	promotion (of sales) 促销　판촉	利子がつく りし	carry interest 有利息　이자가 붙다
キャンペーンを展開する てんかい	run a campaign 开展商业宣传　캠페인을 전개하다 例 販促キャンペーン 　はんそく	商品を購入する しょうひん　こうにゅう	purchase a product 购买商品　상품을 구입하다
棚に陳列する たな　ちんれつ	display on shelves 陈列在橱窗　선반에 진열하다	領収書 りょうしゅうしょ	receipt 收据　영수증
在庫を確認する ざいこ　かくにん	check the stock 确认库存　재고를 확인하다 例 在庫がない、在庫が切れている 　ざいこ　　　　ざいこ　き	その他 た	Others　其他　그 밖
商品を入荷する しょうひん　にゅうか	bring in new stocks 新产品到货　상품을 입하하다	試着する しちゃく	try 〜 on 试穿　입어보다
商品を出荷する しょうひん　しゅっか	ship the product 商品发货　상품을 출하하다	量販店 りょうはんてん	mass retailer 批量出售商品的零售店　양판점
配送する はいそう	deliver 配送　배송하다 例 配送業者、配送センター 　はいそうぎょうしゃ	得意客 とくいきゃく	good customer 老主顾　단골 손님 例 お得意様 　とくいさま
仕入れを担当する しい　たんとう	be in charge of buying 担当采购工作　구입을 담당하다 例 商品/材料を仕入れる 　しょうひん　ざいりょう　しい	顧客 こきゃく	customer 顾客　고객
通販（通信販売） つうはん　つうしんはんばい	mail order 邮购　통판	常連の客 じょうれん　きゃく	steady, regular customer 常客　단골 손님
小売り業 こう　ぎょう	retail industry 零售业　소매업	店のオーナー みせ	shop owner 店主　가게의 주인
サービス	Service　服务　서비스	お茶の産地 ちゃ　さんち	tea producing region 茶产地　차의 산지
保証書 ほしょうしょ	warranty certificate 保证书　보증서	国産の牛肉 こくさん　ぎゅうにく	domestically produced beef 国产牛肉　국산 소고기
特典がある とくてん	have perks, privileges 有特别优惠　특전이 있다	返品する へんぴん	return goods 退货　반품하다
オーダーメイド	custom-made 定做衣服　오더메이드 例 オーダーメイドで注文する 　　　　　　　　ちゅうもん		
アフターサービス	after-sales service 售后服务　애프터 서비스		
オプションがある	optional extras 有自由选择项目　옵션이 있다 例 オプションのツアープラン		
付録を付ける ふろく　つ	add a supplement, free extra 带有附录　부록을 붙이다		
お金 かね	Money　金钱　돈		
カードで決済する けっさい	settle payment by credit card 用卡来支付　카드로 결제하다		
料金を精算する りょうきん　せいさん	adjust a fee 结账　요금을 정산하다		

ドリル

1 つぎの（　）に合うものをそれぞれa〜dの中から一つ選びなさい。

① （　）で購入する　　② （　）が切れる
③ レジで（　）する　　④ （　）を展開する

| a. 販促 | b. 通販 | c. 精算 | d. 在庫 |

⑤ （　）された商品　　⑥ カードで（　）する
⑦ 雑誌の（　）　　　　⑧ 家電（　）

| a. 量販店 | b. 付録 | c. 決済 | d. 陳列 |

2 a、bのうち、正しいほうを一つ選びなさい。

① この豚肉の（a. 産地　b. 国産）はどこですか。
② デジカメ、ちょっと調子が悪いね。（a. 保証書　b. 領収書）があるから修理に出そう。
③〈旅行の申し込み〉当サイトから申し込むと、（a. 仕入れ　b. 特典）として食事券が付いてきます。
④ 店内には、私たち二人と（a. 顧客　b. 常連客）が一人いただけだった。

3 つぎの（　）に合うものをa〜eの中から一つ選びなさい。

① こちらは、今日（　）したばかりの新商品です。
② セール品につき、お支払い後の商品の（　）・交換はできません。
③ 分割払いにすると、（　）は何パーセント付くんですか。
④ 5千円以上のご購入から、商品の（　）料が無料となります。

| a. 配送　b. 利子　c. 税込　d. 返品　e. 入荷 |

4 つぎの（　）に合うものをa〜eの中から一つ選びなさい。

① これは（　）で作ったスーツなので、サイズがぴったりなんです。
② いつもこの店で買うのは、（　）がしっかりしているからです。
③ 今なら（　）中なので、特別価格1万円でのご提供です。
④ （　）のプランとして、相撲観戦や着物体験などもあります。

| a. キャンペーン　b. オプション　c. 国産　d. アフターサービス　e. オーダーメイド |

18 仕事・ビジネス

Work and business 工作・商业
일・비즈니스

経営・利益 | Management・profit | 经营・利益 | 경영・이익

見積もりをとる	get a quote 进行估价 견적을 뽑다 例 見積額
予算を立てる	make a budget 制定预算 예산을 세우다
経費がかかる	cost a lot 花经费 경비가 들다 例 経費がかさむ
利潤を追求する	pursue profits 追求利润 이윤을 추구하다
多額の損失	hefty losses 巨额的损失 다액의 손실
仕事の報酬	remuneration for work 工作的报酬 일의 보수
資金を集める	raise funds 收集资金 자금을 모으다 例 資金を調達する
コストがかさむ	costly 成本增加 비용이 많아지다
収益を上げる	increase profits 收益增加 수익을 올리다
業績を上げる	improve performance 取得业绩 업적을 올리다
決算報告	statement of accounts 结算报告 결산 보고
採算が合う	be profitable 有盈利, 收支合算 채산이 맞다 例 採算がとれる

業務 | Task | 业务 | 업무

プレゼン（プレゼンテーション）	presentation 广告公司向客户提出广告制作的设想和计划 프레젠테이션
ノルマを達成する	meet one's quota 达到劳动定额 노르마를 달성하다 例 ノルマを課される
アポをとる（アポイントメント／アポイント）	make an appointment 联系, 预约 만날 약속을 잡다
8時に出社する	come to the office at eight 八点上班 8시에 회사에 가다
任務を果たす	carry out a duty 完成任务 임무를 다하다 例 任務を遂行する

仕事を分担する	divide up the work 分担工作 일을 분담하다
下請けの会社	subcontracting company 分包公司 하도급회사 例 下請けに出す
現場に赴く	go to a job site 赶赴现场 현장에 가다
得意先を訪ねる	visit clients 拜访客户 단골을 방문하다
商品を納入する	deliver product 交货 상품을 납입하다
A社と取引する	do business with company A 和A公司交易 A사와 거래를 하다
顧客情報	client information 顾客信息 고객 정보
備品	equipment 备用品 비품
チームワーク	teamwork 团队合作 팀워크

制度・待遇 | System・treatment | 制度・待遇 | 제도・대우

住宅手当	housing allowance 住宅补贴 주택 수당
産休をとる	take maternity leave 休产假 산후 휴가를 얻다
手取りの収入	net income 扣除税款的净收入 실수령액 수입
賞与	bonus 奖金 보너스
勤務時間	working hours 工作时间 근무 시간
待遇が良い	good treatment, package 待遇好 대우가 좋다
部長に昇進する	be promoted to director 晋升为部长 부장으로 승진하다

その他 | Others | 其他 | 그 밖

キャリアを積む	build one's career 积累职业经验 커리어를 쌓다
出世する	get ahead 有出息, 发迹 출세하다
セクハラ（セクシャル・ハラスメント）	sexual harrassment 性骚扰 성희롱

ドリル

1 つぎの（　）に合うものをそれぞれa～dの中から一つ選びなさい。

① （　）がとれない企画
② ボランティア活動の（　）
③ （　）を受け取る
④ （　）で約15万円になる

　　a. 手取り　　b. 報酬　　c. 採算　　d. 資金

⑤ （　）の改善を図る
⑥ （　）の時間
⑦ （　）の担当者
⑧ 上司から（　）を受ける

　　a. 業績　　b. 得意先　　c. セクハラ　　d. アポ

2 a、bのうち、正しいほうを一つ選びなさい。

① 社長自ら現場に（a. 取引して　b. 赴いて）、指揮に当たる予定です。
② 本当はこれも買いたいけど、今日は（a. 採算　b. 予算）が足りない。
③ これ以上（a. 備品　b. 経費）がかさむと、赤字になってしまう。
④ うちの部署は（a. チームワーク　b. コスト）がいいのが自慢です。

3 つぎの（　）に合うものをa～eの中から一つ選びなさい。

① 給料は安いし、勤務時間は長いし……。もっと（　）がいい会社で働きたいなあ。
② このプロジェクトの（　）は、全額寄付する予定です。
③ 田中さんは（　）をとっていますが、来年の春には戻ってくる予定です。
④ いったいいくらぐらいかかるのか、（　）を取ってみることにした。

　　a. 収益　　b. 産休　　c. 下請け　　d. 待遇　　e. 見積もり

4 つぎの（　）に合うものをa～eの中から一つ選びなさい。

① 売上の（　）が厳しいため、会社を辞めていく社員も多い。
② この春にチーフに（　）、それとともに給料も上がった。
③ これからどんどん（　）を積んで、より大きな舞台で活躍したいと思っています。
④ では、3人で（　）作業を始めましょう。

　　a. 納入して　　b. キャリア　　c. 昇進して　　d. 分担して　　e. ノルマ

19 教育・研究・科学

Education, research and science
教育・研究・科学　교육・연구・과학

教育 (きょういく) | Education　教育　교육

英語の教材 (えいご きょうざい)	English teaching materials　英语的教材　영어 교재
明日までの課題 (あす かだい)	assignment due by tomorrow　明天之前的课题　내일까지의 과제
テストの出題範囲 (しゅつだいはんい)	the scope of the exam　考试的出题范围　테스트의 출제 범위
応用問題 (おうようもんだい)	practical exercise　应用问题　응용문제
必修科目 (ひっしゅうかもく)	compulsory subject　必修科目　필수 과목
講座を受講する (こうざ じゅこう)	take a course　听讲座　강좌를 수강하다
講義を聴講する (こうぎ ちょうこう)	audit a course　听课　강의를 청강하다
プロを養成する (ようせい)	nurture professionals　培养职业意识　프로를 양성하다
在学中の学生 (ざいがくちゅう がくせい)	students currently enrolled　在上学的学生　재학 중의 학생
課外活動 (かがいかつどう)	extracurricular activities　课外活动　과외 활동
教師を志す (きょうし こころざ)	aim to be a teacher　立志当教师　교사를 목표로 하다
子どもをしつける (こ)	discipline a child　教育孩子　아이에게 예의범절을 가르치다　例 しつけが厳しい (きび)
男女共学 (だんじょきょうがく)	co-education　男女共校　남녀공학
高等教育 (こうとうきょういく)	higher education　高等教育　고등교육
予備校に通う (よびこう かよ)	attend a prep school　上预备校　학원에 다니다

研究 (けんきゅう) | research　研究　연구

新しい学説 (あたら がくせつ)	new theory　新学说　새 학설
主張の根拠 (しゅちょう こんきょ)	basis for an assertion　主张的根据　주장의 근거
仮説を立てる (かせつ た)	form a hypothesis　设立假说　가설을 세우다
概念を理解する (がいねん りかい)	understand the concept　理解概念　개념을 이해하다
意味を定義する (いみ ていぎ)	define a meaning　定义意义　의미를 정의하다
結果を類推する (けっか るいすい)	draw conclusion by analogy　类推结果　결과를 유추하다
この分野の権威 (ぶんや けんい)	authority in this field　这个领域的权威　이 분야의 권위
資料を参照する (しりょう さんしょう)	refer to a document, source　参照资料　자료를 참조하다
質疑応答 (しつぎおうとう)	question and answer　问题答辩　질의응답

科学・技術 (かがく ぎじゅつ) | Science and technology　科学・技术　과학・기술

新製品を考案する (しんせいひん こうあん)	devise a new product　考察新产品　신제품을 고안하다
特許 (とっきょ)	patent　专利权　특허
試作の段階 (しさく だんかい)	pre-production stage　试运作阶段　시험 제작의 단계
人類の進化 (じんるい しんか)	human evolution　人类的进化　인류의 진화
機械の仕組み (きかい しく)	structure of machinery　机械的构造　기계의 구조
未知の領域 (みち りょういき)	unknown domain　未知领域　미지의 영역
省エネルギー (しょう)	energy saving　节省能源　에너지 절약
アナログ機器 (き)	analog equipment　模拟式机器　아날로그 기기　対 デジタル
先端技術 (せんたん ぎじゅつ)	cutting-edge technology　先进技术　첨단기술
遺伝子 (いでんし)	gene　遗传基因　유전자
テクノロジー	technology　科学技术　테크놀로지
バイオテクノロジー	biotechnology　生命工学　바이오 테크놀로지
太陽電池 (たいようでんち)	solar battery　太阳能电池　태양전지
データを出力する (しゅつりょく)	output the data　输出数据　데이터를 출력하다
電圧 (でんあつ)	voltage　电压　전압
人工衛星 (じんこうえいせい)	man-made satellite　人工卫星　인공위성

その他 (た) | Others　其他　그 밖

知性 (ちせい)	intelligence　智力, 思考能力　지성
知的 (ちてき)	intelligent　有智慧的, 有知识的　지적
開発に携わる (かいはつ たずさ)	involved in the development of　从事开发　개발에 관여하다

ドリル

1 つぎの（　）に合うものをそれぞれa～dの中から一つ選びなさい。

① （　）のない話
② （　）を立てる
③ （　）の分野
④ （　）のある賞

　　a. 根拠　　b. 未知　　c. 仮説　　d. 権威

⑤ 意味を（　）する
⑥ （　）を終わらせる
⑦ 新製品の（　）品を作る
⑧ 幅広い分野に（　）が利く

　　a. 課題　　b. 試作　　c. 応用　　d. 類推

2 a、bのうち、正しいほうを一つ選びなさい。

① 週に1度、大学の授業を（a. 聴講　b. 課外）しています。
② 質疑（a. 応答　b. 主張）の時間には、客席からたくさんの質問が出た。
③ 父が病気で亡くなったのをきっかけに、医者を（a. 携わる　b. 志す）ようになりました。
④ テレビやデジカメなどの家電製品は、日々（a. 進化　b. 先端）している。

3 つぎの（　）に合うものをa～eの中から一つ選びなさい。

① これは夏用に（　）された新しいメニューです。
② 今日のテストには、ちょうど昨日勉強したところが（　）された。
③ あそこは、プロのアナウンサーを（　）している学校です。
④ この2つのデータを（　）して、資料を作ってもらえますか。

　　a. 考案　　b. 参照　　c. 養成　　d. 出題　　e. 出力

4 つぎの（　）に合うものをa～eの中から一つ選びなさい。

① （　）のために、無駄な電気は消すようにしています。
② この機械は、中がとても複雑な（　）になっているんです。
③ （　）中に取った資格が、就職活動のときに少しプラスになった。
④ 彼女はきれいなだけじゃなく、（　）な感じもして、とても魅力的だ。

　　a. 知的　　b. 仕組み　　c. 在学　　d. 知性　　e. 省エネ

19 教育・研究・科学

20 職業・身分・立場

Occupation, status, position 职业・身份・立场 직업・신분・입장

医師の免許（いしのめんきょ）	medical license / 医生的执照 / 의사 면허
看護師の資格を取る（かんごしのしかくをとる）	obtain a nurse's qualification / 取得护士资格 / 간호사 자격을 따다
パイロット	pilot / 飞行员 / 파일럿
裁判官（さいばんかん）	judge / 法官 / 재판관
外交官（がいこうかん）	diplomat / 外交官 / 외교관
公務員（こうむいん）	civil servant / 公务员 / 공무원
例 国家／地方公務員（こっか／ちほうこうむいん）	
作家を志望する（さっかをしぼうする）	want to be a writer / 志愿当作家 / 작가를 지망하다
ミュージシャン	musician / 音乐人 / 뮤지션
役者の才能がある（やくしゃのさいのうがある）	have the talent to be an actor / 有当演员的才华 / 연기자의 재능이 있다
評論家（ひょうろんか）	critic / 评论家 / 평론가
ジャーナリスト	journalist / 记者 / 저널리스트
カメラマン	photographer / 摄影师 / 카메라맨
ホテルの警備員（ホテルのけいびいん）	hotel security guard / 酒店的保安 / 호텔 경비원
家具職人（かぐしょくにん）	furniture craftsman / 做家具的师傅 / 가구장인
例 時計／くつ職人、職人の経験と技（とけい／くつしょくにん、しょくにんのけいけんとわざ）	
修業を積む（しゅぎょうをつむ）	train, accumulate experience / 积累技艺 / 기술(등)을 배우다
社会の一員になる（しゃかいのいちいんになる）	become a member of society / 成为社会的一员 / 사회의 일원이 되다
社員を公募する（しゃいんをこうぼする）	advertise for a position in the company / 公开招募公司职员 / 사원을 공모하다
内定をもらう（ないてい）	receive informal job offer / 得到内定 / 내정을 받다
例 内定通知、内定が出る（ないていつうち、ないていがでる）	
新人を採用する（しんじんをさいようする）	hire a new recruit / 录用新职员 / 신인을 채용하다
正社員（せいしゃいん）	regular salaried employee / 正式职员 / 정사원
正規の採用（せいきのさいよう）	recruitment as a regular staff member / 正规的录用 / 정규채용
例 非正規社員（ひせいきしゃいん）	
補欠の選手（ほけつのせんしゅ）	substitute player / 候补队员 / 보결 선수
例 補欠合格（ほけつごうかく）	
非常勤講師（ひじょうきんこうし）	part-time lecturer / 兼课讲师 / 시간 강사
臨時の職員（りんじのしょくいん）	temporary worker / 临时职员 / 임시 직원
例 臨時休業／収入／バス（りんじきゅうぎょう／しゅうにゅう／バス）	
スタッフを派遣する（スタッフをはけんする）	dispatch staff / 派遣工作人员 / 스태프를 파견하다
例 派遣社員（はけんしゃいん）	
職をあっせんする（しょく）	help someone find a job / 斡旋职业 / 직업을 알선하다
作業に従事する（さぎょうにじゅうじする）	be engaged in work / 从事（某种）工作 / 작업에 종사하다
幹部（かんぶ）	management, top brass / 干部 / 간부
例 経営幹部、幹部候補（けいえいかんぶ、かんぶこうほ）	
中堅社員（ちゅうけんしゃいん）	mid-career worker / 公司的中坚职员 / 중견사원
若手俳優（わかてはいゆう）	young actor / 年轻的演员 / 젊은 배우
例 若手議員（わかてぎいん）	
エリート教育（エリートきょういく）	elite education / 精英教育 / 엘리트교육
会社の役員（かいしゃのやくいん）	company officer / 公司的负责人 / 회사의 간부
例 役員会議、PTAの役員（やくいんかいぎ、PTAのやくいん）	
マネージャー	manager / 经理 / 매니저
主任（しゅにん）	chief / 主任 / 주임
責任者（せきにんしゃ）	person in charge / 负责人 / 책임자
助手（じょしゅ）	assistant/supporting staff / 助手 / 조수
例 助手を雇う、歯科助手（じょしゅをやとう、しかじょしゅ）	
アシスタント	assistant / 助理、助手 / 어시스턴트
課長の代理（かちょうのだいり）	deputy section chief / 代理科长 / 과장대리

ドリル

1 つぎの（　）に合うものをそれぞれa～dの中から一つ選びなさい。
① 政治（　）
② 会社の（　）になる
③ （　）を雇う
④ （　）の診断を受ける

　　a. 評論家　　b. 助手　　c. 役員　　d. 医師

⑤ （　）バスが出る
⑥ （　）社員
⑦ 経験者を（　）する
⑧ パン（　）

　　a. 若手　　b. 職人　　c. 臨時　　d. 採用

2 a、bのうち、正しいほうを一つ選びなさい。
① 職業相談所で仕事を（a. あっせんして　b. 派遣して）もらって、就職できた。
② 明日の打合せは、原さんの（a. 代理　b. 中堅）で出席します。
③ 去年まで（a. 非正規　b. 非常勤）社員として働いていたが、今年から正社員になった。
④ 今は（a. 従事　b. 修業）の身ですから、アシスタントの仕事をしています。

3 つぎの（　）に合うものをa～eの中から一つ選びなさい。
① 彼は（　）として、人々に真実を伝えるという使命を立派に果たした。
② 有名俳優の写真を撮ろうとしたら、ホテルの（　）に止められた。
③ 昨日のA社の工場火災について、同社の（　）が記者会見を開くそうだ。
④ この学校から、日本の将来を担う（　）がたくさん巣立っている。

　　a. 幹部　　b. エリート　　c. 警備員　　d. ジャーナリスト　　e. アシスタント

4 つぎの（　）に合うものをa～eの中から一つ選びなさい。
① 彼女が（　）なので、わからないことがあれば、彼女に聞いてください。
② 山本選手がけがをしたため、明日は（　）の中田選手が出場する。
③ 第一志望のやまと社から（　）をもらった。
④ 今日から皆さんも、やまと社の（　）となります。

　　a. 内定　　b. 補欠　　c. 責任者　　d. 公募　　e. 一員

21 事件・犯罪・裁判

Affairs, crimes and trials 事件・犯罪・审判 사건・범죄・재판

事件・犯罪 (じけん・はんざい) — affair and crime 事件・犯罪 사건・범죄

銀行強盗（ぎんこうごうとう）	bank robbery 银行抢劫犯 은행강도
商品を略奪する（しょうひんをりゃくだつする）	looting of goods 抢劫商品 상품을 약탈하다　例 現金輸送車を略奪する（げんきんゆそうしゃをりゃくだつする）
暴動が起きる（ぼうどうがおきる）	riots break out 发生暴乱 폭동이 일어나다
偽造パスポート（ぎぞうパスポート）	fake passport 伪造护照 위조 여권
偽物（にせもの）	fake 赝品、假货 가짜
詐欺の疑い（さぎのうたがい）	suspicion of fraud 诈骗的嫌疑 사기 혐의　例 詐欺師（さぎし）
住居に侵入する（じゅうきょにしんにゅうする）	trespass on one's house 非法入室 주거에 침입하다
違法な取引（いほうなとりひき）	illegal trading 非法交易 위법 거래
不正な行為（ふせいなこうい）	misconduct 不正当的行为 부정한 행위
消費者を欺く（しょうひしゃをあざむく）	deceive the consumer 欺骗消费者 소비자를 속이다
人をだます（ひとをだます）	beguile someone 骗人 사람을 속이다
過ちを犯す（あやまちをおかす）	commit an offence 犯错 실수를 범하다
人質を解放する（ひとじちをかいほうする）	release a hostage 释放人质 인질을 해방하다
政治の腐敗（せいじのふはい）	political corruption 政治腐败 정치의 부패
行方不明（ゆくえふめい）	be missing 失踪 행방불명　例 行方不明者（ゆくえふめいしゃ）

裁判 (さいばん) — court 审判 재판

法廷で争う（ほうていであらそう）	fight it out in the courtroom 在法庭上争辩 법정에서 다투다
判決が出る（はんけつがでる）	give decision on a case 判决出来 판결이 나오다　例 判決を下す、判決を受ける（はんけつをくだす、はんけつをうける）
訴訟を起こす（そしょうをおこす）	take a legal action against 提起诉讼 소송을 일으키다
原告（げんこく）	plaintiff 原告 원고
被告（ひこく）	defendant 被告 피고
容疑者を逮捕する（ようぎしゃをたいほする）	arrest the suspect 逮捕嫌疑犯 용의자를 체포하다
弁護士（べんごし）	attorney 律师 변호사　例 弁護する（べんごする）
検事（けんじ）	prosecutor 检察官 검사
有罪判決（ゆうざいはんけつ）	guilty sentence 判决有罪 유죄판결
無罪（むざい）	innocent 无罪 무죄　関 無実（むじつ）
審判を下す（しんぱんをくだす）	judge 进行审判 심판을 내리다　例 審判を受ける（しんぱんをうける）
損害を被る（そんがいをこうむる）	suffer damage 蒙受损害 손해를 입다
損害賠償（そんがいばいしょう）	compensation for damage 损害赔偿 손해배상　例 賠償金、賠償責任（ばいしょうきん、ばいしょうせきにん）
証拠（しょうこ）	proof, evidence 证据 증거
証言（しょうげん）	testimony 作证 증언　例 事故の様子を証言する（じこのようすをしょうげんする）
罪を償う（つみをつぐなう）	atone for one's crimes 抵罪 죄에 대해 속죄하다
公平な裁判（こうへいなさいばん）	fair trial 公平的判决 공평한 재판
罰を与える（ばつをあたえる）	mete out punishment 遭受惩罚 벌을 주다　例 罰を受ける（ばつをうける）
罪を裁く（つみをさばく）	judge 审判罪行 죄를 심판하다

警察 (けいさつ) — police 警察 경찰

防犯カメラ（ぼうはんカメラ）	security camera 监视摄像机 방범 카메라
犯人を逮捕する（はんにんをたいほする）	arrest a criminal 逮捕犯人 범인을 체포하다
行方不明者を捜索する（ゆくえふめいしゃをそうさくする）	investigate a missing person 搜寻失踪者 행방불명자를 수색하다
サイレンを鳴らす（サイレンをならす）	sound a siren 鸣笛 사이렌을 울리다

ドリル

1 つぎの（　）に合うものをそれぞれa〜dの中から一つ選びなさい。
① （　）を与える　　② （　）を下す
③ （　）が起きる　　④ （　）を償う

　　　a. 判決　　b. 暴動　　c. 罪　　d. 罰

⑤ （　）が混じっている　　⑥ （　）を逮捕する
⑦ （　）を下す　　⑧ （　）が聞こえる

　　　a. サイレン　　b. 偽物　　c. 容疑者　　d. 審判

2 a、bのうち、正しいほうを一つ選びなさい。
① 明日、この（a. 法廷　b. 検事）で裁判が行われる。
② （a. 防犯カメラ　b. サイレン）に犯人が映っていた。
③ 詐欺の被害者が、（a. 訴訟　b. 審判）を起こした。
④ 試験で（a. 不正な　b. 違法）行為をした場合、厳しい処分をします。

3 つぎの（　）に合うものをa〜eの中から一つ選びなさい。
① 弁護士は必死に被告を弁護したが、（　）判決が下された。
② 事故に関する（　）を求められた。
③ 容疑者の家族は、彼の（　）を主張した。
④ 結婚詐欺の（　）で、30代の男性会社員が捕まった。

　　　a. 証言　　b. 有罪　　c. 解放　　d. 無実　　e. 疑い

4 つぎの（　）に合うものをa〜eの中から一つ選びなさい。
① 犯人は窓から部屋に（　）した模様だ。
② 行方不明になった子供の（　）は、24時間体制で行われている。
③ 政治の（　）に関する事件が相次いでいる。
④ 暴動が続く中、商店を襲う（　）行為も増えている。

　　　a. 腐敗　　b. 侵入　　c. 損害　　d. 捜索　　e. 略奪

22 事故・安全 じこ・あんぜん

Accident and security 事故・安全 사고・안전

事故 (じこ) Accident 事故 사고

壁に衝突する (かべにしょうとつする)	crash against a wall　撞上墙壁　벽에 충돌하다 例 衝突事故 (しょうとつじこ)
後ろから追突する (うしろからついとつする)	collide with a car from behind　从后面追尾　뒤에서 들이받다
電車が脱線する (でんしゃがだっせんする)	train goes off the track　电车脱轨　전차가 탈선하다
飛行機が墜落する (ひこうきがついらくする)	airplane crashes　飞机坠落　비행기가 추락하다
惨事を防ぐ (さんじをふせぐ)	prevent disaster　防范悲惨事故　참사를 막다 例 大惨事、惨事が起こる (だいさんじ、さんじがおこる)
事故の再発を防ぐ (じこのさいはつをふせぐ)	prevent recurrence of the accident　防范事故的再次发生　사고의 재발을 막다
商品の欠陥 (しょうひんのけっかん)	defect of a product　商品的缺陷　상품의 결함
犠牲になる (ぎせいになる)	be sacrificed　成为牺牲品　희생이 되다 例 犠牲者 (ぎせいしゃ)
爆発 (ばくはつ)	explosion　爆炸　폭발

災害・公害 (さいがい・こうがい) Disaster and pollution 灾害・公害 재해・공해

津波のおそれ (つなみのおそれ)	possibility of tsunami　担心发生海啸　해일의 우려
洪水 (こうずい)	flood　洪水　홍수
津波警報 (つなみけいほう)	tsunami warning　海啸警报　해일경보
被害を受ける (ひがいをうける)	be damaged　蒙受损失　피해를 보다
被害をもたらす (ひがいをもたらす)	wreak damage on　带来危害　피해를 초래하다
マグニチュード	magnitude　震级　마그니튜드
震度 (しんど)	earthquake intensity　地震烈度　진도
(〜が)襲う (おそう)	strike　袭击　덮치다 例 津波に襲われる (つなみにおそわれる)
被災地域 (ひさいちいき)	stricken region　受灾区域　피해지역 例 被災地、被災者 (ひさいち、ひさいしゃ)
川の水の汚染 (かわのみずのおせん)	pollution of the river water　河水的污染　하천물의 오염 例 大気汚染 (たいきおせん)
車の振動 (くるまのしんどう)	car vibration　车的震动　차의 진동
浄化システム (じょうかシステム)	clarification system　净化系统　정화 시스템 例 水を浄化する (みずをじょうかする)
排気ガス (はいきガス)	emission　废气　배기가스

安全 (あんぜん) Security 安全 안전

公園に避難する (こうえんにひなんする)	evacuate to a park　在公园避难　공원으로 피난하다 例 避難所、高台に避難する (ひなんじょ、たかだいにひなんする)
防災の意識 (ぼうさいのいしき)	awareness of disaster prevention　防灾意识　방재의식 例 防災訓練 (ぼうさいくんれん)
道路が復旧する (どうろがふっきゅうする)	restore a road　道路修复　도로가 복구되다 例 電気/ガス/水道が復旧する (でんき/ガス/すいどうがふっきゅうする)
救援を要請する (きゅうえんをようせいする)	request for rescue　请求救援　구원을 요청하다 例 救援物資を送る (きゅうえんぶっしをおくる)
子供を救出する (こどもをきゅうしゅつする)	rescue a child　救出孩子　아이를 구출하다
救援に駆けつける (きゅうえんにかけつける)	come to the rescue of　飞奔去救援　구원하러 달려가다
被害の拡大を阻止する (ひがいのかくだいをそしする)	prevent the damage from spreading　阻止灾害扩大　피해의 확대를 저지하다 例 感染/侵入/優勝を阻止する (かんせん/しんにゅう/ゆうしょうをそしする)
危機を脱する (ききをだっする)	get through a crisis　脱离危机　위기를 벗어나다
町の復興 (まちのふっこう)	recovery of a town　城市复兴　시가지의 부흥 例 災害から町を復興させる (さいがいからまちをふっこうさせる)

ドリル

1 つぎの（　）に合うものをそれぞれa〜dの中から一つ選びなさい。

① 空気を（　　　）　　② 意見が（　　　）
③ 津波が町を（　　　）　　④ 電気が（　　　）

a. 浄化する　　b. 衝突する　　c. 襲う　　d. 復旧する

⑤（　　　）の汚染が広がる　　⑥（　　　）活動を続ける
⑦ 市の（　　　）計画　　⑧ エンジンに（　　　）が見つかる

a. 救援　　b. 欠陥　　c. 防災　　d. 海水

2 a、bのうち、正しいほうを一つ選びなさい。

① バスとタクシーの（a. 脱線　b. 衝突）事故で大勢の人がけがをした。
② ここの学生たちも、(a. 被災　b. 被害) した地域のためにお金を集めている。
③ 事故の（a. 再発　b. 復興）を防ぐため、過去の事故が分析されている。
④ 津波警報を聞いて、すぐに（a. 惨事　b. 避難）した。

3 つぎの（　）に合うものをa〜eの中から一つ選びなさい。

① 信号を待っている間に後ろから来た車に（　　　）された。
② 今朝の地震は（　　　）5だったそうだ。
③ 家は駅の近くにあるので、電車が通ったときの（　　　）がひどい。
④ 今回の墜落事故で、大勢の乗客が（　　　）になった。

a. 震度　　b. 振動　　c. 追突　　d. 犠牲　　e. 惨事

4 つぎの（　）に合うものをa〜eの中から一つ選びなさい。

① 勇気ある男性が、川でおぼれている子どもを（　　　）した。
② これ以上被害が広がることだけは、何としても（　　　）しなければ。
③ すぐに消防車が駆け付けたおかげで、爆発の（　　　）を脱することができた。
④ 洪水はこの町に大きな被害をもたらしたが、住民は（　　　）に向けて頑張っている。

a. 排気　　b. 危機　　c. 復興　　d. 阻止　　e. 救出

23 自然
しぜん

nature 自然 자연

地球 ちきゅう / Earth 地球 지구

沖に流される (おき・なが)	washed out to sea / 被冲到岸上 / 앞바다로 떠내려가다
河川 (かせん)	river / 河川 / 하천
浜辺 (はまべ)	seashore / 海岸边 / 바닷가
富士山の頂 (ふじさん・いただき)	summit of Mt. Fuji / 富士山山顶 / 후지산 정상
富士山のふもと (ふじさん)	foot of Mt. Fuji / 富士山的山脚 / 후지산 기슭
太平洋沿岸 (たいへいようえんがん)	on the Pacific coast / 太平洋沿岸 / 태평양 연안
内陸 (ないりく)	inland / 内陆 / 내륙
岬 (みさき)	cape / 海角 / 곶
川の上流 (かわ・じょうりゅう)	upstream / 河的上游 / 강 상류
川の下流 (かわ・かりゅう)	downstream / 河的下游 / 강 하류
潮の流れ (しお・なが)	tide becomes high / 潮流 / 해류의 흐름 例 潮が引く、潮の満ち引き
潮が引く (しお・ひ)	tide becomes low / 退潮 / 썰물이 되다
天然の水 (てんねん・みず)	natural water / 天然水 / 천연의 물 例 天然資源 対 人工
森林を伐採する (しんりん・ばっさい)	deforest / 采伐森林 / 삼림을 벌채하다
希少な資源 (きしょう・しげん)	rare resource / 稀缺的资源 / 희소한 자원
鉱山で働く (こうざん・はたら)	work in a mine / 在矿山工作 / 광산에서 일하다
石油を産出する (せきゆ・さんしゅつ)	produce oil / 出产石油 / 석유를 산출하다
エコに関心がある (かんしん)	be interested in ecological issues / 关心环保 / 친환경에 관심이 있다

天気 てんき / weather 天气 날씨

気象情報 (きしょうじょうほう)	weather information / 气象情报 / 기상정보
気圧の変化 (きあつ・へんか)	change in atmospheric pressure / 气压的变化 / 기압의 변화 例 高気圧、低気圧
天候の回復 (てんこう・かいふく)	weather clearing up / 天气恢复 / 날씨의 회복
降水量 (こうすいりょう)	amount of precipitation / 降水量 / 강수량
晴天 [好天] (せいてん [こうてん])	clear, fine weather / 晴天 / 맑은 날씨
雨天 (うてん)	rainy weather / 雨天 / 우천 例 雨天中止、雨天決行
にわか雨 (あめ)	rain shower / 骤雨 / 소나기
曇る (くも)	become cloudy / 阴 / 흐려지다
霜が降りる (しも・お)	frost / 下霜 / 서리가 내리다

動物・植物・生命 どうぶつ・しょくぶつ・せいめい / animal, plants and life 动物·植物·生命 동물·식물·생명

昆虫 (こんちゅう)	insects / 昆虫 / 곤충
哺乳類 (ほにゅうるい)	mammal / 哺乳类 / 포유류
恐竜 (きょうりゅう)	dinosaur / 恐龙 / 공룡
オスとメス	male and female / 雄和雌 / 수컷 와 암컷
性別 (せいべつ)	sex / 性別 / 성별
カラスのひな	young crow / 乌鸦的雏鸟 / 까마귀 새끼 새
鳥がふ化する (とり・か)	a bird hatches / 鸟类孵化 / 새가 부화하다
芽が出る (め・で)	sprouts come out / 发芽 / 싹이 나다
つぼみが開く (ひら)	buds open / 花蕾开了 / 봉오리가 피다
桜が開花する (さくら・かいか)	cherry trees bloom / 樱花开花 / 벚꽃이 개화하다
雑草を刈る (ざっそう・か)	prune the weeds / 割掉杂草 / 잡초를 깎다
樹木 (じゅもく)	tree / 树木 / 수목
動物が絶滅する (どうぶつ・ぜつめつ)	animal beomes extinct / 动物灭绝 / 동물이 절멸하다
作物が全滅する (さくもつ・ぜんめつ)	crops completely destroyed / 农作物毁灭 / 작물이 전멸하다
生物の進化 (せいぶつ・しんか)	evolution of living things / 生物的进化 / 생물의 진화

羽が**退化**する	wings atrophy 翅膀退化 날개가 퇴화하다	**獲物**をとらえる	catch prey 捕捉猎物 사냥감을 잡다
自然淘汰	natural selection 自然淘汰 자연도태	**細胞**が**分裂**する	cell divide 细胞分裂 세포가 분열하다
弱肉強食	survival of the fittest 弱肉强食 약육강식	にわとりを**飼育**する	breed chickens 养鸡 닭을 사육하다

ドリル

1 つぎの（　）に合うものをそれぞれa〜dの中から一つ選びなさい。

① （　）が低い　　　　　② （　）が生えている
③ （　）を歩く　　　　　④ （　）が引く

　　　a. 潮　　　b. 浜辺　　　c. 気圧　　　d. 雑草

⑤ （　）をつかまえる　　⑥ 金を産出する（　）
⑦ 船で（　）に出る　　　⑧ （　）が続く

　　　a. 獲物　　b. 晴天　　　c. 沖　　　　d. 鉱山

2 a、bのうち、正しいほうを一つ選びなさい。

① （a. ひな　b. つぼみ）が大きくなってきたから、もうすぐ開花するだろう。
② 台風で作物が（a. 全滅　b. 絶滅）した。
③ ヒトはサルから（a. 退化　b. 進化）したと言われている。
④ 川の（a. 上流　b. 下流）から冷たい水が流れてくる。

3 つぎの（　）に合うものをa〜eの中から一つ選びなさい。

① （　）が回復し次第、山を降りよう。
② この山の（　）から見る朝日は本当に美しい。
③ 今夜からあすの朝にかけて、かなりの（　）が予想される。
④ 台風が近づいているため、（　）部は風が強く、危険です。

　　a. 頂　　b. 沿岸　　c. 天候　　d. 降水量　　e. 河川

24 色・形・場所
いろ・かたち・ばしょ

color, shape and place 颜色・形状・场所 색・형태・장소

色 (いろ) color 颜色 색

淡い緑（あわ みどり）	pale-green　淡绿色　옅은 녹색
褐色の肌（かっしょく はだ）	brown skin　褐色的肌肤　갈색의 피부
澄んだ海（す うみ）	clear ocean　清澈的海水　맑은 바다
濁った水（にご みず）	cloudy, murky water　浑浊的水　흐린 물
渋い色（しぶ いろ）	sober, tasteful color　素雅的颜色　차분하고 멋있는 색
色があせる（いろ）	color fades　褪色　색이 바래다 例 色あせたシャツ（いろ）
色がぼける（いろ）	color becomes faded, hazy　颜色模糊　색이 흐릿해지다 例 ぼけた写真（しゃしん）
色がはげる（いろ）	color peels, wears off　颜色脱落、褪色　색이 바래다 例 ペンキがはげる

形・大きさ・量 (かたち・おお・りょう) shape, size and volume 形状・大小・数量 형태・크기・양

とがったナイフ	sharp knife　锐利的刀　날카로운 나이프
背中が反る（せなか そ）	twist one's back　脊背弯曲　등이 휘다
なめらかな肌（はだ）	smooth skin　光滑的肌肤　매끈한 피부
巨大な船（きょだい ふね）	huge ship　大型船只　거대한 배
コンパクトなカメラ	compact camera　微型照相机　콤팩트한 카메라 例 コンパクトサイズ
細かい粒（こま つぶ）	fine particles　细小的微粒　작은 알갱이
微量の塩分（びりょう えんぶん）	minuscule amount of salt　微量的盐分　미량의 염분
窮屈な部屋（きゅうくつ へや）	cramped room　狭小的房屋　비좁은 방
大規模な開発（だいきぼ かいはつ）	large-scale development　大规模的开发　대규모 개발 ★「大規模の工場（だいきぼ こうじょう）」の形もある。
小規模な計画（しょうきぼ けいかく）	small-scale plan　小规模的计划　소규모 계획 ★「小規模の施設（しょうきぼ しせつ）」の形もある。
大体の事情（だいたい じじょう）	general outline of the situation　大体的情况　대략의 사정 例 大体わかる（だいたい）
大方の内容（おおかた ないよう）	most of the content　大致内容　대체적인 내용 例 大方片づく（おおかたかた）
概ね理解する（おおむ りかい）	mostly understand　大致理解　대체로 이해하다
若干難しい（じゃっかんむずか）	slightly difficult　有些难　약간 어렵다 例 若干名募集（じゃっかんめいぼしゅう）

場所 (ばしょ) place 场所 장소

道なりに進む（みち すす）	go along the road　顺着道路前进　길대로 나아가다
このビルの並び（なら）	this row of buildings　这栋大厦的一侧　이 빌딩과 같은 줄
回り道をする（まわ みち）	take the long way round　绕远　빙 돌아서 가다 対 近道をする（ちかみち）
遠回りをする（とおまわ）	make a detour　绕道　멀리 돌아가다
山の斜面（やま しゃめん）	mountain slope　山的斜面　산의 사면
起伏が激しい（きふく はげ）	extremely undulating　起伏激烈　기복이 심하다
なだらかな坂（さか）	gentle slope　缓坡　완만한 고갯길
ゆるやかなカーブ	gentle curve　缓坡　완만한 커브
溝に落ちる（みぞ お）	fall into a ditch　掉进脏水沟　도랑에 떨어지다
道のかたわら（みち）	on the side of a road　道路的一侧　길 옆
グラスの縁（ふち）	edge of a glass　玻璃杯的边缘　컵 테두리 例 目の縁が赤くなっている（め ふち あか）
首都圏（しゅとけん）	metropolitan area　首都圏　수도권 例 同じ文化圏、東京200キロ圏内（おな ぶんかけん とうきょう けんない）
芸能界（げいのうかい）	world of show business　演艺界　연예계 例 社交／文学／教育／医学／経済界（しゃこう／ぶんがく／きょういく／いがく／けいざいかい）

ドリル

1 つぎの（　）に合うものをそれぞれa～dの中から一つ選びなさい。

① （　）仕事が片づく　　② （　）線をひく
③ （　）金属　　　　　　④ （　）ミス

　　a. なめらかな　　b. 微量の　　c. 細かい　　d. 大方の

⑤ （　）賛成する　　　　⑥ （　）名募集する
⑦ （　）開発を進める　　⑧ （　）坂を下る

　　a. 概ね　　b. ゆるやかな　　c. 大規模　　d. 若干

2 a、bのうち、正しいほうを一つ選びなさい。

① この川は水がとても（a. 澄んでいて　b. 濁っていて）底まで見える。
② 窓の近くに絵を置いていたら、色が（a. はげて　b. あせて）しまった。
③ 持ち運びに便利な（a. 窮屈な　b. コンパクトな）カメラがいい。
④ お店は、あの丸いビルの（a. 並び　b. 道なり）にあります。

3 つぎの（　）に合うものをa～eの中から一つ選びなさい。

① 山の（　）に、小さな畑がたくさん広がっている。
② このマラソンコースの最後は（　）が激しくなり、体力勝負になる。
③ 国際競争が激しくなる中、また新たな（　）企業が誕生した。
④ 道路の（　）に鍵を落としてしまった。

　　a. 大方　　b. 溝　　c. 起伏　　d. 斜面　　e. 巨大

4 つぎの（　）に合うものをa～eの中から一つ選びなさい。

① コップの（　）が欠けていたので、取り替えた。
② 受付の（　）に雑誌やパンフレットが置いてある。
③ 近道をしたつもりだったが、かえって（　）になってしまった。
④ 休養先から電話してみたけど、（　）外だったので、つながらなかった。

　　a. かたわら　　b. 縁　　c. 遠回り　　d. 圏　　e. 道なり

24 色・形・場所

第3回 実戦練習（UNIT17〜24）

問題1 （　）に入れるのに最もよいものを、1・2・3・4から一つ選びなさい。

① 今後の経営方針を決めるために、（　）会議が開かれることになった。
　1　役員　　　　2　内定　　　　3　一員　　　　4　主任

② うちのチームは（　）がいないから、話がうまくまとまらない。
　1　スタッフ　　2　エリート　　3　ジャーナリスト　4　ベテラン

③ （　）は必死に被告の無罪を主張したが、判決は変わらなかった。
　1　検事　　　　2　弁護士　　　3　原告　　　　4　審判

④ 子供の将来のためには、厳しく（　）ほうがいいと思う。
　1　携わる　　　2　精算する　　3　赴く　　　　4　しつける

⑤ ヘリコプターの（　）は、エンジンの欠陥が原因のようだ。
　1　全滅　　　　2　脱線　　　　3　追突　　　　4　墜落

⑥ この町を台風が（　）のは、15年ぶりのことだそうだ。
　1　もたらす　　2　駆けつける　3　襲う　　　　4　ねらう

⑦ 新幹線の中から富士山の（　）に雲がかかっているのが見えた。
　1　ふもと　　　2　山並み　　　3　頂　　　　　4　丘陵

⑧ ツバメの（　）が落ちていたので、巣に戻してやった。
　1　つぼみ　　　2　ひな　　　　3　獲物　　　　4　芽

⑨ 店の（　）がどれくらいあるか正確に確認してから、仕入れの数を決めてください。
　1　在庫　　　　2　決済　　　　3　報酬　　　　4　特許

⑩ 先日の大雨で多くの家が水に浸かり、現在も（　）者の捜索が続いている。
　1　行方不明　　2　消費　　　　3　略奪　　　　4　救援

問題2 ＿＿＿の言葉に意味が最も近いものを、1・2・3・4から一つ選びなさい。

① コンパクトなサイズが人気の理由です。
　　1　便利な　　　2　小さい　　　3　豊富な　　　4　ちょうどいい

② 資料を読んで、事情は大方わかった。
　　1　特に　　　　2　全て　　　　3　少し　　　　4　大体

③ その池の水は澄んでいた。
　　1　汚れていた　2　冷たかった　3　透明だった　4　凍っていた

④ 明日のアポの時間を変更した。
　　1　外出　　　　2　食事　　　　3　約束　　　　4　デート

問題3 次の言葉の使い方として最もよいものを、1・2・3・4から一つ選びなさい。

① 回復
　　1　最近、腰が痛いから、病院で回復してもらおう。
　　2　パソコンの調子が悪いので、電気屋に回復に出した。
　　3　このけがは回復に時間がかかりそうだ。
　　4　電車の回復きっぷを買った。

② ぼける
　　1　よく見ないで撮ったものだから、写真がぼけてしまった。
　　2　このナイフはぼけているから、子供の手の届かないところにしまっておこう。
　　3　テレビを見ながら料理していたら、肉がぼけてしまった。
　　4　妻は運転が下手で、よく車をぼけている。

③ 淡い
　　1　火事で家が焼けてしまって、まだ淡いにおいがしている。
　　2　彼は、仕事に対しての気持ちが淡い。
　　3　この川は水が淡くて、飲めるほどきれいだ。
　　4　こんなに濃い青じゃなくて、もう少し淡いのはありませんか。

25 時間 (じかん)

time　时间　시간

時 (とき) — time　时间　때

試験の最中 (しけん の さいちゅう)	right in the middle of the exam 考试正在进行　시험 중
至急の用件 (しきゅう の ようけん)	urgent matter 紧急事件　급한 용건
仕事の合間 (しごと の あいま)	break during work 工作之余　일하는 사이
一時休業する (いちじ きゅうぎょう する)	be temporarily closed 暂时停业　일시 휴업하다
①あの二人は始終けんかをしている。／②一部始終を話す (しじゅう／いちぶしじゅう)	①Those two are always quarrelling. / ②tell the whole story ①那两人一直在吵架。／②说出事情的原委。　①저 두 사람은 시종 싸우고 있다／②자초지종을 말하다
終始黙っている (しゅうし だま っている)	be silent all the time 一直沉默　시종 묵묵히 있다 例 終始一貫（して） (しゅうし いっかん)
（お）しまいにする	bring an end to 到此为止　마지막으로 하다 例〈ニュース〉おしまいに、あすの天気です。(てんき)
終日禁煙 (しゅうじつ きんえん)	no smoking all day 整天禁烟　종일 금연
日夜努力する (にちや どりょく する)	work hard day and night 日夜努力　주야로 노력하다
束の間の休息 (つか の ま の きゅうそく)	short break 短暂的休息　짧은 순간의 휴식
適宜助言をする (てきぎ じょげん をする)	give appropriate advice 适当建议　적당한 조언을 하다
日頃の努力 (ひごろ の どりょく)	daily effort 平时的努力　평소의 노력
日々努力する (ひび どりょく する)	make an effort day after day 每天努力　매일 노력하다 例 忙しい日々を送る (いそがしい ひび を おくる)
3連休 (れんきゅう)	three-day holiday 三连休　3 연휴
前途は明るい (ぜんと は あかるい)	have a bright future 前途光明　전도는 밝다
先行きが不安 (さきゆき が ふあん)	feel uneasy about the future 担心将来　전망이 불안
帰国の際 (きこく の さい)	when returning to one's country 回国之际　귀국 때
帰国した折 (きこく した おり)	on the occasion of returning to one's country 回国的时候　귀국했을 때
あっという間に終わる (ま に おわる)	come to an end all too soon 瞬间结束　순식간에 끝나다

時期 (じき) — moment　时期　시기

出発の直前 (しゅっぱつ の ちょくぜん)	just before leaving 出发之前　출발 직전
地震の直後 (じしん の ちょくご)	just after the earthquake 地震之后　지진 직후
後回しにする (あとまわし)	postpone 推迟　뒤로 미루다
計画を前倒し(に)する (けいかく を まえだおし)	push a plan forward 计划提前实施　계획을 앞당기다
結論を先延ばしにする (けつろん を さきのばし)	put off making a decision 延迟给出结论　결론을 연기하다
原稿の締切 (げんこう の しめきり)	deadline for submission 稿件的截止日期　원고 마감
晩年の作品 (ばんねん の さくひん)	one's late work 晚年作品　만년의 작품

頻度 (ひんど) — frequency　频度　빈도

5分間隔で運転する (ふんかんかく で うんてん)	run at five-minute interval 隔五分钟运行　5 분 간격으로 운전하다
隔週で発行する (かくしゅう で はっこう)	be published every other week 隔周发行　격주로 발행하다
連日の大雨 (れんじつ の おおあめ)	long spell of rainy weather 连日大雨　연일 큰 비
四六時中考えている (しろくじちゅう かんがえている)	think about all the time 二十四小时都在考虑　하루 종일 생각하고 있다
再三の警告 (さいさん の けいこく)	repeated warning 再三警告　여러 번의 경고 例 再三注意する (さいさん ちゅうい)
頻繁に会う (ひんぱん に あう)	frequently meet 频繁见面　빈번하게 만나다

その他 (た) — others　其他　그 밖

年月を経る (ねんげつ を へる)	through many years 岁月流逝　세월이 흐르다
夜が更ける (よ が ふける)	evening wears on 天亮　밤이 깊어지다 例 夜更けまで勉強する (よふけ まで べんきょう)
手遅れになる (ておくれ)	become too late 延误　때가 늦어지다

ドリル

1 つぎの（　）に合うものをそれぞれa〜dの中から一つ選びなさい。

① （　）が見えない　　② （　）の要求
③ （　）の心がけ　　④ （　）研究に励む

　　a. 日夜　　b. 再三　　c. 先行き　　d. 日頃

⑤ （　）を空ける　　⑥ （　）のできごと
⑦ （　）対応する　　⑧ （　）の件

　　a. あっという間　　b. 適宜　　c. 至急　　d. 間隔

2 a、bのうち、正しいほうを一つ選びなさい。

① 〈ニュース番組で〉（a. 最中　b. おしまい）に明日の天気をお伝えします。
② この仕事は急がないから、（a. 後回し　b. 手遅れ）でいいよ。
③ （a. 四六時中　b. 連日）の猛げいこが実を結び、優勝することができた。
④ 父は田舎でのんびりした（a. 晩年　b. 合間）を過ごした。

3 つぎの（　）に合うものをa〜eの中から一つ選びなさい。

① 最近、このような事件が（　）起こっている。
② 20年を（　）、町の様子もずいぶん変わった。
③ お帰りの（　）忘れ物にご注意ください。
④ 年が（　）新鮮な気持ちになり、また意欲がわいてきた。

　　a. 明けて　　b. 頻繁に　　c. 際に　　d. 経て　　e. 間隔で

4 つぎの（　）に合うものをa〜eの中から一つ選びなさい。

① あの二人は（　）けんかをしている。
② 子供が生まれてから、毎日忙しい（　）を送っている。
③ 出発（　）にカメラを忘れてきたことに気がついた。
④ いつまでも結論を（　）にするのはよくない。

　　a. 直前　　b. 締切　　c. 先延ばし　　d. 始終　　e. 日々

26 副詞①－時期・頻度

Adverb① 副词① 부사①

時期・時間の長さ / Period, length of time / 时期, 时间的长短 / 시기, 시간의 길이

早急に知らせる（そうきゅう／さっきゅう）	let someone know immediately　急速通知　급히 알리다 例 早急に対応する
直ちに連絡する（ただ）	contact quickly　立刻联系　즉시 연락하다 例 直ちに現地に向かう
急きょキャンセルする（きゅう）	cancel suddenly　急忙取消　서둘러 캔슬하다 例 急きょ来日した。
即座に答える（そくざ）	answer promptly　当场回答　즉석에서 대답하다 例 即座に応じる
即刻立ち去る（そっこく／た・さ）	leave at once　马上离开　즉각 물러나다 例 即刻取りやめる
とっさによける	avoid instantly　瞬间避开　순간적으로 피하다 例 とっさにブレーキを踏む
突如現れる（とつじょ・あらわ）	suddenly appear　突然出现　갑자기 나타나다 例 突如爆発する
不意に現れる（ふい・あらわ）	abruptly appear　突然出现　느닷없이 나타나다
あっという間に終わる	come to an end all too soon　转眼间就结束　순식간에 끝나다
瞬く間に消える（またた・ま・き）	disappear in a flash　瞬间消失　순식간에 사라지다
あらかじめ連絡する（れんらく）	contact beforehand　提前联络　미리 연락하다 例 あらかじめ調べておく
事前に調べておく（じぜん・しら）	check in advance　事前调查　사전에 조사해두다
未然に防ぐ（みぜん・ふせ）	prevent something before it occurs　防患于未然　미연에 막다
じきに終わる（お）	finish right away　马上联络　곧 끝나다 例 じきに治る（なお）
追って連絡する（お・れんらく）	contact later　按顺序通知　나중에 연락하다
随時受け付ける（ずいじ・う・つ）	accept at all time　随时受理　수시로 접수하다 例 随時利用可能
7時きっかりに閉まる（じ・し）	close at 7pm sharp　整七点关门　7시에 정확히 닫히다
先ごろ出版された本（さき・しゅっぱん・ほん）	book published not long ago　不久前出版的书　일전에 출판된 책
先だって話したこと（せん・はな）	the thing we talked about recently　事先说过的事　요전에 이야기한 것
かつての名女優（めいじょゆう）	great actress of the past　过去有名的女演员　옛날의 명배우 例 かつて東京にいたことがある。（とうきょう）
かねて（から）の願い（ねが）	previous request　早先的愿望　진작부터의 바람 例 かねて聞いていたこと（き）
かねがね聞いている（き）	hear about often　老早听说了　진작부터 듣고 있다 例 かねがね考えていたこと（かんが）
依然として危険な状態だ（いぜん・きけんじょうたい）	still in a hazardous condition　依然处于危险状态　여전히 위험한 상태
未だに覚えている（いま・おぼ）	still remember　至今仍然记得　아직도 기억하고 있다 例 未だに訪れたことがない（いま・おとず）
しばしの別れ（わか）	parting for a while　暂时的分别　잠시의 이별 例 しばし休業する（きゅうぎょう）
長らく待たせる（なが・ま）	keep one waiting for a long time　长时间让人等候　오랫동안 기다리게 하다 例 長らくお待たせしました。（なが・ま）
ようやく終わる（お）	finally finish　总算结束　마침내 끝나다 例 ようやく退院する（たいいん）
とっくに終わっている（お）	finish a long time ago　很早就结束　이미 끝났다 例 とっくに済ませた。（す）

頻度・継続 / Firequency and continuation / 频度, 持续 / 빈도, 계속

時折見かける（ときおり・み）	sometimes see　有时候会看见　가끔 눈에 띄다 例 時折訪ねる（ときおりたず）
ちょくちょく遊びに行く（あそ・い）	often go out　时常去玩　가끔 놀러 가다 例 ちょくちょく電話する（でんわ）
しょっちゅう休む（やす）	constantly take time off　经常休息　자주 쉬다 例 しょっちゅう遅れる（おく）
絶えず文句を言う（た・もんく・い）	always complain　不断发牢骚　늘 불평을 늘어놓다 例 絶えず祈っている（た・いの）

ドリル

1 つぎの（ ）に合うものをそれぞれa〜dの中から一つ選びなさい。
① （　　）病気になった。　　② （　　）ブレーキを踏んだ。
③ （　　）始まっている。　　④ （　　）現場に駆け付けた。

　　a. ただちに　　b. とっくに　　c. ついに　　d. とっさに

⑤ （　　）予定を変更する　　⑥ （　　）雨が降る
⑦ （　　）調べておく　　　　⑧ （　　）考えていたこと

　　a. 突如　　b. かねがね　　c. 前もって　　d. 急きょ

2 a、bのうち、正しいほうを一つ選びなさい。
① 市民からの（a. 事前　b. かねてから）の要望に応えて、警察は違法駐車の取り締まりを強化し始めた。
② 時間がかかったけど、（a. ようやく　b. 瞬く間に）退院できることになった。
③ （a. かつて　b. 先ごろ）行われた住民投票で不正があったことがわかった。
④ ただ今出かけておりますので、メッセージを残してください。（a. 即座に　b. 追って）ご連絡します。

3 つぎの（ ）に合うものをa〜eの中から一つ選びなさい。
① 工場見学の申し込みは（　　）受け付けております。
② （　　）お別れですが、また会いましょう。
③ 手術は終わったが、（　　）厳しい状況が続いている。
④ 当店は、6月15日から18日まで休業いたします。（　　）ご了承ください。

　　a. 依然　　b. 随時　　c. あらかじめ　　d. しばし　　e. 時折

4 つぎの（ ）に合うものをa〜eの中から一つ選びなさい。
① あの時の悔しさは（　　）忘れられない。
② （　　）友達が訪ねてきて、驚いた。
③ この薬を飲めば、（　　）熱は下がるでしょう。
④ 事故を（　　）防ぐため、あらゆる対策をしていくつもりです。

　　a. 不意に　　b. 追って　　c. 未然に　　d. 未だに　　e. じきに

27 副詞②—様子

adverb ② (appearance)　副詞②（样子）　부사②(모습)

様子 (ようす)　appearance　样子　모습

しっかり(と)結ぶ	tie up tightly　紧紧拴上　견고히 연결하다 例 しっかりとした建物／女性
じっくり(と)考える	consider carefully　仔细考虑　꼼꼼히 생각하다
つくづく感じる	really feel　深切地感受到　깊이 느끼다
しみじみ(と)感じる	keenly feel　深切地感受到　깊이 느끼다
深々と頭を下げる	bow deeply　深深地低头　깊숙이 머리를 숙이다
きっぱり(と)断る	flatly turn down　断然拒绝　단호하게 거절하다
大まかに計算する	roughly calculate　大致计算　대충 계산하다
大ざっぱに話す	talk in broad terms　大致说明　대충 이야기하다
わざわざ見舞いに来る	take the trouble to go visit someone　特意来探病　일부러 문병하러 오다
ところどころ間違う	make a mistake here and there　到处出错　군데군데 틀리다
点々と落ちている	dropped down here and there　落得到处都是　여기저기 떨어져 있다 例 明かりが点々と見える
ずらっと／ずらりと並ぶ	stand in a row　排列列　쭉／쭉 늘어서다
宿題がどっさり(と)出る	get a lot of homework　出了好多题　숙제가 잔뜩 있다
日に日に回復する	get better day by day　日渐恢复　날마다 회복하다
着々と準備を進める	steadily prepare for　准备工作顺利地进行　착착 준비를 진행하다
めきめき上達する	progress quickly　迅速进步　눈에 띄게 능숙해지다
しっとり(と)濡れた髪	damp, moist hair　湿漉漉的头发　촉촉이 젖은 머리
じっとり(と)汗をかく	become damp with sweat　汗流浃背　홍건히 땀을 흘리다
びっしょり(と)濡れる	get soaking wet　湿漉漉的　흠뻑 젖다 類 雨でびしょびしょになる
さっぱり(と)した味	light taste　清淡的味道　산뜻한 맛 例 髪を切ってさっぱりする
あっさり(と)認める	readily admit　很干脆地承认　깨끗이 인정하다 例 あっさりとした料理
ぐったり(と)横になる	lie down completely exhausted　精疲力尽地躺下　축 늘어져 눕다 例 暑さでぐったりする
げっそり(と)やせる	lose a lot of weight　瘦弱，消瘦　살이 바싹 빠지다 例 ほおがげっそりする
跡がくっきり(と)残る	leave a clear mark　痕迹清楚地留下　자국이 또렷이 남다
ひっそり(と)暮らす	live a secretive life　默默地生活　조용히 살다 例 ひっそりとした寺
すんなり(と)決まる	easily get decided　顺利地决定　수월하게 정해지다
ちらっと見る	glance at　一瞬间瞥见　흘끔 보다
むっとした顔	disgruntled face　生气的样子　화가 난 얼굴 例 むっと臭う、悪口にむっとする
なんだかんだと金がかかる	need money for this and that　这个那个地花钱　이래저래 돈이 들다
むやみに話しかける	talk excessively　胡乱搭讪　함부로 말을 걸다 例 むやみに怒る
やたらとのどが渇く	really thirsty　非常口渴　몹시 목이 마르다 例 やたらと騒ぐ
いやに静かだ	awfully silent　非常安静　묘하게 조용하다
やけにのどが渇く	desperately thirsty　非常口渴　몹시 목이 마르다
いかにも子供らしい	be indeed a child　就像孩子一样　정말 아이답다
どうにか合格する	pass one way or another　总算合格了　겨우 합격하다
かろうじて間に合う	barely make it on time　好不容易赶上了　간신히 시간에 대다
一応確認する	confirm just in case　大致确认　일단 확인하다
ゆうゆう間に合う	make it with plenty of time to spare　悠闲地赶上了　여유 있게 시간에 대다
丸々(と)太った赤ちゃん	chubby baby　胖嘟嘟的婴儿　토실토실 살이 찐 아기 例 丸々2日間、丸々損をする
丸ごと飲み込む	swallow ～whole　整个吞下去　통째로 먹다

一斉に手を上げる	raise one's hands all at once 同时举手 일제히 손을 들다
一挙に解決する	resolve the problem at one sweep 一举解决 한꺼번에 해결하다
かわるがわる言う	take turns to say 轮流着说 교대로 말하다
転々と職を変える	drift from job to job 辗转变换职业 전전하며 직업을 바꾸다

ドリル

1 つぎの（　）に合うものをそれぞれa～dの中から一つ選びなさい。

① （　）おとなしい　　　② （　）人を信じてはいけない
③ （　）力をつけている　　④ 形が（　）見える

　　　a. くっきり　　b. むやみに　　c. やけに　　d. めきめきと

⑤ （　）とした場所　　　⑥ （　）する空気
⑦ シャワーを浴びて（　）する　⑧ （　）日本人らしい

　　　a. さっぱり　　b. いかにも　　c. むっと　　d. ひっそり

2 a、bのうち、正しいほうを一つ選びなさい。

① こんなところまで（a. わざわざ　b. つくづく）届けに来てくれたの？　ありがとう。
② 引っ越しは（a. なんだかんだ　b. 一挙に）お金がかかる。
③ 朝、このクリームを塗ると、夜まで肌が（a. しっとり　b. びっしょり）するんです。
④ 明かりが（a. 転々と　b. 点々と）見える。

3 つぎの（　）に合うものをa～eの中から一つ選びなさい。

① お金が足りるかどうか心配だったが、（　）払うことができた。
② 今回は難しいだろうと思っていたが、新しい企画は、意外にも（　）通った。
③ （　）道が混んでいるけど、どこかで事故でもあったのかなあ。
④ 週末の天気はあまりよくないようだが、祭りの準備は（　）進んでいる。

　　a. しみじみ　　b. かろうじて　　c. やけに　　d. すんなり　　e. 着々と

27 副詞②―様子

28 副詞③ －強調・程度

ふくし　　　　きょうちょう　　ていど

Adverb ③　副詞③　부사③

強調 きょうちょう | Emphasis 强调 강조

極めて難しい きわ むずか	extremely difficult 非常难　대단히 어렵다 例 極めて珍しい きわ めずら
すこぶる迷惑 めいわく	very annoying 很麻烦　대단히 폐가 됨 例 すこぶる元気だ げんき
はなはだ立派だ りっぱ	exceedingly splendid 非常出色　대단히 훌륭함 例 はなはだ不愉快だ ふゆかい
断然（お）得だ だんぜん とく	a definite bargain 绝对划算　단연코 득이다 例 断然お得だ、断然トップだ だんぜん とく だんぜん
ひときわ目立つ め だ	stand out conspicuously 格外显眼　유달리 눈에 띄다
うんと練習する れんしゅう	practice a lot 做很多练习　많이 연습하다 例 うんと食べる、うんと叱る た しか
とりわけ今年は暑い ことし あつ	especially hot this year 今年特别热　유난히 올해는 덥다
とびきり新鮮な魚 しんせん さかな	extraordinarily fresh 特别新鲜的鱼　아주 신선한 생선 例 とびきりの美人 びじん
ことのほかいい成績 せいせき	get unexpectedly good results 非常好的成绩　특별히 좋은 성적
ことに甘い物が好きだ あま もの す	like sweets in particular 特别喜欢甜食　특히 단 것을 좋아하다 例 ことに珍しい めずら
いたって健康 けんこう	really healthy 极为健康　너무나도 건강 例 いたってまじめ
もっぱら勉強に励む べんきょう はげ	devote oneself entirely to one's studies 专心致力于学习　오로지 공부에 열중하다 例 店長がかっこいいというもっぱ てんちょう らのうわさだ。
ことごとく失敗する しっぱい	fail one after another 全部都失败　모조리 실패하다
まるっきりだめだ	completely useless, no good 完全不行　전혀 쓸 수 없다
てっきり犯人だと思う はんにん おも	think that one is surely the culprit 我想肯定是犯人　틀림없이 범인이라고 생각해
さっぱりわからない	have no idea at all 一点儿都不懂　전혀 모르겠다
いっこうに治らない なお	not cured at all 一点点没治好　전혀 낫지 않다
到底できない とうてい	simply impossible 无论如何也不行　도저히 할 수 없다
一切関係ない いっさいかんけい	nothing whatsoever to do with 一点儿没关系　일절 관계없다
てんでやる気がない き	not feel like doing anything at all 完全没干劲儿　전혀 할 마음이 없다 例 演奏は、てんでばらばらだった。 えんそう
ろくに休めない やす	hardly take a day off 不能好好休息　제대로 쉬지 못하다 例 ろくな品物がない。 しなもの
あえて反対する はんたい	dare to oppose 硬要反对　일부러 반대하다 例 言いにくいことをあえて言う い い
強いてカタカナで書く し か	venture to write in katakana 硬要用片假名写　굳이 가타카나로 쓰다 例 強いて食べなくてもいい。 し た
大人でもできない おとな んだから、まして 子供には無理だ。 こども むり	It's impossible even for an adult, to say nothing of children. 就连成年人都做不了，对孩子就更加不行了。　어른도 할 수 없는데 하물며 아이에게는 무리이다

程度・量 ていど りょう | Degree and quantity 程度，数量 정도, 양

去年よりやや暑い きょねん あつ	rather hot compared to last year 比去年稍微热些　작년보다 약간 덥다 例 やや大きめ、やや左 おお ひだり
ごく当たり前 あ まえ	quite normal 极为自然　아주 당연
幾分元気がない いくぶんげんき	somewhat cheerless 有些没精神　약간 기운이 없다
そこそこ儲かる もう	reasonably profitable 还是挣到些钱　작지만, 만족할 정도로 벌 例 そこそこおいしい
いささか気になる き	a bit concerned 有些担心　약간 신경이 쓰인다 例 いささか驚いた。 おどろ
ほぼ2倍 ばい	almost twice as much as 大致两倍　거의 2배 例 ほぼ完成する かんせい
およそ1万人 まんにん	approximately 10,000 people 大概一万人　대충 1만 명 例 およその数字 すうじ

ドリル

1 つぎの（　）に合うものをそれぞれa～dの中から一つ選びなさい。
① （　）わからない　　② （　）練習する
③ （　）当たり前　　　④ （　）満席

　　　a. うんと　　b. ごく　　c. 一切　　d. ほぼ

⑤ （　）体がだるい。　　⑥ （　）元気だ。
⑦ （　）言わなかった。　⑧ もちろん、Aのほうが（　）いい。

　　　a. 断然　　b. 強いて　　c. いたって　　d. 幾分

2 a、bのうち、正しいほうを一つ選びなさい。
① 少し塩を入れたら、味が（a. やや　b. とりわけ）よくなった。
② 夜中に何度も電話が鳴って（a. とびきり　b. すこぶる）迷惑だった。
③ 火事で、家も思い出の品も（a. さっぱり　b. ことごとく）燃えてしまった。
④ 学生のころは（a. いたって　b. もっぱら）サッカーばかりしていた。

3 つぎの（　）に合うものをa～eの中から一つ選びなさい。
① 家のすぐそばにこんな大きなビルを建てられて、（　）迷惑だ。
② 正月だから（　）休みだと思っていたら、開いていた。
③ 彼女はきれいで頭もよかったので、クラスで（　）目立っていた。
④ 2か月前から毎日走っているが、（　）やせない。

　　　a. ひときわ　　b. いっこうに　　c. そこそこ　　d. てっきり　　e. はなはだ

4 つぎの（　）に合うものをa～eの中から一つ選びなさい。
① あまり勉強しなかったのに、テストは（　）いい点数だった。
② 一生懸命働いているのに、店長は（　）給料を上げてくれない。
③ 今の給料では、家なんか（　）買えそうもない。
④ 日本の観光地はどこもよかったが、（　）富士山は印象深い。

　　　a. あえて　　b. とりわけ　　c. 一切　　d. ことのほか　　e. 到底

29 形容詞① －い形容詞

adjective ①　形容詞①　형용사①

味気ない文章 (あじけ ぶんしょう)	insipid writing 无聊的文章　시시한 문장 ★面白みや魅力がなく、つまらない。	尊い命 (とうと いのち)	precious life 生命可贵　존귀한 생명
暑苦しい格好 (あつくる かっこう)	stifling clothes 热得难受的装束　몹시 더워 보이는 차림	資金が乏しい (しきん とぼ)	short of funds 缺乏资金　자금이 부족하다
著しい進歩 (いちじる しんぽ)	remarkable progress 明显的进步　현저한 진보	情けないことを言うな。 (なさ い)	Don't say such a miserable thing. 别说些无情的话　한심한 말도 하지 마라 ★嘆きたくなるほどみじめな様子。 例 情けない顔／声／人／ミス
卑しい心 (いや こころ)	vulgar personality 贪婪的心　비열한 마음	何気ない一言に傷つく (なにげ ひとこと きず)	feel slighted by a casual remark 被无意的一句话伤害　무심한 한마디에 상처입다 例 何気ない表情／日々／出来事
①いやらしいやり方 (かた) ②いやらしい目つき (め)	1. repsulsive way　2. lewd look ①讨厌的做法　②下流的眼神 ①징그러운 방법　②징그러운 눈 ①態度や行動が不快な感じ。意地の悪い様子。　②性的な感じが強い様子。	魚の生臭いにおいがする。 (さかな なまぐさ)	smell fishy 有股鱼的腥臭味儿　생선의 비린 냄새가 나다
うっとうしい雨 (あめ)	gloomy rain 阴沉的雨　울적한 비 ★気分が晴れない、不快な、うるさい。　例 ～客／勧誘／電話	生ぬるいビール (なま)	lukewarm beer 微温的啤酒　미지근한 맥주 例 生ぬるい練習
思いがけない出来事 (おも できごと)	unexpected incident 意外的事情　생각지도 않은 일	悩ましい問題 (なや もんだい)	agonizing problem 烦恼的问题　괴로운 문제
気味悪い音 (きみわる おと)	creepy sound 可怕的声音　기분 나쁜 소리	甚だしい被害 (はなは ひがい)	serious damage 严重受害　매우 심한 피해
タバコが煙たい (けむ)	smoky (from cigarettes) 烟雾缭绕　담배가 맵다	勘違いも甚だしい。 (かんちが はなは)	be extremely misguided 严重误会　착각도 심하다
快い返事 (こころよ へんじ)	agreeable response 爽快的回信　기분 좋은 대답	華々しい活躍 (はなばな かつやく)	make a very strong showing 华丽地大显身手　화려한 활약
勧誘がしつこい (かんゆう)	persistent soliciting 执拗地劝说　권유가 끈덕지다 ★不快なものがなかなか取り除けない。　例 しつこい汚れ	会わなくなって久しい (あ ひさ)	to be a long time since you last came across 好久没见面　만나지 않은 지 오래되다
渋いお茶 (しぶ ちゃ)	bitter tea 涩茶　떫은 차 例 渋い顔／表情／評価	平たい箱 (ひら はこ)	flat box 扁平的箱子　평평한 상자
素早い対応 (すばや たいおう)	quick response 快速处理　재빠른 대응 ★体の動きや行動がとても早い。	紛らわしい名前 (まぎ なまえ)	confusing name 容易混淆的名字　혼동하기 쉬운 이름
切ないラブストーリー (せつ)	bittersweet love story 让人感到烦恼的爱情故事　애절한 러브스토리	みっともない試合 (しあい)	disgraceful game 不像样的比赛　꼴불견인 시합 例 みっともない姿／格好
頼りないリーダー (たよ)	unreliable leader 不靠谱的领导　미덥지 않은 리더	目覚ましい発展 (めざ はってん)	outstanding progress 飞速的发展　눈부신 발전 例 目覚ましい活躍／進歩／成長
体がだるい (からだ)	feel sluggish 身体疲惫　몸이 나른하다	作りが脆い (つく もろ)	fragile structure 制作脆弱　약하게 만듦 例 脆い構造、歯／表面が脆い
でかい虫 (むし)	huge insect 大虫子　큰 벌레 ★主に男性が使う。また、会話ではよく「でっかい」と言う。	操作がややこしい (そうさ)	difficult to operate 操作麻烦　조작이 까다롭다 ★複雑で面倒、わかりにくい。
どうしようもない状況 (じょうきょう)	hopeless situation 无可奈何的状况　어쩔 수 없는 상황		

ドリル

1 つぎの（　）に合うものをそれぞれa～dの中から一つ選びなさい。

① （　）山
② （　）表情
③ （　）動き
④ （　）汚れ

a. しつこい　　b. 渋い　　c. 素早い　　d. 平たい

⑤ 髪が（　）
⑥ （　）選択
⑦ （　）進歩
⑧ アイデアが（　）

a. 悩ましい　　b. 乏しい　　c. うっとうしい　　d. めざましい

2 a、bのうち、正しいほうを一つ選びなさい。

① この小説は登場人物が多く、話が（a. ややこしい　b. 久しい）。
② 取引先を訪問したとき、名刺を忘れて行ってしまい（a. 頼りな　b. みっともな）かった。
③ この壁は（a. 尊い　b. もろい）材料でできているので、すぐに崩れる。
④ 腕が（a. でかく　b. だるく）て、力が入らない。

3 つぎの（　）に合うものをa～eの中から一つ選びなさい。

① 短い滞在だったけど、空港でみんなと別れる時は（　）気持ちになった。
② あの評論家は、いつも皮肉っぽく（　）話し方をする。
③ この二つの漢字は（　）ので、よく間違える。
④ この化粧品の通信販売の会社、勧誘の電話が（　）って有名だよ。

a. 紛らわしい　　b. 甚だしい　　c. いやらしい　　d. しつこい　　e. 切ない

4 つぎの（　）に合うものをa～eの中から一つ選びなさい。

① あの人に携帯でメールを送っても、いつも一言だけの（　）返事しか来ない。
② この前と同じ失敗をしてしまい、（　）。
③ （　）人から食事に誘われ、驚いた。
④ 小さい旅館だったが、（　）気配りがとても感じよかった。

a. 情けない　　b. 味気ない　　c. 思いがけない　　d. 何気ない　　e. 切ない

30 形容詞② －な形容詞   adjective ②　形容词②　형용사②

圧倒的な強さ（あっとうてき つよ）	overwhelming strength　超强　압도적으로 강함
あやふやな返事（へんじ）	ambiguous answer　暧昧的回答　애매한 답　★態度や意見などがはっきりしない様子。
大げさな反応（おお はんのう）	exaggerated response　夸张的反应　과장된 반응
大幅な変更（おおはば へんこう）	sweeping changes　大幅度的变化　큰 폭의 변경
厳かな雰囲気（おごそ ふんいき）	stately atmosphere　庄严的气氛　엄숙한 분위기
過剰な反応（かじょう はんのう）	extreme response　过激反应　과잉 반응
かすかな希望（きぼう）	faint hope　微小的希望　희미한 희망
肝心な話（かんじん はなし）	crucial story　重要的事情　중요한 이야기　★特に大事であること。　例 肝心（かんじん）なものを忘れた。
急速な変化（きゅうそく へんか）	rapid change　急速的变化　급속한 변화
極端な考え方（きょくたん かんが かた）	extreme way of thinking　极端的想法　극단적인 생각
軽快な音楽（けいかい おんがく）	light music　轻快的音乐　경쾌한 음악
厳重な警備（げんじゅう けいび）	strict security　严格的警备　엄중한 경비
健全な企業（けんぜん きぎょう）	healthy, robust company　完善的企业　건전한 기업　★心と体の状態に問題がなく、健康的であること。　例 健全な政治／遊び
厳密な違い（げんみつ ちが）	subtle difference　严密的错误　엄밀한 차이　例 厳密な説明／厳密に言うと違う。
巧妙なやり方（こうみょう かた）	subtle approach　巧妙的做法　교묘한 방법
雑な作り（ざつ つく）	be roughly made　粗糙的装扮　조잡하게 만듦　例 雑な対応／性格、雑になる／扱う
柔軟な発想（じゅうなん はっそう）	flexible way of thinking　灵活的想法　유연한 발상
神聖な場所（しんせい ばしょ）	sacred place　神圣的地方　신성한 장소
迅速な対応（じんそく たいおう）	swift response　迅速处理　신속한 대응　★物事の進め方や行動がとても早い。
精巧な機械（せいこう きかい）	sophisticated machine　精巧的机械　정교한 기계
盛大なパーティー（せいだい）	big party　盛大的晚会　성대한 파티
善良な人（ぜんりょう ひと）	good people　善良的人　선량한 사람
壮大な計画（そうだい けいかく）	grand project　宏伟的计划　장대한 계획
粗末な食事（そまつ しょくじ）	humble meal　粗糙的饮食　변변치 못한 식사
妥当な選択（だとう せんたく）	appropriate choice　妥当的选择　타당한 선택
多様な文化（たよう ぶんか）	diverse cultures　多种文化　다양한 문화
緻密な計算（ちみつ けいさん）	precise calculation　周密计算　치밀한 계산
中途半端な大きさ（ちゅうとはんぱ おお）	size that is neither here nor there　不彻底的大小　어중간한 크기
①適当な材料（てきとう ざいりょう）／②適当な返事（てきとう へんじ）	1. suitable material　2. noncommittal reply　1 合适的材料　2 随便回答　1 적당한 재료　2 적당한 답　①目的や条件などに合っている。　②あまり考えていない様子、いいかげんな。　例 適当に食事を済ませる
適度な運動（てきど うんどう）	moderate exercise　适量的运动　적당한 운동
でたらめな噂（うわさ）	groundless rumor　胡说八道的风言风语　엉터리 소문　★根拠がなく、いいかげんな。
相当な被害（そうとう ひがい）	considerable damage　严重受害　상당한 피해　★普通ではないほどの、かなりの。
透明な液体（とうめい えきたい）	transparent liquid　透明的液体　투명한 액체
和やかな雰囲気（なご ふんいき）	calm, quiet atmosphere　和谐的气氛　부드러운 분위기　★集まって話などしている場の雰囲気がおだやかで感じがいいこと。
なだらかな坂（さか）	gentle slope　缓坡　완만한 비탈길
のどかな田舎町（いなかまち）	peaceful country town　舒适的农村　한가로운 시골 마을　★静かでおだやかな様子。
半端な金額（はんぱ きんがく）	odd sum, amount　不上不下的金额　어중간한 금액
密かな楽しみ（ひそ たの）	secret delight　偷偷的期待　은밀한 즐거움
不適切な発言（ふてきせつ はつげん）	inappropriate statement　不恰当的发言　부적절한 발언

無難（ぶなん）な選択（せんたく）	safe choice 无可非议的选择　무난한 선택 ★特（とく）によくもないが欠点（けってん）や問題（もんだい）もない。
膨大（ぼうだい）な資料（しりょう）	vast amount of documents 庞大的资料　방대한 자료
まともな会社（かいしゃ）	honest, upright company 正经的公司　건실한 회사 ★正（ただ）しく、非難（ひなん）される点（てん）がない。 例 まともな議論（ぎろん）／方法（ほうほう）／選択（せんたく）
密接（みっせつ）な関係（かんけい）	close connection 密切的关系　밀접한 관계
無茶（むちゃ）な要求（ようきゅう）	ludicrous request 过分的要求　터무니없는 요구 普通（ふつう）では考（かんが）えられないひどい様子（よう す）。 例 無茶な頼（たの）み／運転（うんてん）／行動（こうどう）
猛烈（もうれつ）な勢（いきお）い	furious pace 猛烈的气势　맹렬한 기세 例 猛烈な台風（たいふう）／スピード／抗議（こうぎ）
ろくな人間（にんげん）ではない	be never amount to anything 不是个正经人　제대로 된 인간은 아니다 ★まともな～でない、とても満足（まんぞく）できるような～でない。
露骨（ろこつ）な差別（さべつ）	blatant discrimination 露骨的差别　노골적인 차별

ドリル

1 つぎの（　）に合うものをそれぞれa～dの中から一つ選びなさい。

① （　）な記憶（きおく）　　② （　）な期待（きたい）
③ （　）に並（なら）べる　　④ （　）な食事（しょくじ）

　　a. まとも　　b. あやふや　　c. かすか　　d. でたらめ

⑤ （　）な結果（けっか）　　⑥ （　）に行動（こう）する
⑦ （　）な作（つく）り　　⑧ （　）に発展（はっ）する

　　a. 迅速（じんそく）　　b. 急速（きゅうそく）　　c. 精巧（せいこう）　　d. 妥当（だとう）

2 a、bのうち、正しいほうを一つ選びなさい。

① 生産（せいさん）が（a. 密接（みっせつ）　b. 過剰（かじょう））になれば、価格（かかく）が暴落（ぼうらく）するおそれがある。
② この山（やま）は山頂（さんちょう）の手前（てまえ）までは、（a. なだらか　b. のどか）な登山道（とざんどう）が続（つづ）いています。
③ 1カ月（かげつ）で10キロ体重（たいじゅう）を落（お）とそうというのは、（a. 無茶（むちゃ）　b. 無難（ぶなん））な計画（けいかく）だ。
④ 彼（かれ）は、世界（せかい）を相手（あいて）にした（a. 膨大（ぼうだい）　b. 壮大（そうだい））な計画（けいかく）を考（かんが）えている。

3 つぎの（　）に合うものをa～eの中から一つ選びなさい。

① （　）な量（りょう）のお酒（さけ）は、気持（きも）ちをリラックスさせる効果（こうか）があると言（い）われている。
② 遅刻（ちこく）を繰（く）り返（かえ）す社員（しゃいん）に対（たい）し、（　）に注意（ちゅうい）した。
③ あの作家（さっか）は自分（じぶん）の才能（さいのう）に（　）な自信（じしん）を持（も）っている。
④ 大雨（おおあめ）が続（つづ）いたため、今月（こんげつ）の降水量（こうすいりょう）は、例年（れいねん）に比（くら）べ、（　）に増（ふ）えている。

　　a. 適度（てきど）　　b. 厳重（げんじゅう）　　c. 極端（きょくたん）　　d. 肝心（かんじん）　　e. 過剰（かじょう）

31 動詞①

Verbs ① 动词① 동사①

あ〜こ

事故が相次ぐ	accidents occurring one after another 事故接二连三地发生　사고가 잇따르다
秘密を明かす	unveil the secret 揭开真相　비밀을 밝히다
〜の将来を案じる	anxious about 〜's future 担심未来　〜의 장래를 염려하다
飢える	go hungry 饥饿　굶주리다
後輩にお昼を奢る	treat one's junior to lunch 请后辈吃午饭　후배에게 점심을 사주다
別れを惜しむ	part reluctantly 依依惜別　이별을 아쉬워하다 例 手間／時間／努力を惜しむ
熱を帯びる	to heat up 愈演愈烈　열을 띠다 例 使命を帯びる
影響が及ぶ	have an impact on 波及影响　영향이 미치다
配慮に欠ける	lack compassion for 欠考虑　배려가 없다
情熱を傾ける	be passionate about 倾注热情　정열을 기울이다 ★向ける。　例 耳を傾ける
役職を兼ねる	also hold a post of 兼职　관리직을 겸하다 例 運動を兼ねて歩いて通勤する。
趣味に興じる	do one's hobby 产生兴趣　취미를 즐기다 ★夢中になって楽しむ。
資料の山を崩す	unpile a stack of documents 弄乱一大堆资料　자료의 산을 허물다 例 体調を崩す、お金を崩す
判定をくつがえす	overturn a decision 推翻判决　판정을 뒤엎다
作品をけなす	tear apart, trash a work 瞧不起作品　작품을 헐뜯다
政治家を志す	aspire to be a politician 立志当政治家　정치가를 지망하다
実験を試みる	try an experiment 试着做实验　실험을 시도하다
食材にこだわる	be extremely particular about ingredients 倾心于食物材料　식재료에 구애되다

さ〜た

頭が冴える	feel alert 头脑清晰　머리가 맑아지다
布を裂く	rip a piece of cloth 撕开棉布　천을 찢다
気持ちを察する	to be sensitive to one's feelings 体谅心情　기분을 살피다 例 気配／雰囲気を察する
危険を悟る	sense of danger 觉察到危险　위험을 깨닫다 例 人生(の意味)／(自分の)限界／(〜の)真実を悟る
"ABC"と称する	call something "ABC" 称为"ABC"　"ABC"라고 칭하다
Aを代表に据える	designate A as a representative 让A当代表　A 씨를 대표로 모시다
商店街が廃れる	local shopping area is on the decline 商店街废除了　상점가가 쇠퇴하다
空気が澄む	air is clean 空气清新　공기가 맑다
危険が迫る	looming danger 危险逼近　위험이 다가오다
手紙を添える	add a letter 附上信件　편지를 덧붙이다
状況に即する	match the situation 结合实际状况　상황에 맞다 例 事実／時代に即して
利益を損なう	adversely affect profits 损害利益　이익을 잃다 例 健康／信頼を損なう
機能が備わる	equipped with a function 具备机能　기능이 갖추어지다
目をそらす	avert one's gaze 转移视线　눈을 떼다
屋根が反る	warping roof 屋顶弯曲　지붕이 휘다
連絡が絶える	stop hearing from someone 断绝联系　연락이 끊어지다 例 子孫が絶える、行列が絶えない
暑さに耐える	to stand the heat 忍受酷暑　더위를 참다
香りが漂う	smell in the air 香味飘溢　향기가 나다
酒を断つ	stop drinking 戒酒　술을 끊다 例 食事／関係／交流を断つ
危機を脱する	get through a crisis 摆脱危机　위기를 벗어나다
ストレスが溜まる	under a lot of stress 压力积存　스트레스가 쌓이다 例 疲れ／汚れが溜まる
若さを保つ	stay young 保持年轻态　젊음을 유지하다

ドリル

1 つぎの（　）に合うものをそれぞれa～dの中から一つ選びなさい。

① 視線を（　　）
② 痛みに（　　）
③ 常識を（　　）
④ 実力が（　　）

　　a. そらす　　b. くつがえす　　c. 備わる　　d. 耐える

⑤ 努力を（　　）
⑥ 締切が（　　）
⑦ 自然に（　　）もの
⑧ 健康を（　　）

　　a. 保つ　　b. 迫る　　c. 惜しむ　　d. 備わる

2 a、bのうち、正しいほうを一つ選びなさい。

① 看護師には、患者の心情を（a. 察する　b. 案じる）ことが求められる。
② このチームは今、けがで選手が一人（a. 損なって　b. 欠けて）いる。
③ 新しいダイエット方法がはやっているので、早速（a. 志して　b. 試して）みた。
④ 事実に（a. 及んで　b. 即して）公平に判断してください。

3 つぎの（　）に合うものをa～eの中から一つ選びなさい。

① ある新人作家がベテラン作家の小説を（　　）ことが、裁判に発展した。
② （　　）ことをいつまでも悩んでいても仕方がない。
③ 途上国への支援を（　　）コンサートが開催される。
④ 大丈夫です。寝不足が続いて、少し体調を（　　）だけです。

　　a. 済んだ　　b. 廃れた　　c. 崩した　　d. 兼ねた　　e. けなした

4 つぎの（　）に合うものをa～eの中から一つ選びなさい。

① 彼はここ数年、周囲との交流を（　　）いる。
② 今年に入ってから、（　　）職員が辞めている。
③ 最近、疲れが（　　）いるせいか、頭痛がなかなか治らない。
④ 手間のかかる仕事だけど、今までどおり、品質には（　　）いきたい。

　　a. 興じて　　b. こだわって　　c. 相次いで　　d. 断って　　e. 溜まって

32 動詞②

verb ②　动词②　동사②

ち〜の

アイデアが尽きる	run out of ideas	想法枯竭　아이디어가 다하다
全力を尽くす	make every effort to	竭尽全力　전력을 다하다
ひじでつつく	nudge somebody with one's elbow	用手肘碰一下　팔꿈치로 쿡쿡 찌르다
贅沢を慎む	hold back on luxury spending	节制奢侈　사치를 삼가다 例 お酒／おしゃべりを慎む
節約に努める	try to cut corners	努力节约　절약에 노력하다
参加者を募る	recruit participants	招募参加者　참가자를 모으다
反対に転じる	shift to opposite	变为反对　반대로 바꾸다
必要性を説く	persuade someone of the necessity of	说明必要性　필요성을 설명하다 例 生き方／愛／人生を説く
目的を遂げる	achieve one's objective	达到目的　목적을 달성하다 例 進化／発展／思いを遂げる
準備が整う	preparations are complete	准备妥当　준비가 되다
その場にとどまる	stay at that place	滞留在那里　그 장소에 머무르다
知らないととぼける	feign ignorance	装作不知道　모른다고 시치미를 떼다
口の中でとろける	melt in the mouth	在嘴里融化掉　입안에서 녹다
例に倣う	follow, emulate an example	模仿例子　예에 따르다
血がにじむ	smear with blood	血浸出来　피가 번지다
試験に臨む	face an exam	面临考试　시험에 임하다 例 大会に臨む、海に臨む家

は〜

仕事がはかどる	get more work done	工作进展　일이 잘 진척되다
水をはじく	repel water	不沾水　물을 튀기다
メンバーから外す	kick out a member	从成员中排除出来　멤버에서 빼다
役割を果たす	play a role	起作用　역할을 다하다

成功を阻む	thwart someone's success	阻碍成功　성공을 방해하다 例 改革／行く手を阻む
チームを率いる	lead a team	率领队伍　팀을 인솔하다
へりくだった言い方 [へりくだる]	condescending way of speaking	谦逊的说法　자기를 낮추는 말투
時を経る	time passes	时光流逝　세월을 거치다
新聞で報じる	report in the newspaper	报纸报道　신문에 보도하다
細工を施す	to add details to	实施工艺　세공을 하다 例 加工／改良／治療を施す
引退をほのめかす	to hint at retirement	暗示隐退　은퇴를 암시하다
不幸をぼやく	grumble about one's misfortune	发牢骚　불행을 불평하다 例 愚痴っぽく不満を言うこと。
焦点がぼやける	defocus	焦点模糊不清　초점이 흐려지다
部下に任す	delegate to the subordinate	委托部下　부하에게 맡기다
予算で賄う	cover with a budget	用预算办事　예산으로 처리하다 例 費用／食料／電力を賄う
名所を巡る	tour the sights	巡游胜地　명소를 돌다
逃げようともがく	struggle to escape	着急着想潜逃　도망가려고 발버둥치다
海に潜る	dive under the sea	潜入海里　바다에 잠수하다
利益をもたらす	make a profit	带来利益　이익을 가져오다 例 効果／影響／被害をもたらす
足がもつれる	legs become tangled	脚不听使唤　다리가 꼬이다
本音を漏らす	reveal one's real feelings	泄露本意　속마음을 누설하다 例 不満／秘密を漏らす
情報が漏れる	information leak	消息走漏　정보가 새다
ねじをゆるめる	loosen a screw	弄松螺丝　나사를 헐겁게 하다 例 規則／力／手／気を緩める
船が揺れる	ship swaying	船摇晃　배가 흔들리다 例 （地震で建物などが）揺れる、心が揺れる（＝迷いがある）

ドリル

1 つぎの（　）に合うものをそれぞれa〜dの中から一つ選びなさい。

① 目的を（　　　）　　② 髪が（　　　）
③ 工夫を（　　　）　　④ 規則を（　　　）

　　a. 施す　　b. 果たす　　c. ゆるめる　　d. もつれる

⑤ 食料を（　　　）　　⑥ 先輩に（　　　）
⑦ 発展を（　　　）　　⑧ 希望者を（　　　）

　　a. 賄う　　b. 募る　　c. 遂げる　　d. 倣う

2 a、bのうち、正しいほうを一つ選びなさい。

① 飛行機墜落のニュースが、テレビで（a. 報じられ　b. 説かれ）ていた。
② この仕事は、佐藤さんに（a. 施して　b. 任せて）みよう。
③ この石は幸運を（a. もたらす　b. 遂げる）石として、よくネックレスにするそうだ。
④ 原子力利用を重視した政策が、自然エネルギーの開発を（a. 慎む　b. 阻む）要因ともなった。

3 つぎの（　）に合うものをa〜eの中から一つ選びなさい。

① さっきから見ていると、息子は勉強が（　　　）いないようだ。
② 小さい頃、海でおぼれて（　　　）いるところを助けられたことがある。
③ 兄はいつも、残業が多いことを（　　　）いる。
④ 彼女が付き合っている相手について部長に聞かれたけど、全然知らないと（　　　）おいた。

　　a. ぼやいて　b. つついて　c. もがいて　d. はかどって　e. とぼけて

4 つぎの（　）に合うものをa〜eの中から一つ選びなさい。

① 医学部に行くという両親との約束を、ついに（　　　）ことができた。
② 父はどんなに忙しくても、不満を（　　　）ことはない。
③ 人生経験を（　　　）ことで、考え方も変わっていく。
④ 部長から、次に同じ失敗をしたらこの企画の担当から（　　　）と言われた。

　　a. 外す　　b. 漏らす　　c. 臨む　　d. 経る　　e. 果たす

32 動詞②

第4回 実戦練習（UNIT25〜32）

問題1 （　　　）に入れるのに最もよいものを、1・2・3・4から一つ選びなさい。

① 家族の反対を（　　　）まで、自分の好きな仕事をしようとは思わない。
　　1　引き下げて　　2　受け止めて　　3　押し切って　　4　追い込んで

② 何度もメールを出しているのに、（　　　）返事が来ない。
　　1　いっこうに　　2　一気に　　3　一斉に　　4　一挙に

③ 貯金が（　　　）しまう前に、新しい仕事を探さないと。
　　1　尽きて　　2　経て　　3　慎んで　　4　潜って

④ 給料は（　　　）だけど、あまりやりがいのある仕事ではない。
　　1　めきめき　　2　そこそこ　　3　ちょくちょく　　4　かねがね

⑤ 昨日、取引先に電話した時、世間話ばかりして（　　　）なことを言い忘れていた。
　　1　厳密　　2　露骨　　3　切実　　4　肝心

⑥ 毎日日本語を聞いているおかげで、半年前に比べて聞き取りの力が（　　　）に上がった。
　　1　断然　　2　若干　　3　格段　　4　到底

⑦ 会社の信用を（　　　）恐れがある行動は謹んでください。
　　1　絶える　　2　反る　　3　損なう　　4　くつがえす

⑧ あまり好きではない人から（　　　）食事に誘われて困っている。
　　1　ややこしく　　2　しつこく　　3　うっとうしく　　4　いやらしく

⑨ この言葉は（　　　）英語だと思い込んでいたけど、実はフランス語だった。
　　1　てっきり　　2　しょっちゅう　　3　さっぱり　　4　とっくに

⑩ 彼は細かいことに（　　　）性格だから、そんなことは気にしないと思う。
　　1　冴えない　　2　こだわらない　　3　及ばない　　4　備わらない

問題2 ＿＿＿の言葉に意味が最も近いものを、1・2・3・4から一つ選びなさい。

① 会議で私が出した案は、ことごとく反対された。
　　1　強く　　　　2　緩やかに　　　3　全て　　　　4　非常に

② この虫は不気味な色をしている。
　　1　珍しい　　　2　気持ち悪い　　3　切ない　　　4　華やかな

③ 徹底して利用者のニーズに即したサービスを提供していることが、A社が支持される理由だ。
　　1　引きだす　　2　取り込む　　　3　当てはまる　4　作り出す

④ 彼女の父親の反対が、二人の結婚を阻んでいる。
　　1　さまたげて　2　とどまって　　3　ぼやいて　　4　もがいて

問題3 次の言葉の使い方として最もよいものを、1・2・3・4から一つ選びなさい。

① 不意
　　1　安売りになっていたテレビは、不意に売り切れた。
　　2　大学入試が不意の結果になり残念だ。
　　3　この会社に就職したのは、私の不意だった。
　　4　映画を見ているとき、不意に子供の頃のことを思い出した。

② そらす
　　1　鈴木さんに恋人がいるかを聞いたら、うまく話をそらされた。
　　2　すみません、入り口の前の自転車をそらしていただけませんか。
　　3　試験の時、あせってしまい、答えを書く場所を1つ下にそらしていた。
　　4　夜遅く自宅に電話をするのは、そらしたほうがいい。

③ 甚だしい
　　1　彼はまだ若いが、甚だしく優秀な弁護士である。
　　2　一年前の携帯電話と最新機種とでは、性能の差が甚だしい。
　　3　あの教授の甚だしい研究成果は、世界に知られている。
　　4　駅前に新しく建てられたビルは、高さも設備も甚だしい。

33 する動詞①

do verbs ①　する动词①　する동사①

あ～こ

ファイルを**圧縮**する	あっしゅく	compress a file / 压缩文件 / 파일을 압축하다
新システムに**移行**する	いこう	make the shift to a new system / 过渡到新体系 / 신시스템으로 이행하다
体制を**維持**する	いじ	maintain the status quo / 维持体制 / 체제를 유지하다 例 体型 / 今の状態 / 健康を維持する
業務を**委託**する	いたく	outsource a task / 委托业务 / 업무를 위탁하다 類 委ねる
番号が**一致**する	いっち	agree in number / 号码一致 / 번호가 일치하다 例 名前と顔 / 意見 / 好みが一致する
制度を**改革**する	かいかく	reform a system, institution / 改革制度 / 제도를 개혁하다
テストを**回収**する	かいしゅう	collect test papers / 收取试卷 / 테스트를 회수하다 例 容器 / 貸したお金を回収する
土地を**開拓**する	かいたく	cultivate the ground / 开垦土地 / 토지를 개척하다
警察が**介入**する	かいにゅう	police intervene / 警察介入 / 경찰이 개입하다
人質を**解放**する	かいほう	release a hostage / 解放人质 / 인질을 석방하다
死を**覚悟**する	かくご	be resigned to die / 对死亡有精神准备 / 죽음을 각오하다
臭いが**拡散**する	かくさん	smell spreads / 臭味扩散 / 냄새가 확산하다 例 被害 / 菌 / 汚染物質が拡散する
食料を**確保**する	かくほ	secure food / 确保粮食 / 식료를 확보하다 例 席 / 安全 / スタッフを確保する
制度を**確立**する	かくりつ	establish a system / 确立制度 / 제도를 확립하다
条件に**合致**する	がっち	comply with a condition / 符合条件 / 조건에 일치하다 例 お互いの希望が合致する
A社を**合併**する	がっぺい	consolidate, incorporate company A / 合并A公司 / A사를 합병하다
保険に**加入**する	かにゅう	take out a life insurance policy / 加入保险 / 보험에 가입하다 例 会 / 団体 / チームに加入する
酸素を水に**還元**する	かんげん	reduce oxygen and produce water / 将氧还原成水 / 산소를 물로 환원하다 ★元の形や状態に戻すこと。例 利益を社会に還元する
辞任を**勧告**する	かんこく	call for someone to resign / 劝告辞职 / 사임을 권고하다
入口を**監視**する	かんし	put an entrance under surveillance / 监视入口 / 입구를 감시하다
隣国に**干渉**する	かんしょう	intervene in a neighboring country / 干涉邻国 / 이웃 나라에 간섭하다
試合を**棄権**する	きけん	drop out of a game / 比赛弃权 / 시합을 기권하다 例 投票を棄権する　類 放棄する
貧しい人々を**救済**する	きゅうさい	save the poor / 救济穷人 / 가난한 사람들을 구제하다
チームを**強化**する	きょうか	strengthen a team / 强化队伍 / 팀을 강화하다
計画を**強行**する	きょうこう	force through a plan / 强行执行计划 / 계획을 강행하다
値上げを**許容**する	きょよう	allow a rise in price / 接受物价上涨 / 가격 인상을 허용하다 例 千円なら許容範囲だ
内容を**吟味**する	ぎんみ	scrutinize content / 品味内容 / 내용을 음미하다 ★いいかどうか、よく確かめること。
皮膚を**形成**する	けいせい	allow skin to form / 形成皮肤 / 피부를 형성하다 例 骨 / 人格 / 都市 / 市場を形成する
分子が**結合**する	けつごう	combine molecules / 分子结合 / 분자가 결합하다 例 2つの表を結合させる
常識が**欠如**する	けつじょ	to lack common sense / 欠缺常识 / 상식이 결여하다 例 マナー / 想像力の欠如
判定に**抗議**する	こうぎ	protest a decision / 抗议判决 / 판정에 항의하다
性能が**向上**する	こうじょう	improve in quality / 提高性能 / 성능이 향상하다 例 地位 / 質 / 安全性の向上
景気が**後退**する	こうたい	economy slowing down / 不景气 / 경기가 후퇴하다 対 前進する
役割を**交替**する	こうたい	change the roles / 替换职务 / 역할을 교체하다
話を**誇張**する	こちょう	exaggerate something / 将事情夸大化 / 말을 과장하다
情報が**混乱**する	こんらん	information getting muddled, confused / 信息混乱 / 정보가 혼란하다 例 頭 / 市場 / 現場が混乱する

ドリル

1 つぎの（　）に合うものをそれぞれa〜dの中から一つ選びなさい。
① 流通のシステムが（　）する
② 選手の意識を（　）する
③ 政府が市場に（　）する
④ 会員番号と名前が（　）する

　　a. 改革　　b. 介入　　c. 合致　　d. 確立

⑤ 投票を（　）する
⑥ 資源ごみを（　）する
⑦ 利益を社員に（　）する
⑧ 能力が（　）する

　　a. 還元　　b. 棄権　　c. 回収　　d. 向上

2 a、bのうち、正しいほうを一つ選びなさい。
① あの小説は、事実を（a. 誇張　b. 拡散）して書かれている部分が多い。
② この市は来年度から隣の市と（a. 合併　b. 結合）することになっている。
③ 彼の失礼な態度は、私の（a. 解放　b. 許容）範囲を越えている。
④ パソコンを買い替えたので、新しいパソコンにデータを（a. 移行　b. 後退）した。

3 つぎの（　）に合うものをa〜eの中から一つ選びなさい。
① このスーパーでは、10台のカメラで店内を（　）している。
② 台風の影響で、交通機関が（　）している。
③ 彼女は社会人になった今も、親から（　）されている。
④ 体力を（　）するために、週末にジョギングをしている。

　　a. 監視　　b. 維持　　c. 圧縮　　d. 混乱　　e. 干渉

4 つぎの（　）に合うものをa〜eの中から一つ選びなさい。
① どれを買うか、買う前によく（　）したほうがいい。
② 急病のため、任期の途中で首相が（　）した。
③ 新発売の携帯電話は、あらゆる機能が（　）されている。
④ 田中さんとは会ったことがあると思うのですが、名前と顔が（　）しません。

　　a. 交替　　b. 吟味　　c. 一致　　d. 委託　　e. 強化

34 する動詞②

do verbs ②　する动词②　する동사②

さ～つ

返事を催促する	press someone for a reply	催促回信　답을 재촉하다
経費を削減する	cut costs	削减经费　경비를 삭감하다 例 CO₂を削減する
現地を視察する	inspect the place	视察当地　현지를 시찰하다
健康法を実践する	put health tips into practice	实践健康锻炼法　건강법을 실천하다
間違いを指摘する	point out a mistake	指摘错误　실수를 지적하다
生活が充実する	fulfilling life	生活充实　생활이 충실하다
情報を収集する	collect information	收集情报　정보를 수집하다
ミスを修正する	correct a mistake	修正错误　미스를 수정하다 ★誤りを直すほか、不足を補ったりよくない部分を改めたりもすること。単純に誤りを直すのが「訂正」
お金に執着する	fixated on money	执着于金钱　돈에 집착하다
世界記録を樹立する	set a world record of	开创世界纪录　세계기록을 수립하다 例 新政権を樹立する
データを消去する	delete the data	消去数据　데이터를 소거하다
パスワードを照合する	verify the password	核对密码　패스워드를 조회하다
部長に昇進する	to be promoted to manager	晋升部长　부장으로 승진하다
申請を承認する	approve an application	同意申请　신청을 승인하다
対象から除外する	to be excluded from the target	从对象中除外　대상에서 제외하다
会議が進行する	meeting progresses	进行会议　회의가 진행되다 例 番組／試合／病気が進行する
許可を申請する	apply for a permission	申请许可　허가를 신청하다 例 利用／証明書／休暇を申請する
建物に侵入する	infiltrate a building	侵入建筑物　건물에 침입하다
計画を推進する	implement a plan	推进计划　계획을 추진하다
理由を推測する	speculate about the reasons	推测理由　이유를 추측하다 例 答え／年齢／好みを推測する
経済が衰退する	economy waning	经济衰退　경제가 쇠퇴하다
格差を是正する	rectify a disparity	纠正差距　격차를 시정하다 例 医師不足／不公平を是正する
自動販売機を設置する	install a vending machine	设置自动贩卖机　자동판매기를 설치하다 例 エレベーター／窓口を設置する
会社を設立する	establish a company	成立公司　회사를 설립하다
開会を宣言する	declare the opening of	宣布开会　개회를 선언하다 例 核兵器の廃止を宣言する
開会式で宣誓する	take an oath at an opening ceremony	在开会仪式上宣誓　개회식에서 선서하다
成長を促進する	promote growth	促进成长　성장을 촉진하다 例 事業／交流を促進する
自由を束縛する	restrain on one's freedom	束缚自由　자유를 속박하다
感染を阻止する	prevent the transmission of	阻止感染　감염을 저지하다
危機を打開する	overcome a crisis	打破危机僵局　위기를 타개하다
今回は妥協することにした。	We decided to compromise this time.	这次决定妥协　이번에는 타협하기로 했다 ★自分の主張や希望の一部をあきらめて解決を得ること。
目標を達成する	achieve a target	达成目标　목표를 달성하다
チームを脱退する	quit a team	退出队伍　팀을 탈퇴하다
疲労が蓄積する	develop fatigue	疲劳累积　피로가 축적되다 例 情報／ノウハウが蓄積する
工事に着手する	start construction of	着手工程　공사에 착수하다
くじで抽選する	draw lots	用抽签方式来抽选　제비로 추첨하다
参加費を徴収する	collect participation fee	征收参加费　참가비를 징수하다 ★公的な立場から費用の支払いを求めること（税金、会費など）。
裏切者を追放する	expel, cast out the traitor	驱逐背叛者　배반자를 추방하다
難しさを痛感する	keenly feel the difficulty	深切地感到难度　어려움을 통감하다

ドリル

1 つぎの（　）に合うものをそれぞれa〜dの中から一つ選びなさい。

① 人員を（　　）する　　② データを（　　）する
③ 議会で（　　）する　　④ 世界記録を（　　）する

> a. 削減　　b. 達成　　c. 承認　　d. 修正

⑤ 安全を（　　）する　　⑥ ビザを（　　）する
⑦ 脂肪が（　　）する　　⑧ 不均衡を（　　）する

> a. 是正　　b. 宣言　　c. 申請　　d. 蓄積

2 a、bのうち、正しいほうを一つ選びなさい。

① この製薬会社は、がん治療の新薬の開発に（a. 着手　b. 実践）した。
② 県は観光事業を（a. 昇進　b. 推進）していく方針を打ち出した。
③ 若者の雇用（a. 促進　b. 催促）を図るために、さまざまな政策が取られている。
④ この県は農業がさかんだったが、現在では（a. 脱退　b. 衰退）してしまっている。

3 つぎの（　）に合うものをa〜eの中から一つ選びなさい。

① 知らない言葉は、意味を（　　）して考えるしかない。
② 試合の対戦相手は（　　）で決められる。
③ 大学時代は、とても（　　）した日々を過ごすことができた。
④ 部長になって初めて、部下をまとめる難しさを（　　）した。

> a. 痛感　　b. 充実　　c. 妥協　　d. 推測　　e. 抽選

4 つぎの（　）に合うものをa〜eの中から一つ選びなさい。

① 間違えて重要なメールを（　　）してしまった。
② 売り上げの減少を（　　）するために何か新しいアイデアが必要だ。
③ 一方通行の道路に車が（　　）してきた。
④ 彼は物に対して（　　）しないので、よく人に物をあげる。

> a. 阻止　　b. 設置　　c. 執着　　d. 侵入　　e. 消去

34 する動詞②

35 する動詞③

do verbs ③　する动词③　する동사 ③

て〜ろ

景気が停滞する	economy is stagnating 景气局面停滞不前　경기가 정체되다	水道管が破裂する	water pipes rupture 水管破裂　수도관이 파열하다 例 内臓／パイプ／風船が破裂する
人気が低迷する	popularity flagging 人气低迷　인기가 침체를 벗어나지 못하다	国が繁栄する	country prospers 国家繁荣　나라가 번영하다
看板を撤去する	remove the sign 撤出广告牌　간판을 철거하다 例 棚／ごみを撤去する	法案を否決する	reject a bill 否决法案　법안을 부결하다 対 可決
事業から撤退する	withdraw from the venture 从企业撤离　사업에서 철퇴하다	作品を披露する	unveil a work 发表作品　작품을 공개하다
理論を展開する	develop a theory 展开理论　이론을 전개하다 例 話／論理／事業／攻撃を展開する	食べ物が腐敗する	food goes bad 食物腐败　음식이 부패하다 例 権力／政治が腐敗する
方針を転換する	turn a plan around 转换方针　방침을 전환하다 例 話題を転換する、気分転換する	液体が分離する	liquid separates 液体分离　액체가 분리되다
		ローマ字に変換する	convert into romaji 转换为罗马字　로마자로 변환하다 例 漢字／ファイル／電圧を変換する
組織を統合する	unify an organization 统一组织　조직을 통합하다 例 事業／リスト／3社を統合する	建物が崩壊する	building collapses 建筑物毁坏　건물이 붕괴하다 例 組織／制度／国／チームが崩壊する
目標に到達する	achieve an objective 达到目标　목표에 도달하다	権利を放棄する	relinquish the right 放弃权利　권리를 포기하다 例 財産／試合／責任を放棄する
会員に登録する	register as a member 登录会员　회원으로 등록하다 例 会に登録する、名前を登録する	社会に奉仕する	serve society 奉献给社会　사회에 봉사하다
脂肪が燃焼する	burn fat 脂肪燃烧　지방이 연소 되다	商品を補充する	replenish goods 补充商品　상품을 보충하다
状況を把握する	grasp the situation 把握状况　상황을 파악하다 ★しっかりとつかむこと。	損害を補償する	compensate someone for damage 补偿损失　손해를 보상하다 例 被害／事故を補償する、補償金
不用品を廃棄する	dispose of unwanted objects 废弃废品　불용품을 폐기하다 例 ごみ／古いパソコンを廃棄する	治療を補助する	subsidize the expense of medical treatment 辅助治疗　치료를 보조하다
食料を配給する	distribute food 分给粮食　식품을 배급하다	説明を補足する	add a supplementary explanation 补充说明　설명을 보충하다
無駄を排除する	get rid of what is unnecessary 废除浪费　낭비를 배제하다 ★あるとよくないものを押し出すこと。　例 暴力／影響を排除する	制度が発足する	system launches 制度开始实施　제도가 발족하다
		解決方法を模索する	seek a solution 摸索解决方法　해결방법을 모색하다
資料を破棄する	destroy documents 销毁资料　자료를 파기하다 例 契約／判決／メールを破棄する	客を誘導する	offer guidance 诱导客人　손님을 유도하다
他の宗教を迫害する	persecute other religions 迫害其他宗教　다른 종교를 박해하다	感情を抑制する	suppress emotion 压抑感情　감정을 억제하다
本当のことを暴露する	expose the truth 暴露真正的事情　사실을 폭로하다	病気を予防する	prevent disease 预防疾病　병을 예방하다
才能を発揮する	exercise one's talent 发挥才能　재능을 발휘하다	値上げを了承する	approve a rise in price 明白涨价的(道理)　가격 인상을 납득하다
遺跡を発掘する	excavate a site 发掘遗迹　유적을 발굴하다		

ドリル

1 つぎの（　）に合うものをそれぞれa～dの中から一つ選びなさい。

① 医療費を（　）する
② 政権が（　）する
③ 例外を（　）する
④ 低気圧が（　）する

　　a. 補助　　b. 排除　　c. 崩壊　　d. 停滞

⑤ 全体の動きを（　）する
⑥ 秘密を（　）する
⑦ 社会が（　）する
⑧ 営業成績が（　）する

　　a. 繁栄　　b. 把握　　c. 低迷　　d. 暴露

2 a、bのうち、正しいほうを一つ選びなさい。

① データの形式を（a. 変換　b. 転換）して、もう一度送ってください。
② 先ほど説明した内容を少し（a. 発足　b. 補足）させていただきます。
③ 期間内に手続きをしなければ、お金を受け取る権利を（a. 廃棄　b. 放棄）したことになる。
④ 取引先との契約を（a. 破棄　b. 破裂）した。

3 つぎの（　）に合うものをa～eの中から一つ選びなさい。

① あの歌手は、映画に出演したり絵を描いたりして、多方面で才能を（　）している。
② 会員数1万人という目標に（　）するまで、3年を要した。
③ コピー用紙が切れたら、奥の棚から紙を持ってきて（　）してください。
④ 市では、子供の事故を（　）するためにいろいろな対策を行っている。

　　a. 撤退　　b. 到達　　c. 予防　　d. 発揮　　e. 補充

4 つぎの（　）に合うものをa～eの中から一つ選びなさい。

① この飲み物には、食欲を（　）する効果があるらしい。
② 今度の見本市で、A社は新作のゲーム機を（　）する予定だ。
③ 両国政府の間で、新しい経済協力のあり方が（　）されている。
④ 「車をぶつけられたの？」「そうなんです。一応、修理費用は全額（　）してもらったんですが」

　　a. 披露　　b. 抑制　　c. 補償　　d. 展開　　e. 模索

36 複合動詞

Compound verbs　复合动词　복합동사

～上がる／～かえる／～返す／～切る／～込む／～付く

ベッドから**起き上がる**	get out of bed　从床上起来　침대에서 일어나다
税金を**引き上げる**	raise a tax　提高税金　세금을 올리다
電池を**取りかえる**	change a battery　交换电池　건전지를 바꾸다
荷物を**詰めかえる**	repack a bag　重新包装货物　짐을 갈아 채우다
CDを**入れかえる**	change CD　更换 CD　CD를 갈아 끼우다
資料を**差しかえる**	replace a document　调换资料　자료를 바꾸어 끼우다
言葉を**置きかえる**	replace, rearrange words　置换词语　말을 바꿔놓다
看板を**付けかえる**	change a signboard　换广告牌　간판을 바꾸어 달다
正しく**言いかえる**	rephrase it correctly　正确地换句话说　바르게 다시 말하다
盗まれた物を**取り返す**	recover a stolen item　取回被偷走的东西　도난당한 물건을 되찾다
資料を**読み返す**	read a document over again　反复读资料　자료를 다시 읽다
会議を**打ち切る**	close up a meeting　中止会议　회의를 중단하다
反対を**押し切る**	overcome the opposition　不顾反对　반대를 무릅쓰고 밀고 나가다
手帳に**書き込む**	write in one's organizer　写在笔记本上　수첩에 써넣다
正しいと**思い込む**	convinced that something is correct　深信正确　바르다고 굳게 믿다
相手を**追い込む**	corner someone　逼迫对方　상대를 몰아붙이다
いいアイデアを**思いつく**	hit on a good idea　突然想起好的想法　좋은 아이디어가 생각나다
顔と顔を**くっつける**	put one's face to another　脸贴着脸　얼굴과 얼굴을 붙이다
机を**ひっつける**	push the desk together　拼桌子　책상을 붙이다
二つの事件を**結びつける**	link two affairs together　联系两个事件　두 개의 사건을 연결하다

受ける～／取る～／引く～

メールを**受け取る**	receive an e-mail　接受邮件　메일을 받다
要求を**受け入れる**	accept a request　接受要求　요구를 받아들이다
気持ちを**受け止める**	react to someone's feelings　理解心情　기분을 받아들이다
鞄から本を**取り出す**	take a book out from a bag　从包里取出书　가방에서 책을 꺼내다
アイデアを**取り入れる**	incorporate an idea　导入想法　아이디어를 도입하다
自信を**取り戻す**	recover one's confidence　恢复自信　자신을 되찾다
容疑者を**取り調べる**	interrogate a suspect　调查嫌疑犯　용의자를 취조하다
パソコンに**取り込む**	import to one's PC　导入电脑里　컴퓨터에 넣다 例 データ／写真を**取り込む**
答えを**引き出す**	elicit an answer　引出答案　답을 끄집어내다 例 情報／答えを**引き出す**
税金を**引き下げる**	reduce the tax　下调税金　세금을 내리다

その他

店内を**歩き回る**	walk around the store　在店内到处走动　가게 내를 걷다
花が**咲き乱れる**	bloom all over the ground　鲜花盛开　꽃이 흐드러지게 피다
ヒット商品を**作り出す**	produce a hit product　生产出畅销产品　히트 상품을 만들어 내다
友人を**呼び止める**	stop a friend　把朋友叫住　친구를 불러 세우다
失敗を**笑い飛ばす**	laugh one's failure off　对失败一笑了之　실패를 웃어 날려버리다
祖父の死に**泣き崩れる**	collapse into tears because of grandfather's death　对祖父的死放声痛哭　조부님의 죽음에 울며 쓰러지다

ドリル

1 つぎの（　）に合うものをそれぞれa〜dの中から一つ選びなさい。

① 現実を（　　）
② 部屋の中を（　　）
③ 税率を（　　）
④ 本を何度も（　　）

　a. 読み返す　　b. 歩き回る　　c. 引き上げる　　d. 受け止める

⑤ 両者を（　　）もの
⑥ 新しい方法を（　　）
⑦ 店員を（　　）
⑧ 悩みを（　　）

　a. 呼び止める　　b. 結びつける　　c. 笑い飛ばす　　d. 思いつく

2 a、bのうち、正しいほうを一つ選びなさい。

① かばんから手帳を（a. 取り出した　b. 引き出した）。
② 日本は古くから、外国の文化を積極的に（a. 取り入れて　b. 受け取って）きた。
③ 運ばれて来た料理に虫が入っていたので、（a. 差しかえて　b. 取りかえて）もらった。
④ 東京ライオンズは、今月に入って3連勝となり、すっかり勢いを（a. 取り戻した　b. 追い込んだ）。

3 つぎの（　）に合うものをa〜eの中から一つ選びなさい。

① 試験は来週だと（　　）いたら、今日だった。
② 荷物を（　　）、二人でスーツケース1つで行くことにした。
③ この中国語を日本語に（　　）考えてみましょう。
④ これらの伝統行事は、人々が長年にわたって（　　）きたものだ。

　a. 付けかえて　b. 作り出して　c. 思い込んで　d. 詰めかえて　e. 置きかえて

4 つぎの（　）に合うものをa〜eの中から一つ選びなさい。

① 今回のアルバイトの募集は、先週でもう（　　）。
② この映画は、女優としての彼女の新たな魅力を（　　）。
③ A社は、先月から携帯電話の月々の基本料金を（　　）。
④ この店、商品をだいぶ（　　）ね。夏物はもうほとんど置いてない。

　a. くっつけた　b. 打ち切った　c. 入れかえた　d. 引き出した　e. 引き下げた

36 複合動詞

37 いろいろな意味を持つ言葉① Words with multiple meanings ① 多义词① 여러 의미가 있는 말①

経済に明るい	knowledgeable about economics	精通历史　경제에 밝다
明るい性格	cheerful disposition	开朗的性格　밝은 성격
例 明るい未来		
予想が当たる	guess right	预想对了　예상이 적중하다
くじに当たる	strike the lottery	中彩票　제비뽑기에 당첨되다
日に当たる	receive light	晒太阳　햇볕을 쬐다
例 風に当たる		
任務に当たる	take on the job	指派任务　임무를 맡다
批判には当たらない。	to not mean to criticize	不值得批判　비판할 정도는 아니다
食べ物が当たる	have food poisoning	食物中毒　음식이 체하다
甘い考え	wishful think	幼稚的想法　무른 생각
例 見方が甘い		
痛い出費	a drain of one's wallet	吃不消的开销　뼈아픈 출비
例 痛いミス		
やらなくてもいっしょ	stay the same even if one doesn't do something	不做也一样　하지 않아도 마찬가지
誤解を受ける	be misunderstood	受到误解　오해를 받다
相談を受ける	be asked for advice	接受商谈　상담을 받다
影響を受ける	be influenced	受到影响　영향을 받다
検査を受ける	undergo an inspection	接受检查　검사를 받다
冗談が受ける	to get a joke	玩笑被认同　농담이 먹히다
品薄の状態	be in short supply	缺货状态　품귀현상인 상태
席が埋まる	be booked up	座无虚席　자리가 차다
例 予定で一日埋まる		
自然を守る運動	campaign to protect nature	保护自然的运动　자연을 지키는 운동
時間を置く	pause for a moment	隔一段时间　시간을 두다
例 一日置く		
～に重点を置く	give importance to	对某事重视　～에 중점을 두다
救援チームを送る	send a rescue team	输送救援队伍　구원 팀을 보내다
空港まで送る	send someone to the airport	送到机场　공항까지 보내다
声援を送る	give encouragement	进行声援　성원을 보내다
大学生活を送る	lead a collegiate life	过大学生活　대학 생활을 보내다
会場を押さえる	book a venue	确保会场　회장을 잡다
箱に収める	store in a box	收拾到箱子里　상자에 넣다
税金を納める	pay taxes	交税　세금을 납부하다
国を治める	govern a country	治国　나라를 다스리다
怒りを買う	face the wrath of	惹人发怒　분노를 사다
彼の才能を買う	recognize his talent	器重他的才能　그의 재능을 사다
固い握手	strong handshake	紧紧地握手　굳은 악수
例 固い約束、ふたが固い		
堅い守り	tight defense	可靠的坚守　건실한 수비
例 堅い職業、口が堅い		
硬い鉛筆	hard pencil	硬性铅笔　딱딱한 연필
例 硬い表現、表情が硬い		
夢がかなう	dream comes true	梦想实现　꿈이 이루어지다
条件にかなう	satisfy a requirement	符合条件　조건에 맞다
彼にかなう者はいない。	No person can compare to him.	没有人能胜过他　그를 이길 사람은 없다
辛い評価	severe assessment	辛辣的批判　엄한 평가
汚い手を使う	use a dirty trick	使用污浊的手段　더러운 방법을 쓰다
1万円を切る	under 10,000 yen	低于一万日元　만 원을 밑돌다
例 30分を切る好タイム		

ドリル

1 つぎの（　）に合うものをそれぞれa～dの中から一つ選びなさい。

① 願いが（　　）
② 賞品が（　　）
③ 能力を（　　）
④ 報告を（　　）

　　a. 買う　　b. 受ける　　c. かなう　　d. 当たる

⑤ そんな（　　）やり方は許せない
⑥ （　　）雰囲気の職場
⑦ 1万円の出費は（　　）
⑧ 原さんは法律に（　　）

　　a. 堅い　　b. 明るい　　c. 痛い　　d. 汚い

2 a、bのうち、正しいほうを一つ選びなさい。

① 英語については、彼女には全く（a. かないません　b. 押さえません）。
② 人気のライブだから、すぐに予約で（a. 送る　b. 埋まる）と思う。
③ 彼には言っても言わなくても（a. いっしょ　b. 辛い）です。人の意見なんか聞かないから。
④ 3万2千円か……。3万円を（a. 切った　b. 納めた）ら、迷わず買うんだけどなあ。

3 つぎの（　）に合うものをa～eの中から一つ選びなさい。

① ごめん、あとで駅まで車で（　　）くれない？
② これらの資料は、年度ごとに分けて、それぞれ別のファイルに（　　）ください。
③ 当校では、日本語の会話力に重点を（　　）指導しています。
④ 野生動物たちが置かれている悲惨な現実に、ショックを（　　）しまった。

　　a. 受けて　　b. 収めて　　c. 置いて　　d. 埋まって　　e. 送って

4 つぎの（　）に合うものをa～eの中から一つ選びなさい。

① 留守だったので、しばらく間を（　　）から、また電話することにした。
② 希望の大学に入った息子は、充実した学生生活を（　　）いるようです。
③ そのとき私の言った一言が、部長の怒りを（　　）しまったのです。
④ 私の場合、指導を受けた森先生の影響をかなり（　　）いると思う。

　　a. 当たって　　b. 買って　　c. 置いて　　d. 送って　　e. 受けて

38 いろいろな意味を持つ言葉② Words with multiple meanings 2
多义词② 여러 의미가 있는 말②

予定を組む	put together a schedule / 安排原定计划 / 예정을 짜다
バンドを組む	form a band / 组成乐队 / 밴드를 결성하다
足を組む	cross legs / 盘腿而坐 / 다리를 꼬다
表情が曇る	wince / 表情忧郁 / 표정이 흐리다
結構な値段	handsome price / 令人满意的价格 / 상당한 가격
もう結構	That's enough. / 已经足够 / 이제 충분하다
冗談が過ぎる	joke goes too far / 玩笑过头 / 농담이 지나치다
首筋	back of the neck / 脖颈子 / 목덜미
筋の通った話	rational story / 合情合理的话 / 조리에 맞는 말
筋がいい	have a good aptitude / 素质好 / 질이 좋다
2万円相当のバッグ	bag about 20,000 yen / 相当于两万日元的包 / 2만 엔 상당의 가방
パーティーに顔を出す	put in an appearance at the party / 出席晚会 / 파티에 얼굴을 내밀다
結果を出す	achieve results / 拿出结果 / 결과를 내다
手を出す	attempt something / 帮助，干涉 / 손을 내밀다
広告を出す	run an advertisement / 出广告 / 광고를 내다
胸が詰まる思い	get choked up inside / 堵心的回忆 / 가슴이 메이는 느낌 例 緊張して息が詰まりそうだった。
言葉に詰まる	be at a loss for words / 词穷 / 말이 막히다
強い風	strong wind / 强风 / 강한 바람
強いお酒	hard liquor / 烈酒 / 강한 술
パソコンに強い	skilled with computers / 擅长电脑 / 컴퓨터에 강하다
寒さに強い	have a high tolerance for cold / 不怕寒冷 / 추위에 강하다
いい手を思いつく	come up with a good idea / 想到好方法 / 좋은 방법을 생각해 내다 例 あらゆる手を使う
結果が出る	get a result / 出结果 / 결과가 나오다
熱が出る	have a fever / 发烧 / 열이 나다
スピードが出る	gain speed / 提速 / 스피드가 나오다
音楽が流れる	music is played / 放音乐 / 음악이 흐르다
うわさが流れる	be rumored / 谣言流传 / 소문이 퍼지다
生の声	real voice / 现场的声音 / 육성
生放送	live broadcast / 直播 / 생방송
条件をのむ	accept conditions / 接受条件 / 조건을 받아들이다
息をのむシーン	breathtaking scenes / 倒吸一口冷气的场面 / 숨을 죽이는 장면
負けて涙をのむ	break down and hold back one's tears / 输了饮泣吞声 / 져서 눈물을 머금다
相談に乗る	give advice to / 商量 / 상담을 해주다 例 誘いに〜
調子に乗る	get carried away / 得意忘形 / 우쭐해지다 例 波／リズムに〜
軌道に乗る	get on the right track / 走上正轨 / 궤도에 오르다 例 風に乗って飛んでくる
休憩をはさむ	take frequent breaks / 中间休息 / 휴게를 넣다
テーブルをはさむ	be across the table / 隔着桌子 / 테이블을 마주하다
その日は塞がっている	be tied up on that day / 那天很忙碌 / 그날은 다른 일정이 있다 例 忙しくて手がふさがる
誤解を招く	lead to misunderstanding / 招致误解 / 오해를 부르다 例 事故を招く
先を読む	think ahead / 推测将来 / 앞을 내다보다
拍手が沸く	erupt in applause / 狂热拍手 / 박수가 퍼지다
勇気が沸く	courage wells up / 涌出勇气 / 용기가 솟다
疑問が沸く	questions/doubts arise / 出现疑问 / 의문이 생기다

ドリル

1 つぎの（　）に合うものをそれぞれa〜dの中から一つ選びなさい。

① （　）の演奏
② 1万円（　）の品
③ 次の（　）を考える
④ 足の（　）を痛める

> a. 手　　b. 生　　c. 筋　　d. 相当

⑤ 道路を（　）反対側
⑥ 顔が（　）
⑦ やる気が（　）
⑧ ペアを（　）

> a. 曇る　　b. 組む　　c. はさむ　　d. 出る

2 a、bのうち、正しいほうを一つ選びなさい。

① 何か疑問が（a. 招いたら　b. 沸いたら）、自分で調べてみましょう。
② 取引先からの条件を（a. のんで　b. 読んで）、契約することにしました。
③ 悪気はなかったのですが、誤解を（a. 過ぎる　b. 招く）発言でした。申し訳ありません。
④ 店が軌道に（a. 乗る　b. 流れる）までは、しばらく厳しい生活が続きます。

3 つぎの（　）に合うものをa〜eの中から一つ選びなさい。

① 私はすぐ酔ってしまうので、あまり（　）お酒は飲めないんです。
② 大丈夫？　そんなに落ち込まないで、元気を（　）。
③ こんなにすぐテニスが上達するなんて、田中さん、本当に（　）ね。
④ 彼は何か考えこんでいる様子で、腕を（　）じっと座っていた。

> a. 強い　　b. 出して　　c. 筋がいい　　d. 組んで　　e. 曇って

4 つぎの（　）に合うものをa〜eの中から一つ選びなさい。

① 休憩を（　）、第2部は男性だけのコーラスです。
② あなたの変なうわさが（　）いるけど、本当のことなの？
③ 学生に難しい質問をされて、答えに（　）しまった。
④ そんなうまい話に（　）痛い目にあっても知らないよ。

> a. 乗って　　b. はさんで　　c. 流れて　　d. 詰まって　　e. ふさがって

39 名詞①

Noun ①　名词①　명사①

あ〜しゅ

チームの一員（いちいん）	member of a team	队伍的一员　팀의 일원
作業が一段落する（さぎょう・いちだんらく）	work settles down	工作告一段落　작업이 일단락되다
違和感を感じる（いわかん・かん）	feel that something is amiss	感到不协调　위화감을 느끼다
大物の貫禄（おおもの・かんろく）	presence of a great person	大人物的风度　거물의 관록
格差を是正する（かくさ・ぜせい）	correct the disparity　例 所得格差、経済格差（しょとくかくさ・けいざいかくさ）	纠正差距　격차를 시정하다
故意か過失か（こい・かしつ）	accidental or intentional	是蓄意还是过失　고의인지 과실인지
画像データ（がぞう）	image data	图像数据　화상 데이터
過密スケジュール（かみつ）	overcrowded schedules	过密的日程安排　과밀한 스케줄
観衆に手を振る（かんしゅう・て・ふ）	wave to the audience	对观众挥手　관중에게 손을 흔들다
専門的な観点から（せんもんてき・かんてん）	from the perspective of an expert	专业的观点　전문적인 관점에서
民族の起源（みんぞく・きげん）	origin of a race, people	民族起源　민족의 기원
日本人の気質（にほんじん・きしつ）	Japanese mentality	日本人的气质　일본인의 기질
技能を身につける（ぎのう・み）	acquire the skills	掌握技能　기능을 익히다
産業の基盤（さんぎょう・きばん）	basis of an industry	产业的基础　산업의 기반
業界の常識（ぎょうかい・じょうしき）	common knowledge of the industry	业界的常识　업계의 상식
教訓を生かす（きょうくん・い）	make use of what one has learnt　★失敗から学ぶこと。（しっぱい・まな）	吸取教训　교훈을 살리다
業者に任せる（ぎょうしゃ・まか）	delegate the work to a contractor	交给专业人士　업자에게 맡기다
郷愁を誘う歌（きょうしゅう・さそ・うた）	song that evokes feelings of nostalgia	勾起乡愁的歌　향수를 부르는 노래
極限の状態（きょくげん・じょうたい）	in extreme situation	极限状态　극한의 상태
疑惑を晴らす（ぎわく・は）	clear up doubts	消除疑惑　의혹을 풀다
油断は禁物（ゆだん・きんもつ）	have to always be on the alert	切忌粗心大意　방심은 금물
敬意を表す（けいい・あらわ）	show respect	表示敬意　경의를 표하다
事故の経緯（じこ・けいい）	sequence of events leading to the accident	事故的经过　사고의 경위
現役の警察官（げんえき・けいさつかん）	active policeman	现任警察　현역 경찰관
権限を委ねる（けんげん・ゆだ）	authorize	委托权限　권한을 위임하다
健在を示す（けんざい・しめ）	show one is still doing well　★それまでと変わらず元気である、能力を発揮していること。（か・げんき・のうりょく・はっき）	显示健在　건재함을 보이다
ユニークな言動（げんどう）	unique speech and behavior　★発言や行動。（はつげん・こうどう）	独特的言行　독특한 언동
男女兼用（だんじょけんよう）	unisex	男女都能用　남녀 겸용
公然の事実（こうぜん・じじつ）	fact well known to the public	公然的事实　공공연한 사실
光沢のある羽（こうたく・はね）	glossy feathers	有光泽的羽毛　광택이 있는 날개
効率を追求する（こうりつ・ついきゅう）	pursue efficiency	追求效率　효율을 추구하다
コツを覚える（おぼ）	get the hang of, learn the secret to	记住诀窍　요령을 외우다
個別の事柄（こべつ・ことがら）	individual matter	个别事情　개별적인 사항
コネで就職する（しゅうしょく）	get a job through connections	通过关系就职　연줄로 취직하다
日本固有の文化（にほんこゆう・ぶんか）	culture unique to Japan	日本固有的文化　일본 고유의 문화
有効な策（ゆうこう・さく）	effective plan	有效的策略　유효한 책략
自我の目覚め（じが・めざ）	self-awareness	自我意识的苏醒　자아가 눈을 뜸
自己の分析（じこ・ぶんせき）	analysis of the self	自我分析　자기 분석
食べ物の嗜好（た・もの・しこう）	tastes in food	食物的嗜好　음식의 기호
時差ぼけ（じさ）	jet lag	倒时差　시차로 신체 리듬이 이상해 짐
ブームが下火になる（したび）	boom declines	流行消退　붐이 한물 가다
従来のやり方（じゅうらい・かた）	existing way	过去的做法　종래의 방법
イベントの趣旨（しゅし）	objective of an event	活动的宗旨　이벤트의 취지
主張を曲げる（しゅちょう・ま）	give in to one's convictions	放弃主张　주장을 굽히다
業界を主導する（ぎょうかい・しゅどう）	lead the industry	主导业界　업계를 주도하다

ドリル

1 つぎの（　）に合うものをそれぞれa～dの中から一つ選びなさい。

① （　）の選手
② 人類の（　）
③ 部長の（　）
④ 晴雨（　）の傘

　　a. 現役　　b. 起源　　c. 兼用　　d. 権限

⑤ （　）を招く行動
⑥ 作業の（　）がいい
⑦ 食べ物の（　）が合う
⑧ 生活（　）を整える

　　a. 嗜好　　b. 基盤　　c. 効率　　d. 疑惑

2 a、bのうち、正しいほうを一つ選びなさい。

① 失敗したことはしょうがない。次の（a. 策　b. 教訓）を考えよう。
② 勉強が（a. 極限　b. 一段落）したので、ちょっと休憩をとることにした。
③ 簡単な作業なので、（a. コネ　b. コツ）をつかめばすぐできるようになりますよ。
④ ひとまず父の手術は成功しましたが、まだ油断は（a. 禁物　b. 下火）です。

3 つぎの（　）に合うものをa～eの中から一つ選びなさい。

① ロンドンと東京の（　）は9時間です。
② ホームページには、これまでの裁判の（　）をまとめてあります。
③ 祖母は95歳になりますが、まだ（　）です。
④ 現在の銀行の預金（　）は、1万円もないと思います。

　　a. 残高　　b. 健在　　c. 経緯　　d. 時差　　e. 敬意

4 つぎの（　）に合うものをa～eの中から一つ選びなさい。

① 彼の（　）は、今朝の会議では誰にも受け入れられなかった。
② 田中さんが着ていたのは、（　）のある素材の、上品なドレスでした。
③ 一人分の荷物しかありませんが、引越しは（　）に頼もうと思っています。
④ （　）の商品よりも10％増量し、かつ、お値段はそのまま変わりません。

　　a. 違和感　　b. 主張　　c. 従来　　d. 業者　　e. 光沢

40 名詞②
めいし

Noun ②　名词②　명사②

しょ〜

夏の情緒 なつ じょうちょ	feeling of summer 夏天的情趣　여름의 정취	
Aチームに所属する しょぞく	belong to team A 属于A队　A팀에 소속하다	
所定の用紙 しょてい ようし	designated form 规定用纸　소정의 용지	
薬を処方する くすり しょほう	prescribe medicine 开处方药　약을 처방하다	
庶民の生活 しょみん せいかつ	life of the commoners 贫民的生活　서민의 생활	
土地を所有する とち しょゆう	own land 拥有土地　토지를 소유하다	
被害者の心情に配慮する ひがいしゃ しんじょうはいりょ	give consideration to the feelings of the victim 考虑到被害人的心情　피해자의 심정을 배려하다	
信念を貫く しんねん つらぬ	stick to one's belief 贯穿信念　신념을 관철하다	
ずれが生じる しょう	a gap, lag develops 出现偏差　어긋남이 생기다	
誠意を示す せいい しめ	show one's sincerity 显示诚意　성의를 보이다	
制約を受ける せいやく う	be restricted and constrained 受到制约　제약을 받다	
先頭に立つ せんとう た	lead from the front 站在前头　선두에 서다	
俗語 ぞくご	colloquialism 俗语　속어	
受け入れ態勢を整える う い たいせい ととの	be ready to accept 做好接收的准备状态　받아들일 태세를 갖추다	
本音と建前 ほんね たてまえ	real intention and what one says on the surface 真心话和场面话　속마음과 표면상 원칙	
段取りをする だんど	make arrangements for 安排工作　일의 순서를 관리하다 ★物事がうまく進むように、順序を整えたり必要な準備をすること。	
直感で選ぶ ちょっかん えら	choose based on one's intuition 用直觉来挑选　직감으로 고르다	
ツキがある	have good luck 幸运　재수가 있다 ★幸運。　例 今日はツキがないなあ。	
解決の手がかり かいけつ て	clue to the solution 解决的线索　해결의 단서	
手元に置く てもと お	keep on hand 放置在手边　손이 닿는 곳에 두다	

自然破壊の典型 しぜんはかい てんけい	case in point of the destruction of nature 破坏自然的典型　자연 파괴의 전형	
彼女に同感 かのじょ どうかん	feel the same as her 跟她意见一致　그녀에게 동감	
志望の動機 しぼう どうき	motivation for applying 志向的动机　지망 동기	
名前を度忘れする なまえ どわす	One's name slips one's mind 一时忘记了名字　이름을 깜빡 잊다	
〜の値打ち ねう	value of〜 〜的价值　〜의 값어치	
年金制度 ねんきんせいど	pension system 养老金制度　연금제도	
ハプニングが起こる お	accident happens 发生意外事件　해프닝이 일어나다	
読者の反響 どくしゃ はんきょう	response from readers 读者的反响　독자의 반향	
サッカー一筋の人生 ひとすじ じんせい	to live for soccer 一心一意献身于足球的人生　오로지 축구만 아는 인생	
風評による被害 ふうひょう ひがい	damage caused by rumors, gossip 谣言带来的危害　소문에 의한 피해	
完成までのプロセス かんせい	process up until completion 做完为止的过程　완성까지의 프로세스	
便宜を図る べんぎ はか	accommodate 谋求特别处理　편의를 꾀하다	
財布をなくしてぼう然とする さいふ ぜん	lost a wallet and be stupefied 钱包丢了发愣　지갑을 잃어버려 얼떨떨하다	
本番に備える ほんばん そな	get ready for the real thing 为正式播出而做好准备　실제 상황에 대비하다	
めどをつける	set a target, goal 有希望　전망을 세우다 ★区切り。 　く ぎ	
模範となる もはん	become a role model 成为模范　모범이 되다	
有毒ガス ゆうどく	poisonous gas 有毒气体　유독 가스	
優勝の要因 ゆうしょう よういん	essential reason for the victory 获得冠军的主要原因　우승의 요인	
書類作成の要領 しょるいさくせい ようりょう	trick to preparing the documents 制作文件的诀窍　서류 작성 요령 例 要領をつかむ、要領のいい人 　ようりょう　　　　　ようりょう	
良識のある人間 りょうしき にんげん	person of good sense 有卓越见识的人　양식 있는 사람	
例外 れいがい	exception 例外　예외	
わけがわからない	make no sense 不知道原因　이유를 모르겠다 例 彼はいつも、わけのわからないことを言って、みんなを困らせる。 　　かれ　　　　　　　　　　　　　　　　　　　　　　　　　　こま	

ドリル

1 つぎの（　）に合うものをそれぞれa～dの中から一つ選びなさい。

① （　）的な例
② （　）の部署
③ 犯罪の（　）
④ （　）ある対応

　　a. 動機　　b. 所属　　c. 典型　　d. 誠意

⑤ 時間の（　）がある
⑥ 仕事の（　）を考える
⑦ 主人公の（　）を読み取る
⑧ 女性からの（　）が大きい

　　a. 段取り　　b. 反響　　c. 制約　　d. 心情

2 a、bのうち、正しいほうを一つ選びなさい。

① 自分でも（a. めど　b. わけ）がわからないうちに、こうなってしまったんです。
② このことに関しては、原さんの意見に全く（a. 直感　b. 同感）です。
③ 現在、何の（a. ツキ　b. 手がかり）もなく、犯人逮捕にはまだまだ時間がかかりそうだ。
④ 部屋が薄暗くて、自分の（a. 手元　b. 先頭）もよく見えません。

3 つぎの（　）に合うものをa～eの中から一つ選びなさい。

① 明日の試験（　）に備えて、今日は早く寝ることにします。
② 教師として、子供たちの（　）となるような行動を心がけています。
③ 仕事の（　）がまだつかめなくて、時間がかかっています。
④ 彼女の人気の（　）は、その美しさと、演技のうまさです。

　　a. 模範　　b. 風評　　c. 本番　　d. 要因　　e. 要領

4 つぎの（　）に合うものをa～eの中から一つ選びなさい。

① 番組の撮影中に、カメラが壊れるという（　）があった。
② 母の病気が重いということを聞き、しばらく（　）としてしまった。
③ あのお店の名前、何だったっけ。（　）しちゃった。
④ 傷の痛みがひどかったので、病院で薬を（　）してもらった。

　　a. 処方　　b. 度忘れ　　c. プロセス　　d. ハプニング　　e. ぼう然

第5回 実戦練習（UNIT33〜40）

問題1 （　）に入れるのに最もよいものを、1・2・3・4から一つ選びなさい。

① 申し込みを希望される場合は、（　　）の用紙にご記入をお願いします。
　1　制約　　　　　2　体裁　　　　　3　所定　　　　　4　模範

② 去年、やまと町は隣のふじ市に（　　）されました。
　1　合併　　　　　2　発足　　　　　3　設立　　　　　4　結合

③ どうやら、私のさっきの発言が、彼の誤解を（　　）しまったようだ。
　1　乗って　　　　2　招いて　　　　3　当たって　　　4　送って

④ 田中さん、ちょっと仕事の相談に（　　）もらえませんか。
　1　組んで　　　　2　読んで　　　　3　のんで　　　　4　乗って

⑤ 仕事の（　　）が悪くて、今日はずいぶん同僚たちに迷惑をかけてしまった。
　1　段取り　　　　2　手がかり　　　3　わけ　　　　　4　コネ

⑥ 何度か（　　）してるんだけど、林さんはまだCDを返してくれません。
　1　勧告　　　　　2　催促　　　　　3　収集　　　　　4　促進

⑦ 資料の2枚目だけ修正したので、こちらに（　　）いただけますか。
　1　作りだして　　2　引き上げて　　3　詰めかえて　　4　差しかえて

⑧ 私は18歳の時に、両親の反対を（　　）一人暮らしを始めました。
　1　押し切って　　2　引き下げて　　3　取り返して　　4　打ち切って

⑨ 先日受けた健康診断の結果は、明日には（　　）予定です。
　1　組む　　　　　2　収める　　　　3　受ける　　　　4　出る

⑩ ああ、1階は席が（　　）いるみたいだね。2階に行こうか。
　1　散って　　　　2　埋まって　　　3　切れて　　　　4　消えて

問題2 ＿＿＿の言葉に意味が最も近いものを、1・2・3・4から一つ選びなさい。

① 買った商品を持って、店に抗議しに行った。
1 返しに　　　2 交換しに　　　3 文句を言いに　　　4 質問しに

② その書類は、破棄しておいてください。
1 売って　　　2 渡して　　　3 とって　　　4 捨てて

③ これだけきれいに庭を維持するには、相当な手間がかかるだろう。
1 探す　　　2 保つ　　　3 見せる　　　4 使う

④ このマニュアルを見れば、大体のプロセスがわかります。
1 過程　　　2 理由　　　3 結果　　　4 内容

問題3 次の言葉の使い方として最もよいものを、1・2・3・4から一つ選びなさい。

① 取り入れる
1 ふじ大学では、300人を超える留学生を取り入れています。
2 今度の企画に、林さんの意見を取り入れることになりました。
3 私からのメールを取り入れたら、返事をください。
4 空き時間に読めるよう、いつもかばんに本を取り入れています。

② 模索
1 メガネが見つからないんだけど、模索してくれない？
2 山で行方がわからなくなった親子を、皆で模索しています。
3 その事件について模索していますが、まだ犯人は見つかりません。
4 何かもっといい方法がないか、模索しているところです。

③ 所属
1 この町には、昔からたくさんの寺が所属する。
2 原さんなら、たしか会議室に所属するよ。
3 今日から3日間、このやまとホテルに所属します。
4 うちのサッカーチームには、約50人の選手が所属しています。

41 類義語①―動詞

Synonyms ① : Verbs　近义词①－动词　비슷한 말①－동사

作業を**手分け**する	divide up the work / 安排人手工作 / 작업을 나누다
作業を**分担**する	portion out the work / 分担工作 / 작업을 분담하다
体力が**回復**する	health recovers / 恢复体力 / 체력이 회복하다 例 健康／名誉が回復する
電気が**復旧**する	electricity gets restored / 恢复电力 / 전기가 복구하다 例 道路／ダイヤが復旧する
問題を**処理**する	deal with a problem / 处理问题 / 문제를 처리하다
ごみを**処分**する	dispose of the trash / 处理垃圾 / 쓰레기를 처분하다 例 財産／違反者を処分する
人を**だます**	deceive, cheat a person / 骗人 / 사람을 속이다
人を**あざむく**	trick, fool a person / 欺骗人 / 사람을 속이다 例 敵／味方をあざむく
上司に**逆らう**	defy one's boss / 忤逆上司 / 상사에 거스르다 例 親／規則／命令／流れに逆らう
命令に**背く**	disobey an order / 违背命令 / 명령을 거역하다 例 親／神／教えに背く
無理を**強いる**	force a person to do / 强行硬干 / 무리하게 강요하다
参加を**強制**する	force a person to participate in / 强制参加 / 참가를 강제하다
暑さに**ばてる**	worn out by the summer heat / 中暑 / 더위에 지치다 ★暑さや疲れで体力がなくなること
暑さで**くたびれる**	exhausted by the summer heat / 由于太热而疲惫 / 더위에 지치다 ★とても疲れること
若さを**保つ**	stay young / 保持年轻态 / 젊음을 유지하다
健康を**維持**する	maintain good health / 保持健康 / 건강을 유지하다
部下に**命じる**	order one's subordinate to do / 命令部下 / 부하에게 명령하다
あれこれ**指図**する	instruct someone to do this and that / 这个那个地命令 / 이것저것 지시하다
解決の**見通し**がつく	see how one can solve the problem / 有解决（问题）的指望 / 해결의 전망이 보이다
解決の**目途**がつく	see a possibility of solving the problem / 有解决（问题）的希望 / 해결의 전망이 서다
客が**どっと**来る	suddenly see a surge in customers / 来了好多客人 / 손님이 우르르 몰려 오다
波が**押し寄せる**	wave surges / 波浪涌上来 / 파도가 밀려오다
客を**もてなす**	welcome and entertain guests / 招待客人 / 손님을 대접하다
取引先を**接待**する	entertain a client / 接待客户 / 거래처를 접대하다
仕事を**怠ける**	neglect one's work / 懈怠工作 / 일을 게을리하다
勉強を**おろそか**にする	ignore one's study / 荒疏学业 / 공부를 소홀히 하다
娘を**気にかける**	care about one's daughter / 担心女儿 / 딸을 염려하다
子供の将来を**案じる**	be anxious about child's future / 担心孩子的将来 / 아이의 장래를 걱정하다
愛を**告白**する	confess one's love / 进行爱的告白 / 사랑을 고백하다
秘密を**打ち明ける**	reveal one's secret / 公开秘密 / 비밀을 밝히다
上司を**おだてる**	sweet-talk one's boss / 恭维上司，奉承上司 / 상사를 치켜세우다 ★さかんにほめて、意欲が向くようにすること。
上司に**ごま**をする	suck up to one's boss / 拍上司马屁 / 상사에게 아부하다 ★利益を期待して相手の機嫌をとること。
過去を**振り返る**	look back on the past / 回顾过去 / 과거를 되돌아 보다
自分の行動を**省みる**	reflect on one's behavior / 反省自己的行动 / 자신의 행동을 반성하다 ★反省する
家庭を**顧みる**	think about one's family / 顾忌家庭 / 가정을 돌보다 ★考えや配慮を向けること。 例 一年を顧みる
責任を**投げ出す**	abandon one's responsibility / 拿出责任心 / 책임을 내던지다
仕事を**放り出す**	toss one's job aside / 把工作丢下不管 / 일을 내던지다
条件に**当てはまる**	satisfy a requirement / 符合条件 / 조건에 맞다
上記に**該当**する	apply to the above / 符合上述事项 / 상기에 해당하다

条件を付け加える	add conditions 追加条件　조건을 덧붙이다	目的にかなった方法 [かなう]	appropriate way to reach the goal 达到目的的方法　목적에 맞는 방법 例 希望にかなった仕事　類 合う、適した
説明を補足する	add a supplementary explanation 补充说明　설명을 보충하다	車を改造する	remodel a car 改造汽车　차를 개조하다
条件にふさわしい人	person who meets requirements 符合条件的人　조건에 어울리는 사람	家を改修する	refurbish a house 改建房屋　집을 수리하다

ドリル

1 つぎの（　）に合うものをそれぞれa〜dの中から一つ選びなさい。

① 注文が（　　）　② 体重を（　　）
③ 健康が（　　）　④ ごみを（　　）

　　a. 回復する　　b. 処理する　　c. どっと来る　　d. 維持する

⑤ 練習を（　　）　⑥ 子どものことを（　　）
⑦ 命令に（　　）　⑧ 仕事の役割を（　　）

　　a. 怠ける　　b. 分担する　　c. 気にかける　　d. 逆らう

2 a、bのうち、正しいほうを一つ選びなさい。

① 友人を手料理で（a. 接待する　b. もてなす）。
② 先生に勉強の悩みを（a. 告白した　b. 打ち明けた）。
③ 自分の希望に（a. ふさわしい　b. かなった）仕事が見つかった。
④ 名前を呼ばれて、後ろを（a. 顧みた　b. 振り返った）。

3 つぎの（　）に合うものをa〜eの中から一つ選びなさい。

① 用事があると言って、彼は仕事を（　　）帰ってしまった。
② ガスの復旧の見通しが（　　）連絡します。
③ 仕事から帰ると、（　　）何もする気にならない。
④ 社長に（　　）も、給料を上げてくれるはずがない。

　　a. 命じられて　b. つき次第　c. 投げ出して　d. ごまをすって　e. くたびれて

42 類義語②－形容詞・副詞

Synonym ② -adjective and adverb　近义词②－形容词・副词　비슷한 말②－형용사・부사

すがすがしい朝	crisp morning　神清气爽的早上　상쾌한 아침
さわやかな空気	fresh air　清爽的空气　상쾌한 공기 例 さわやかな天気／人柄
鮮やかな色	vivid color　鲜艳的颜色　선명한 색 例 鮮やかなシュート
鮮明な画像	clear image　鲜明的画像　선명한 화상
好ましい状況	favorable circumstance　令人满意的状况　바람직한 상황
首相に望ましい人	desirable person for prime minister　希望成为首相的人　수상에 바람직한 사람
平凡なサラリーマン	ordinary office worker　平凡的工薪族　평범한 셀러리맨
ありふれた話	all-too-common story　老生常谈　넘치는 이야기 ★どこにでもある
ややこしい話	perplexing story　复杂的事情　까다로운 이야기
やっかいな問題	troublesome matter　麻烦的问题　귀찮은 문제
憂うつな会議	depressing meeting　忧郁不安的会议　우울한 회의
気が重い	feel heavy　闷闷不乐　마음이 무겁다
いい加減な返事	halfhearted reply　敷衍了事的回答　적당한 대답
無責任な態度	irresponsible attitude　不负责任的态度　무책임한 태도
厚かましいお願い	shameless favor　厚颜无耻的愿望　뻔뻔한 부탁
図々しい客	brazen customer　脸皮厚的客人　뻔뻔한 손님
そっけない返事	curt answer　无情的回答　무뚝뚝한 대답 ★相手に対して親しみの気持ちや心配りがない様子。
無愛想な態度	unfriendly attitude　冷淡的态度　붙임성이 없는 태도
じきに治る	get well soon　马上就医治　곧 낫다 ★あまり時間がかからないうちに。
そのうち会う	see someone before long　最近相见　머지않아 만나다 ★近いうちに。
元来器用だ	deft by nature　本来就灵巧　원래 손재주가 있다
そもそもおかしい	wrong in the first place　说起来挺可笑的　애초부터 이상하다 ★（改めて基本的なことを確認して）最初から。 例 そもそもこれは私の物だ。
いくぶん儲かる	be profitable to some extent　多少能挣钱　조금 벌다
多少遅れる	a bit late　稍微迟到一些　다소 늦어지다
とっさによける	instantly avoid　立刻避开　순간적으로 피하다 例 とっさに逃げる
さっとつかまえる	quickly catch　迅速抓住　잽싸게 붙잡다 例 さっとよける
きっぱり断る	flatly reject　斩钉截铁地拒绝　단호히 거절하다
潔くあきらめる	surrender with grace　果断打消念头　깨끗하게 단념하다
遠回しに反対する	defy someone in a roundabout way　委婉地反对　에둘러 반대하다
やんわり注意する	gently warn　委婉地提醒　온화하게 주의하다 ★穏やかに、ソフトな感じで。
それとなく伝える	obliquely convey　婉转地拒绝　넌지시 전달하다 ★はっきりそれと言わず、遠回しに。
すんなり許可が出る	easily get approved　轻而易举地允许　수월하게 허가가 나오다 ★抵抗や問題がなく、事が進む様子。
あっさり終わる	quickly finish　简单地结束　간단히 끝나다 例 あっさりしたスープ、あっさり認める
いやに元気がいい	terribly energetic　精神非常好　묘하게 기운이 좋다 ★普通と違って、妙に。 例 いやに親切だ。
やけに詳しい	be awfully knowledgeable about　非常详细　무척 잘 안다 ★理解できる程度を越えて、ひどく。
丸ごと食べる	eat whole　囫囵吃掉　통째로 먹다
丸々任せる	fully entrust one's work　完全委托　전부 맡기다

ドリル

1 つぎの（　）に合うものをそれぞれa〜dの中から一つ選びなさい。

① （　）遅れる　　② （　）やめる
③ （　）拾う　　　④ （　）決まる

| a. すんなり | b. きっぱり | c. さっと | d. いくぶん |

⑤ （　）態度　　⑥ （　）記憶
⑦ （　）問題　　⑧ （　）風

| a. 図々しい | b. さわやかな | c. 鮮明な | d. ややこしい |

2 a、bのうち、正しいほうを一つ選びなさい。

① あまり厳しく注意しないで、(a. そっけなく　b. やんわり) 言ったほうがいい。
② 彼は (a. やけに　b. とっさに) 動物に詳しいと思ったら、動物園の職員だった。
③ 彼は言うことがすぐに変わる。あんな (a. いい加減な　b. 厚かましい) 人は信用できない。
④ 男女は問わないが、できれば経験者が (a. 望ましい　b. 好ましい)。

3 つぎの（　）に合うものをa〜eの中から一つ選びなさい。

① この野菜は（　）食べられる。
② 話題の小説を読んでみたが、（　）内容で特におもしろくはなかった。
③ その男は、商品を盗んだことを（　）認めた。
④ （　）人生でもいいから、長生きしたい。

| a. ありふれた | b. あっさり | c. 丸ごと | d. 憂うつな | e. 平凡な |

4 つぎの（　）に合うものをa〜eの中から一つ選びなさい。

① さっき薬を飲んだから、（　）熱が下がるだろう。
② 彼は電気屋に勤めているから、彼に頼めば（　）安く買えると思う。
③ 最近、部長が（　）親切で、気味が悪い。
④ 彼女は（　）明るいほうだが、最近さらに陽気になった気がする。

| a. 多少 | b. いやに | c. 潔く | d. 元来 | e. そのうち |

43 類義語③－名詞

Synonym ③ -noun　近义词③－名詞
비슷한 말③－명사

平年並みの気温 へいねん　　　きおん	temperature same as annual average 跟往年一样的气温　평년과 비슷한 기온 例 平年より気温が高い 　へいねん　　きおん　たか
例年どおり開催 れいねん　　　かいさい	hold an event just like every year 跟往年一样召开（会议）　예년대로의 개최 例 例年とは違う 　れいねん　　ちが
円高のメリット えんだか	advantage of the strong yen 日元升值的好处　엔고의 장점
田舎暮らしの利点 いなかぐ　　　りてん	benefits of living in the countryside 在农村生活的好处　시골 생활의 이점
見通しを立てる みとお　　　た	see future prospect 有希望　전망을 세우다 例 今後の見通し 　こんご　　みとお
今後の予測 こんご　　よそく	forecast from now on 今后的预测　금후의 예측 例 売上を予測する 　うりあげ　よそく
構想を立てる こうそう　　た	formulate an idea 设立构想　구상을 세우다 例 小説の構想 　しょうせつ　こうそう
プランを立てる 　　　　　た	make a plan 制定计划　플랜을 세우다 例 旅行のプラン 　りょこう
進路を決める しんろ　　き	decide on one's course in life 决定前进方向　진로를 정하다
日本の前途 にほん　　ぜんと	future in Japan 日本的将来　일본의 앞날 例 前途に不安がある、前途ある若者 　ぜんと　　ふあん　　　　ぜんと　　　わかもの
会場の手配 かいじょう　てはい	arrangements to secure a venue 会场的安排　회장의 수배
手はずを整える て　　　　ととの	make preparation 安排就绪　준비를 하다 例 旅行の手はず 　りょこう　てはず
申し込みの手順 もう　こ　　　てじゅん	procedure for applying 申请的程序　신청 절차 ★物事の順序。 　ものごと　じゅんじょ
段取りが悪い だんど　　　わる	not well prepared 安排不好　일을 해나가는 순서가 나쁘다 ★物事を進める手順や準備。 　ものごと　すす　　てじゅん　じゅんび
根回しがいい ねまわ	groundwork well-laid 事前疏通很好　사전 공작이 좋다 ★事がうまく運ぶように、事前に関係者の理解や協力を得ておくこと。 　こと　　　　　はこ　　　　　じぜん 　かんけいしゃ　りかい　きょうりょく　え
手回しがいい てまわ	be fully prepared 安排得好　준비가 좋다 類 手配 　てはい
目の前の問題 め　まえ　もんだい	problem at hand 眼前的问题　눈앞의 문제
目先の利益 めさき　りえき	short-term profit 眼前的利益　눈 앞의 이익 例 目先のことだけ考える 　めさき　　　　　かんが
最善を尽くす さいぜん　つ	do the best that one can 竭尽全力　최선을 다하다 例 最善の方法 　さいぜん　ほうほう
ベストを尽くす 　　　　つ	do one's best 竭尽所能　베스트를 다하다 例 ベストなやり方 　　　　　　　かた
キャリアを積む 　　　　　　つ	build one's career 积累职业经验　커리어를 쌓다
経歴を紹介する けいれき　しょうかい	introduce one's background 介绍经历　경력을 소개하다
事故の経緯を語る じこ　　けいい　かた	talk about the sequence of the accident 叙述事故发生的经过　사고의 경위를 말하다
いきさつを話す 　　　　　　はな	talk about the details 叙述事情原委　내막을 말하다 例 結婚するまでのいきさつ 　けっこん
上下逆さま じょうげさか	upside down 上下颠倒　상하 거꾸로임
あべこべの方向 　　　　　ほうこう	the opposite direction 相反的方向　반대방향 例 左右があべこべ 　さゆう
まちまちの服装 　　　　　　ふくそう	various types of clothing 各自的服装　각자 다른 복장 ★それぞれで違う様子。 　　　　　　ちが　ようす
ばらばらの意見 　　　　　　いけん	different opinions 乱哄哄的意见　각자 다른 의견 ★いろいろあって、まとまりがない様子。 　　　　　　　　　　　　　　　ようす

ドリル

1 つぎの（　　）に合うものをそれぞれa～dの中から一つ選びなさい。

① （　　）の方法
② （　　）を決める
③ （　　）の問題
④ （　　）の手配

a. 最善　　b. 車　　c. 目先　　d. 段取り

⑤ 今後の（　　）
⑥ （　　）をごまかす
⑦ 自己（　　）の記録
⑧ （　　）が多い

a. ベスト　　b. メリット　　c. 見通し　　d. 経歴

2 a、bのうち、正しいほうを一つ選びなさい。

① 旅行の（a. プラン　b. キャリア）を立てる。
② あわてて服を着たら、表と裏が（a. ばらばら　b. あべこべ）になってしまった。
③ このお祭りは、（a. 平年　b. 例年）どおり9月に行われる。
④ 明日の会議に向けて、上司に（a. 根回し　b. 目の前）しておいた。

3 つぎの（　　）に合うものをa～eの中から一つ選びなさい。

① 新しい企画の（　　）を考えていた。
② ある程度売り上げを（　　）して、製造する。
③ この方法の第一の（　　）は、コストが抑えられることだ。
④ 料理の（　　）を間違えて、変な味になってしまった。

a. 利点　　b. 手順　　c. 構想　　d. 経緯　　e. 予測

4 つぎの（　　）に合うものをa～eの中から一つ選びなさい。

① 彼は新入社員だが、仕事の（　　）がいい。
② 彼女に、結婚するまでの（　　）を聞いてみた。
③ （　　）が整ったら、すぐ出発しよう。
④ みそ汁やカレーなどの一般的な料理でも、その味は家庭によって（　　）だ。

a. まちまち　　b. 逆さま　　c. 手回し　　d. いきさつ　　e. 手はず

43 類義語③－名詞

44 対義語①ー動詞

antonym ① -Verb　反义词①－动词
반대말① - 동사

駅から**遠ざかる**	go far from the station 离车站越来越远　역에서 멀어지다	
駅に**近づく**	get close to the station 接近车站　역에 가까워지다	
人を**遠ざける**	keep other people away 不让人接近　사람을 멀리하다	
顔を**近づける**	get close to one's face 接近人　얼굴을 가까이 대다	
日が**暮れる**	get dark 日暮　날이 저물다	
夜が**明ける**	dawn breaks 天亮　날이 새다	
一括して払う	pay in a lump sum 一次性付款　일괄하여 지급하다	
分割して払う	pay in installments 分期付款　분할하여 지급하다	
お金を**浪費**する	waste money 浪费钱　돈을 낭비하다	
お金を**節約**する	save money 节约钱　돈을 절약하다	
贅沢を好まない	don't want luxury 不喜欢奢侈　사치를 좋아하지 않다	
倹約に努める	make efforts to be thrifty 努力勤俭节约　검약에 노력하다	
期間を**延長**する	extend term 延长时间　기간을 연장하다	
期間を**短縮**する	shorten term 缩短时间　기간을 단축하다	
従業員を**雇用**する	employ a worker 雇用职员　종업원을 고용하다	
従業員を**解雇**する	dismiss a worker 解雇职员　종업원을 해고하다	
失業保険[〜スル]	unemployment insurance 失业保险　실업 보험 [〜スル]	
就業規則[〜スル]	employment regulation 从业规则　취업 규칙 [〜スル]	
家を出て**自立**する	leave home and become independent 离家自立　집을 나와 자립하다	
親に**依存**する	rely on one's parents 依靠父母　부모님에게 의존하다	
法案を**可決**する	pass a bill 通过法案　법안을 가결하다	
法案を**否決**する	reject a bill 否决法案　법안을 부결하다	
計画が**後退**する	plan takes a step backward 计划搁置　계획이 후퇴하다	
計画が**前進**する	plan moves forward 计划继续实施　계획이 전진하다	

安全を**重視**する	place importance on safety 重视安全　안전을 중시하다
安全を**軽視**する	neglect safety 轻视安全　안전을 경시하다
安心して**油断**する	feel at ease and let one's guard down 安心就疏忽大意　안심하여 방심하다 例 油断して点を取られる / 風邪をひく
心配して**警戒**する	worry about something and be cautious 担心就提高警惕　걱정하여 경계하다 例 テロを警戒する、警戒区域
雇用の**抑制**	restraint on employment 压制雇用　고용의 억제 例 消費 / 感情 / がんを抑制する
雇用の**促進**	promote employment 促进雇用　고용 촉진 例 成長 / 自由化 / 活動を促進する
選挙に**当選**する	win an election 选举当选　선거에 당선하다
選挙に**落選**する	be defeated in an election 选举落选　선거에 낙선하다
保守派	Conservative 保守派　보수파 例 保守的な考え方
革新派	Reformist 革新派　혁신파 例 革新的なアイデア、技術革新

ドリル

1 つぎの（　　）に合うものをそれぞれa〜dの中から一つ選びなさい。

① （　　）して家を買う
② （　　）して風邪をひく
③ （　　）してがっかりする
④ （　　）して借金が返せなくなる

　　a. 倹約　　b. 油断　　c. 失業　　d. 落選

⑤ 女性社員を（　　）
⑥ たまに（　　）
⑦ 賛成多数で（　　）
⑧ 労働時間を（　　）

　　a. 短縮する　　b. 贅沢する　　c. 可決する　　d. 雇用する

2 a、bのうち、正しいほうを一つ選びなさい。

① 電車が（a. 遠ざかって　b. 遠ざけて）いくのを見送った。
② 私は（a. 浪費　b. 節約）する癖があって、なかなか貯金できない。
③ この物質はがんを（a. 抑制する　b. 後退する）効果があるとされている。
④ もうすぐ夜が（a. 暮れて　b. 明けて）、明るくなってくるだろう。

3 つぎの（　　）に合うものをa〜eの中から一つ選びなさい。

① ちょっと高いので、（　　）でお願いします。
② 人命の（　　）は許されないことだ。
③ 現在ここは（　　）区域のため、立ち入り禁止だ。
④ 技術（　　）によって、大幅に利益が増加した。

　　a. 軽視　　b. 警戒　　c. 革新　　d. 前進　　e. 分割払い

4 つぎの（　　）に合うものをa〜eの中から一つ選びなさい。

① 鼻を（　　）においをかいでみる。
② 会議を（　　）行う。
③ 卒業したら親には頼らずに（　　）生活するつもりだ。
④ コストより品質を（　　）新商品を開発した。

　　a. 依存して　　b. 近づけて　　c. 自立して　　d. 延長して　　e. 重視して

45 対義語②―形容詞

antonym ② -Adjective　反义词②－形容词　반대말②－형용사

大柄な女性（おおがら じょせい）	big woman / 身材高大的女性 / 몸집이 큰 여인
小柄な男性（こがら だんせい）	small man / 身材矮小的男性 / 몸집이 작은 남성
謙虚な姿勢（けんきょ しせい）	humble attitude / 谦虚的姿态 / 겸허한 자세 例 自分はまだまだ力不足なんだと、謙虚な気持ちを忘れないでください。
横柄な態度（おうへい たいど）	arrogant attitude / 蛮横的态度 / 방자한 태도 例 彼は部下に対してはいつも横柄だ。
適度な運動（てきど うんどう）	moderate exercise / 适度的运动 / 적절한 운동
過度の期待（かど きたい）	excessive expectations / 过度的期待 / 과도한 기대 例 過度の運動 / 緊張
具体的な例（ぐたいてき れい）	specific example / 具体的事例 / 구체적인 예
抽象的な言い方（ちゅうしょうてき いかた）	abstract way of saying / 抽象的说法 / 추상적인 말투
軽率な発言（けいそつ はつげん）	careless remark / 轻率的发言 / 경솔한 발언
慎重な選択（しんちょう せんたく）	careful choice / 慎重的选择 / 신중한 선택 例 焦らず慎重に行動する。
高価な指輪（こうか ゆびわ）	expensive ring / 价格昂贵的戒指 / 고가인 반지
安価な製品（あんか せいひん）	inexpensive product / 价廉的产品 / 싼 가격의 제품 例 安価なサービス / エネルギー
男性に好評だ（だんせい こうひょう）	win popularity among men / 受到男性的好评 / 남성에게 호평이다 例 好評の企画、好評をいただく
主婦に不評だ（しゅふ ふひょう）	be unpopular among housewives / 受到主妇不好的评价 / 주부에게 불평이다
楽観的な見方（らっかんてき みかた）	optimistic view / 乐观的看法 / 낙관적인 견해
悲観的な見方（ひかんてき みかた）	pessimistic view / 悲观的看法 / 비관적인 견해
重大なミス（じゅうだい）	serious mistake / 重大的错误 / 중대한 미스 例 重大ニュース、責任重大（せきにんじゅうだい）
ささいなミス	trivial mistake / 微小的错误 / 작은 미스 例 ささいなことでけんかする。
不潔になる（ふけつ）	become dirty / 不干净 / 불결해지다 例 不潔な手 / 髪の毛 / トイレ / 人
清潔にする（せいけつ）	keep clean / 干净 / 청결하게 하다 例 清潔な手 / 街 / 政治、清潔感（せいけつかん）
平易な表現（へいい ひょうげん）	easy expression / 浅显易懂的表达方式 / 평이한 표현
難解な文章（なんかい ぶんしょう）	difficult article / 难懂的文章 / 난해한 문장
体に無害なもの（からだ むがい）	harmless to health / 对身体无害的东西 / 몸에 무해인 것
子供に有害なサイト（こども ゆうがい）	website that is harmful to children / 对孩子有害的网页 / 아이에게 유해한 사이트
有利な条件（ゆうり じょうけん）	advantageous condition / 有利的条件 / 유리한 조건
不利な立場（ふり たちば）	unfavorable position / 不利的立场 / 불리한 입장
曖昧な説明（あいまい せつめい）	unclear explanation / 不明确的说明 / 애매한 설명
明瞭な回答（めいりょう かいとう）	clear answer / 清楚明了的答案 / 명료한 회답

ドリル

1 つぎの（　）に合うものをそれぞれa～dの中から一つ選びなさい。

① （　）ことでけんかする　　② （　）返事
③ （　）責任　　　　　　　　④ （　）手

a. ささいな　　b. 重大な　　c. 不潔な　　d. 曖昧な

⑤ （　）説明する　　　　　　⑥ （　）話を進める
⑦ （　）考える　　　　　　　⑧ （　）運動する

a. 適度に　　b. 楽観的に　　c. 慎重に　　d. 具体的に

2 a、bのうち、正しいほうを一つ選びなさい。

① この絵は（a. 悲観的　b. 抽象的）すぎて、何を表現したいのかわからない。
② 面接では、（a. 清潔な　b. 軽率な）印象を持たれるように心がけましょう。
③ 何度も質問したが、（a. 明瞭な　b. 適度な）説明は得られなかった。
④ 彼は部下に対してはいつも（a. 難解　b. 横柄）だ。

3 つぎの（　）に合うものをa～eの中から一つ選びなさい。

① この本は私には（　）すぎて、内容がよくわからなかった。
② 契約書に（　）な条件がないか、よく確かめてからサインしてください。
③ こんな（　）な化粧品を毎日使うなんて、もったいない。
④ お客さんから（　）をいただいている企画なので、今後も続けていきたい。

a. 難解　　b. 平易　　c. 不利　　d. 高価　　e. 好評

4 つぎの（　）に合うものをa～eの中から一つ選びなさい。

① 体に（　）な物質がないかどうか、検査が必要だ。
② 質が良く、しかも（　）な商品を全国に広く提供したい。
③ どんなときも（　）な心を忘れてはいけない。
④ 自分ではうまくできたと思ったが、子どもには辛すぎたようで、（　）だった。

a. 有害　　b. 安価　　c. 謙虚　　d. 不評　　e. 有利

46 対義語③－名詞

antonym ③ -noun　反义词③－名词
반대말③ - 명사

主観を含む	include subjective view 含有主観性　주관을 포함하다 例 主観を交える、主観的な評価	負債を抱える	have debts 欠有负债　부채를 안다 例 負債を返済する　関 債務
客観情報	objective information 客観的情報　객관적인 정보 例 客観的な立場／意見／視点	メリットが多い	have many advantages 优点多　장점이 많다
理論を唱える	advocate theory 提倡理論　이론을 주장하다	デメリットもある	also have disadvantage 缺点多　단점도 있다
教育の実践	practice of education 教育的实践　교육 실천	最善を尽くす	do one's best 竭尽全力　최선을 다하다
権利を主張する	assert one's right 主张权利　권리를 주장하다	最悪の事態	worst situation 最坏的事态　최악의 사태
義務を果たす	fulfill one's obligation 完成义务　의무를 다하다	日陰に入る	go into the shade 进入阴凉处　그늘에 들어가다
公的な団体	public organization 公共团体　공적인 단체	日向に出る	come out to bask in the sun 出到向阳处　양지로 나오다
私的な利用	private use 个人利用　사적인 이용	満腹	full 肚子饱　만복
参加を強制する	force to participate 强制参加　참가를 강제하다 例 強制的に行う、強制労働	空腹	hungry 肚子饿　공복
任意で参加する	participate voluntarily 随意参加　임의로 참가하다 例 会員登録は任意です。	新品がいい	want a new one 要新品　신품이 좋다
好況に転じる	turn around and enjoy a boom 经济状况好转　호황으로 바뀌다	中古でもいい	used one is also fine 旧产品也行　중고라도 좋다
不況が続く	recession continues 经济状况持续不景气　불황이 이어지다	15日以前	before 15th 15号之前　15일 이전
インフレ／インフレーション	inflation 通货膨胀　인플레／인플레이션	15日以降	after 15th 15号以后　15일 이후
デフレ／デフレーション	deflation 通货紧缩　디플레／디플레이션	映画のヒーロー	movie hero 电影的男主人公　영화의 영웅
直接税	direct tax 直接税　직접세 例 直接選挙、直接的な原因／表現	映画のヒロイン	movie heroine 电影的女主人公　영화의 여주인공
間接税	indirect tax 间接税　간접세 例 間接選挙、間接的な影響		
資産を増やす	increase assets 增加资产　자산을 늘리다 例 資産を運用する、資産家		

ドリル

1 つぎの（　）に合うものをそれぞれa～dの中から一つ選びなさい。

① （　）の方法を考える　　② （　）で物価が下がる
③ （　）を返済する　　　　④ （　）的な影響

a. 負債　　b. 間接　　c. デフレ　　d. 最善

⑤ （　）を運用する　　　　⑥ （　）で会社が倒産した
⑦ （　）を果たす　　　　　⑧ （　）を唱える

a. 理論　　b. 資産　　c. 義務　　d. 不況

2 a、bのうち、正しいほうを一つ選びなさい。

① （a. 最悪　b. 最善）の事態は避けたいので、何とか対策を考えよう。
② 会社のものを（a. 私的　b. 公的）なことに使ってはならない。
③ いい理論でも（a. 実践　b. 任意）できなければ意味がない。
④ 暑いし、疲れたから、（a. 空腹　b. 日陰）で休もう。

3 つぎの（　）に合うものをa～eの中から一つ選びなさい。

① この取引には何の（　）もないから、断ったほうがいい。
② （　）が続いたせいで、いろいろなものが高くなっている。
③ 彼は海で溺れていた子供を助けて（　）扱いだった。
④ もう十分（　）だから、デザートはあげるよ。

a. メリット　　b. ヒーロー　　c. ヒロイン　　d. 満腹　　e. インフレ

4 つぎの（　）に合うものをa～eの中から一つ選びなさい。

① 新車は高くて買えないので、（　）車を買うことにした。
② 5時まで会議なので、電話はそれ（　）にお願いします。
③ ビザの期限が切れたため、彼は（　）的に帰国させられた。
④ 報道では（　）的な事実だけを伝えるべきだ。

a. 以降　　b. 中古　　c. 強制　　d. 客観　　e. 権利

46 対義語③ー名詞

47 カタカナ語①

Katakana word ①　片假名词语①
가타카나 말①

ア～チ

空港までの**アクセス**	access to the airport 到机场的路线　공항까지의 억세스 例 アクセスがいい
アクティブな役割	active role 积极的作用　적극적인 성격
給料が**アップ**する	get a raise in salary 涨工资　월급이 오르다
魅力を**アピール**する	appeal to 显示魅力　매력을 어필하다
問題解決の**アプローチ**	approach to solving the problem 解决问题的方法　문제 해결의 어프로치
面会の**アポ**（イント）をとる	make an appointment for the meeting 约定见面时间　면회의 약속을 하다
日本向けに**アレンジ**する	convert something for the Japanese market 针对日本的安排　일본을 대상으로 어레인지하다 例 曲のアレンジ、アレンジがうまい
インパクトのあるタイトル	impacting title 有魄力的题目　임팩트있는 타이틀
人気の**エリア**	popular area 受欢迎的地区　인기 있는 지역 例 開発/住宅エリア、注目のエリア
エリートを育てる	train an elite 培养精英　엘리트를 키우다
オプションを付ける	give the option of 带有选择　옵션을 달다 例 オプションのツアー/メニュー
5つの**カテゴリー**に分ける	divide into five categories 分为五个范畴　5개의 카테고리로 나누다
理想と現実の**ギャップ**	gap between one's ideals and reality 理想和现实的差距　이상과 현실의 갭
キャリアを積む	build one's career 积累职业经验　커리어를 쌓다
グローバルな視点	global perspective 全球性的视点　글로벌한 시점
周辺住民に対する**ケア**	care for residents living in the vicinity 对周边居民进行照顾　주변 주민에 대한 케어 例 （お）肌/毎日のケア
いろいろな**ケース**	various cases 各种各样的事情　여러 케이스 例 特殊なケース、ケースによって違う
コンスタントに利益を出す	make a constant profit 固定收益　일정한 이익을 내다
社内で**コンセンサス**をとる	create a consensus within the company 公司内取得一致意见　사내에서 의견 일치를 이루다 例 関係者の間で了解されていること。
生産量を**コントロール**する	control the amount produced 控制产量　생산량을 컨트롤하다
自動車生産の**サイクル**	automobile manufacturing cycle 汽车生产的周期　자동차 생산의 사이클
周りの**サポート**	support from people around someone 周围的支持　주변의 서포트 例 （製品の）サポート体制/情報
感動的な**シーン**	moving, emotional scene 感动的场面　감동적인 장면
勤務**シフト**	work shift 工作表　근무 시프트
音楽の**ジャンル**	music genre 音乐领域　음악 장르
スタジオで撮影する	shooting in a studio 在演播室摄影　스튜디오에서 촬영하다
重要な**ステップ**	important step 重要步骤　중요한 스텝 例 完成までに5つのステップがある。
駐車**スペース**	parking space 停车场　주차 공간
セキュリティーの強化	strengthen security 强化保安　방범의 강화
セミナーを催す	hold a seminar 举行研讨会　세미나를 개최하다
引退**セレモニー**を行う	hold retirement ceremony 举行隐退仪式　인퇴 세레머니를 하다
ソフトな対応	gentle support 灵活处理　소프트한 대응
ダイナミックな動き	dynamic movement 有活力的动作　다이나믹한 움직임
結婚の**タイミング**	timing of marriage 结婚的时机　결혼의 타이밍 例 タイミングをとる/はずす
気持ちを**ダイレクト**に伝える	convey one's feelings directly 直接表达心情　기분을 직접 전달하다
売上が**ダウン**する	sales fall 营业额下降　매상이 다운되다 例 風邪でダウンする
イメージ**チェンジ**する	change one's look 改变外表　이미지 체인지를 하다

ドリル

1 つぎの（　）に合うものをそれぞれa〜dの中から一つ選びなさい。

① （　　）が悪い　　　② （　　）を埋める
③ （　　）な活動　　　④ （　　）に欠ける

　　a. タイミング　　b. インパクト　　c. ギャップ　　d. グローバル

⑤ 勤務（　　）を組む　　⑥ 駅への（　　）がいい
⑦ （　　）を得る　　　　⑧ 曲を（　　）する

　　a. コンセンサス　　b. アクセス　　c. アレンジ　　d. シフト

2 a、bのうち、正しいほうを一つ選びなさい。

① この方法によって、(a. インパクト　b. ダイレクト)に客の反応を知ることができる。
② この旅行プランには、(a. オプション　b. アクティブ)でオペラ鑑賞が付いている。
③ 彼はサッカー界の(a. エリート　b. サポート)として、将来を大変期待されている。
④ 1カ月休みなしで働いたら、とうとう(a. アップ　b. ダウン)してしまった。

3 つぎの（　）に合うものをa〜eの中から一つ選びなさい。

① 忙しいのに（　　）なしで突然訪ねて来られると、すごく困る。
② この仕事をするには、少なくとも5年以上の（　　）が必要だ。
③ 就職活動でのこのような失敗は、実はよくある（　　）なのです。
④ たまに自分がよく知らない（　　）の話を聞いたりしたときに、面白い発見がある。

　　a. アポ　　b. ジャンル　　c. キャリア　　d. エリア　　e. ケース

4 つぎの（　）に合うものをa〜eの中から一つ選びなさい。

① この映画は、飛行機事故の（　　）から始まる。
② 私が住んでいるマンションは（　　）がしっかりしている。
③ ゴルフでは、単に技術を磨くだけでなく、自分の気持ちを（　　）することがとても重要になる。
④ あのパン屋には、ちょっと座って食べることができる（　　）がある。

　　a. アプローチ　b. コントロール　c. スペース　d. シーン　e. セキュリティー

48 カタカナ語②

katakana word ②　片假名词语②
가타카나 말②

テ～ワ

プロとして**デ**ビューする	make one's debut as a professional	作为职业初次亮相　프로로서 데뷔하다
反対**デモ**	demonstration against something	反对性游行　반대 데모
デモンストレーションを行う	hold a demonstration	举行游行　데먼스트레이션을 하다 例 新商品のデモを行う、デモ販売
デリケートな問題	delicate question	细腻的问题　민감한 문제
テンションが上がる	tension rising	精神亢奋　텐션이 올라가다
テンポが速い	quick tempo	旋律快　템포가 빠르다
トータルな目標	total target	总的目标　통합적인 목표
別な方法で**トライ**する	try using another method	用其他方法试试　다른 방법으로 트라이하다
消費者の**ニーズ**	consumer demand	消费者的需求　소비자의 수요
海を**バック**に写真を撮る	take a photo with the sea in the background	以大海为背景拍照　바다를 백으로 사진을 찍다
イチゴの**パック**	a pack of strawberries	草莓的包装　딸기 팩
パッケージのデザイン	a design of a package	包装的设计　패키지의 디자인
パニックに陥る	fall into a panic	陷入危机　패닉에 빠지다
バラエティーに富む料理	wide variety of food	富于变化的料理　버라이어티가 풍부한 요리
フィルターを通す	get through the filter	通过过滤网　필터를 통하다 例 エアコンのフィルターを掃除する
フェアなやり方	fair way of doing things	公平的做法　공정한 방법
足りない部分を**フォロー**する	take follow up action for parts that are lacking	补充不足部分　부족한 부분을 지원하다 例 ミスをフォローする、フォローを頼む
フリーの編集者	freelance editor	自由编辑　프리랜서 편집자 例 フリーの立場
新しい研究**プログラム**	new research program	新的研究程序　새 연구 프로그램 例 演奏会のプログラム
しょうゆを**ベース**にした味	soy sauce-based flavor	以酱油为基础的味道　간장을 베이스로 한 맛
会議を**ボイコット**する	boycott a conference	联合拒绝会议　회의를 보이콧하다
重要な**ポスト**に就く	assume an important post	担任重要职位　중요한 포스트에 앉다
最も**ポピュラー**な名前	most popular name	最普通的姓名　가장 대중적인 이름
メイン会場	main venue	主要会场　메인 회장
メディアの関心を集める	attract the attention of the media	受到了媒体的关注　미디어의 관심을 모으다 例 海外メディア、メディアに公開する
海を**モチーフ**にした絵	painting with a sea motif	以大海为主题的画　바다를 모티브로 그린 그림
①**ライブ**で放送する ②**ライブ**を見に行く	① broadcast on live　② go see a live concert	①现场直播 ②看现场演唱会　①라이브로 방송하다 ②라이브를 보러 가다 ①録音や録画でなく、そのまま直接放送すること。②（ジャズやポップスなどの）演奏会
ラフな格好	rough outfit	粗野的装扮　아무렇게 입은 모습 例 ラフな企画書／説明／回答
リアルな映像	realistic image	现实的图像　리얼한 영상 例 リアルな問題／意見、リアルに描く
業界を**リード**する／3点**リード**する	lead the industry / lead by 3 points	领导业界／领先三分　업계를 리드하다/3점 리드하다
商品の**リスト**	product list	商品目录　상품 리스트
時間に**ルーズ**な人	unpunctual person	不遵守时间的人　시간을 잘 안 지키는 사람
レジュメに沿って説明する	explain in line with resume	按照要点进行说明　요약에 따라서 설명하다
ロマンチックな夜	romantic night	浪漫之夜　로맨틱한 밤
ワンパターンな会話	monotonous conversation	千篇一律的会话　한가지 패턴의 회화

ドリル

1 つぎの（　）に合うものをそれぞれa～dの中から一つ選びなさい。
① （　）で仕事をする　　②　時代を（　）する
③ ダイエットに（　）する　　④（　）な名前

　　a. ポピュラー　　b. リード　　c. トライ　　d. フリー

⑤ 演奏の（　）を上げる　　⑥（　）な雰囲気
⑦ （　）の金額　　⑧（　）なゲーム

　　a. ロマンチック　　b. リアル　　c. トータル　　d. テンポ

2 a、bのうち、正しいほうを一つ選びなさい。
① 客の（a. ニーズ　b. ルーズ）に合っていなければ、いくら安くても売れない。
② （a. デモ　b. ラフ）で構わないので、明日までに改善案を出してください。
③ 目の周りは肌が（a. デリケート　b. デモンストレーション）なので、あまり薬を付けないほうがいい。
④ このジュースの新しい（a. パッケージ　b. モチーフ）は、なかなかデザインがおしゃれだと思う。

3 つぎの（　）に合うものをa～eの中から一つ選びなさい。
① この料理は、フランス料理を（　）に、日本風に仕上げたものです。
② 今からこの祭りの（　）イベントである、ダンスコンテストが行われる。
③ 部長の質問に答えられず困っているところを、先輩が（　）してくれた。
④ （　）が空いていないので、今は昇進は無理だろう。

　　a. ベース　　b. フォロー　　c. リアル　　d. ポスト　　e. メイン

4 つぎの（　）に合うものをa～eの中から一つ選びなさい。
① 突然大きく揺れたので、機内は一瞬（　）状態になった。
② 会場には、国内外から多くの（　）が取材に来ていた。
③ このコンサートは、インターネットで（　）中継される予定だ。
④ 一方的に意見を言われて反論する時間もない。こんなの（　）なやり方じゃない。

　　a. ライブ　　b. フェア　　c. メディア　　d. テンション　　e. パニック

第6回 実戦練習（UNIT41〜48）

問題1 （　　）に入れるのに最もよいものを、1・2・3・4から一つ選びなさい。

① 「田中さん、いますか」「さっき帰ったところだよ。（　　）が悪かったね」
　1　タイミング　　2　ダイナミック　　3　デモンストレーション　　4　テンション

② 彼は上司に（　　）ばかりいるから、同僚からは嫌われている。
　1　案じて　　2　おろそかにして　　3　ごまをすって　　4　当てはまって

③ 長期化する不況がA社を襲い、膨大な（　　）を抱えることになってしまった。
　1　手配　　2　負債　　3　資産　　4　前途

④ 去年の借金もまだ返してないくせに、あと2万貸してほしいなんて、（　　）にもほどがある。
　1　すがすがしい　　2　ややこしい　　3　そっけない　　4　厚かましい

⑤ 「この保険は必ず入らなければならないんですか」「いいえ。これは（　　）ですから、どちらでも結構ですよ」
　1　経緯　　2　エッセイ　　3　メイン　　4　任意

⑥ 「彼との結婚、許してもらえたの？」「反対されるかと思ったけど、（　　）許してくれた」
　1　やんわり　　2　すんなり　　3　いやに　　4　とっさに

⑦ 「新しいバッグ、買ったの？」「（　　）だけどね。でも、新品みたいでしょう？」
　1　中古　　2　主観　　3　手回し　　4　目の前

⑧ 発売したときはあまり売れなかったが、（　　）を変えてから飛ぶように売れるようになった。
　1　ギャップ　　2　デリケート　　3　パッケージ　　4　パニック

⑨ 2カ月前に会社を（　　）になって、今は新しい仕事を探している。
　1　倹約　　2　解雇　　3　警戒　　4　落選

⑩ あなたの場合は、もう少し慎重に言葉を選んだほうがいい。少し（　　）すぎるんだよ。
　1　過度　　2　曖昧　　3　不潔　　4　軽率

問題2 ＿＿＿の言葉に意味が最も近いものを、1・2・3・4から一つ選びなさい。

① この問題については、まだ解決の目途は立っていない。
　1　方法は決まっていない　　　　2　連絡は受けていない
　3　報告はしていない　　　　　　4　手続きはしていない

② 特別なキャリアもないから、私にはこの仕事は無理だと思う。
　1　友人　　　2　経験　　　3　方法　　　4　考え

③ 毎日暑くて暑くて、すっかりくたびれてしまった。
　1　いやになって　2　あきて　　3　疲れて　　4　やせて

④ 田舎は不便だけど、メリットもあるよ。
　1　いいこと　　2　思い出　　3　自然　　4　時間

問題3 次の言葉の使い方として最もよいものを、1・2・3・4から一つ選びなさい。

① コメント
　1　先生への年賀状に、新年のコメントを書いた。
　2　プレゼントをもらったのにお礼をコメントしなかった。
　3　この歌は、一番最後のコメントがいい。
　4　試合後の監督のコメントは感動的だった。

② 以降
　1　パーティの会費は、一人3000円以降になりそうだ。
　2　「あのー、今よろしいですか」「ただ今会議中ですので、すみませんが5時以降にお願いできますでしょうか」
　3　高いところが苦手だから、3階以降に住みたい。
　4　20キロ以降の荷物は、機内に持って入ることができません。

③ おろそかにする
　1　仕事が忙しくても、家庭をおろそかにしてはいけない。
　2　眠かったので、授業の途中でおろそかにして帰った。
　3　答えがわからなかったので、おろそかにして書いた。
　4　父からもらったプレゼントだけれど、すっかりおろそかにしてしまっている。

49 擬音語・擬態語 ①

Mimetic expressions ① 拟声词・拟态词① 의성어・의태어①

	意味	例文
あたふた（と）	慌ただしく、何かを急いでいる様子。	子供が生まれそうだという連絡を受けてからは、ずっと**あたふた**していて、食事もとっていませんでした。
いそいそ（と）	楽しみなことなどがあって、心や動作が弾むような様子。	娘は今日はデートみたいで、朝早くに、**いそいそ**と出かけていきました。
がっしり（と）	つくりがしっかりしていて、力強く、丈夫そうな様子。	父は昔ラグビーをしてたから、体が**がっしり**しているんです。
がらがら	客などが非常に少ない様子。	混んでいたらいやだと思って少し早めに店に行ったら、**がらがら**だった。
がらりと／がらっと	これまでの状態からすっかり変わる様子。	久々にそこに行ってみたら、店の雰囲気が**がらりと**変わっていて、びっくりした。
かんかん（に）	非常に怒っている様子。	朝帰りなんてしたら、父は**かんかん**になって怒ると思います。
きちっと	正しく。余計なものや不足、遅れなどがない様子。　同：きちんと	質問には**きちっと**答えてほしい。
ぎっしり（と）	すき間なく、入れ物一杯に入っている様子。	**ぎっしり**詰まっている
きっちり（と）	多くも少なくもなく、ちょうどそのとおりに合っている様子。	「この棚でいいけど、ちゃんと入るかなあ」「結構微妙だね。しょうがない。もう一度**きっちり**寸法を測ってから買いに来よう」
くすくす	なるべく人にわからないように、抑えて笑う様子。	ぼくが英語の発音練習をするのを横目で見ながら、彼女は**くすくす**笑っていた。
ぐずぐず	はっきりしない態度のまま、むだに時間が過ぎる様子。動作・行動が鈍く、のろい様子。	**ぐずぐず**しないで、さっさと来て。もう電車が来ちゃうよ。
くたくた	非常に疲れて、力が残っていない様子。	毎日残業続きで、家に帰ったら**くたくた**だ。
ぐっしょり（と）	ひどく濡れている様子。	昨日の夜はすごく暑くて、起きたらパジャマが汗で**ぐっしょり**濡れていた。
ぐっと	①勢いよく、一気に。 ②今までとかなり変わる様子。	①このひもを**ぐっと**引っ張ってみて。 ②この広告のデザイン、余計な部分をカットしたら、**ぐっと**良くなったよ。
くらくら	めまいがする様子。	今朝、電車の中で急に頭が**くらくら**して、倒れそうになったんです。
ころころ	物事が簡単に変わる様子。	今の政府は方針が**ころころ**変わる。
こつこつ（と）	休みなく、少しずつ努力を続ける様子。	**こつこつ**勉強すれば、試験にもきっと合格するよ。
ごちゃごちゃ（と）	乱れて、きちんとしていない様子。	駅の反対側は**ごちゃごちゃ**していて、どこに何があるか、よくわからない。
じめじめ	湿り気が多く、不快な様子。	**じめじめ**して、いやな天気ですね。

ドリル

1 つぎの（　）に合うものをそれぞれa〜dの中から一つ選びなさい。

① （　）答える　　　　② （　）我慢する
③ （　）したデザイン　④ （　）お金を貯める

> a. ごちゃごちゃ　　b. こつこつと　　c. きちっと　　d. ぐっと

⑤ （　）超満員のスタジアム　⑥ （　）25グラム
⑦ 電車の中は（　）だった。　⑧ （　）帰って行った。

> a. きっちり　　b. がらがら　　c. いそいそと　　d. ぎっしり

2 a、bのうち、正しいほうを一つ選びなさい。

① （a. ぐずぐず　b. じめじめ）しないで、さっさと起きなさい。
② 来月は予定が（a. ぎっしり　b. ごちゃごちゃ）埋まっていて、どこにも行けない。
③ 部長は言うことが（a. いそいそ　b. ころころ）変わるから、困るよ。
④ 彼女に何て言ったの？（a. かんかん　b. くすくす）だったよ。

3 つぎの（　）に合うものをa〜eの中から一つ選びなさい。

① 彼は、これまでのイメージと（　）変わって、情熱的な教師の役を演じた。
② 合併に向け、両社長は（　）固い握手を結んだ。
③ もう足が（　）で、一歩も歩けない。
④ 借金を（　）全額返済するまで、遊ぶ気になんかなれない。

> a. くたくた　b. がらっと　c. がっしりと　d. あたふたと　e. きっちり

4 つぎの（　）に合うものをa〜eの中から一つ選びなさい。

① どうも昨日から頭が（　）する。どうしたんだろう。
② （　）していると、ほかの会社が先に出してしまうからね。とにかく急ごう。
③ レモン汁を少しかけたら、（　）味がよくなった。
④ テレビで紹介された後、問い合わせの電話が鳴り止まなくて、ずっと（　）してます。

> a. ぐっと　b. ぐずぐず　c. ころころ　d. あたふた　e. くらくら

50 擬音語・擬態語② Mimetic expressions ② 拟声词・拟态词② 의성어・의태어②

	意味	例文
すらすら	途中で引っかかったり詰まったりせず、なめらかに進む様子。	今日の英語のテストは簡単で、**すらすら**解くことができた。
すらりと・すらっと	むだなものが付いてなく、細くきれいな形をしていること。	彼女はきれいな人ですよ。背が高くて足も**すらっと**してて、モデルみたいです。
ぞろぞろ	多くのものが続いて動いている様子。	〈映画館〉あっ、人が**ぞろぞろ**出てきた。終わったみたいだね。
そわそわ	気持ちが落ち着かない様子。	どうしたの？ さっきから**そわそわ**して。これから何かあるの？
だぶだぶ	服が大きすぎる様子。	Lサイズだと**だぶだぶ**で、着れなかった。
だらだら	①粘り気を含む液体が続いて流れ落ちる様子。 ②物事が長々と続いて区切りがない様子。	①汗が**だらだら**流れている。 ②会議が**だらだら**続いて、こんな時間になってしまった。
ちらほら	あちこちに散らばって、少しずつある様子。	開演までまだ時間があるけど、お客さんが**ちらほら**見え始めた。
てくてく	乗り物を使わずに、目的地まで歩き続ける様子。	天気もいいことだし、駅まで**てくてく**歩いて行きませんか。
にやにや	何かについて愉快に思いながら、笑いの表情になっている様子。	今日は朝から何**にやにや**してるの？ 何かいいことでもあったの？
はらはら	どんな結果になるんだろうと、心配する様子。	昨日の試合は本当に危なかった。最後まで**はらはら**してたよ。
びくびく	怖いものを前にして、危険が及ばないかと、恐れる様子。	そんなに**びくびく**することないよ。日本ほど安全じゃないけど、暗い所に一人で行ったりしなければ大丈夫だって。
ひしひし	強く心に感じる様子。	会って話を聞く度に、彼らの熱意が**ひしひし**と伝わってきたんです。
ぴったり	すき間なく合うこと。ちょうどそのとおりであること。	**ぴったり**85センチになるように測ってください。
ひやひや	大変なことが起こらないかと、恐ろしさを感じる様子。	あの時は、飛行機に乗り遅れるかと**ひやひや**したよ。ほんと、ぎりぎりだったからね。
ふらりと・ふらっと	はっきりした目的がなく、どこかに行ったり訪れたりする様子。	新しくできたスポーツ用品店に**ふらっと**入ってみたら、知り合いがそこで働いていた。
べたべた	ものが粘り付く様子。好きな人にひっついて、離れない様子。	〈飲食店で〉この辺、何か**べたべた**してる。拭いてもらおうか。
ぼうっと	ぼんやりしている様子。自分がするべきことに気がつかないでいる様子。	**ぼうっと**してないで、さっさと作業にとりかかって。
ぼろぼろ	布がひどく破れたり、物がひどく傷んでいる様子。	もう、このシャツは**ぼろぼろ**だから、捨てることにするよ。
むかむか	①吐き気がする様子。 ②怒りがわいてくる様子。	①空腹の時に、ときどき胃が**むかむか**することがあるんです。

ドリル

1 つぎの（　）に合うものをそれぞれa〜dの中から一つ選びなさい。
① （　　）のジーンズ　　② （　　）集まり始める
③ （　　）書ける　　　　④ （　　）する試合展開

　　　a. ぼろぼろ　　b. はらはら　　c. ぞろぞろ　　d. すらすら

⑤ 予想が（　　）当たる　　⑥ 頭が（　　）する
⑦ 汗が（　　）流れ落ちる　⑧ 感動が（　　）と伝わる

　　　a. だらだら　　b. ひしひし　　c. ぼうっと　　d. ぴったり

2 a、bのうち、正しいほうを一つ選びなさい。
① 彼の顔を見ただけで（a. ぞろぞろ　b. むかむか）する。
② 落ち着きのない子で、いつも（a. そわそわ　b. ひやひや）させられています。
③ 家が近いこともあって、おじさんはよく、(a. ふらりと　b. ぼうっと)うちにやって来る。
④ その映像を見て、事故の恐ろしさを（a. ひしひし　b. びくびく）と感じた。

3 つぎの（　）に合うものをa〜eの中から一つ選びなさい。
① （　　）歩いて行けば、1時間くらいで着くでしょう。
② 二人があまりに激しく言い合うので、どうなることかと（　　）しました。
③ そんなに（　　）しなくても、怒ったりしませんよ。
④ もう4年も履いている靴なので、（　　）です。

　　a. ぼろぼろ　　b. べたべた　　c. てくてく　　d. はらはら　　e. びくびく

4 つぎの（　）に合うものをa〜eの中から一つ選びなさい。
① （　　）行ってみたレストランだったが、雰囲気も味もなかなかのものだった。
② もうすぐ試験の結果がわかると思うと、（　　）してしまう。
③ （　　）話し合ってないで、さっさと決めよう。
④ ああ、桜が（　　）咲き始めたね。

　　a. そわそわ　　b. すらっと　　c. だらだら　　d. ちらほら　　e. ふらりと

51 前に付く語・後ろに付く語
まえ つ ご うし つ ご

prefix and suffix　前缀语・后缀语
앞에 붙는 말・뒤에 붙는 말

前に付く語
まえ つ ご

prefix　前缀语　앞에 붙는 말

共働きの夫婦 とも ばたら ふう ふ	double-income family 双职工夫妇　맞벌이 부부 例 共稼ぎ・共倒れ とも かせ とも だお
再利用 さい り よう	reuse 再利用　재이용 例 再発行、再放送、再婚、再会 さいはっこう さいほうそう さいこん さいかい
真正面のビル ま しょうめん	the building right in front 正面的大厦　정면의 빌딩 ★まさに、ちょうど。 例 真後ろ、真夜中、真ん中、真ん前、真っ黒 まうし まよなか ま なか ま まえ まっくろ
当校の生徒 とうこう せいと	student of our school 本校的学生　우리 학교 학생 ★この、その。 例 当日、当社、当店、当校 とうじつ とうしゃ とうてん とうこう
名作 めいさく	masterpiece 优秀作品　명작 ★すぐれて有名な。 ゆうめい 例 名曲、名所、名店、名人、名物、名声 めいきょく めいしょ めいてん めいじん めいぶつ めいせい
計画に猛反対する けいかく もうはんたい	strongly opposed to the plan 强烈反对计划　계획에 맹렬히 반대하다 ★強く激しい。 つよ はげ 例 猛練習、猛牛、猛暑 もうれんしゅう もうぎゅう もうしょ
純金 じゅんきん	pure gold 純金　순금 例 純愛、純利益、純国産 じゅんあい じゅんりえき じゅんこくさん
私生活を語る し せいかつ かた	talk about one's private life 讲述个人生活　사생활을 말하다 例 Aさんの私物、私用の長電話 し ぶつ し よう ながでん わ

後ろに付く語
うし つ ご

suffix　后缀语　뒤에 붙는 말

10年ぶりに会う ねん あ	for the first time in a decade 十年没见面　10년 만에 만나다
食べ尽くす た つ	eat everything up 吃完　전부 다 먹다 ★残さず～する。 のこ 例 言い / 説明し尽くす い せつめい つ
勝ちまくる か	win an unbroken streak 不断获胜　계속해 이기다 ★激しく～し続ける。 はげ つづ 例 買い / 読み / 食べ / 遊びまくる か よ た あそ
成功率 せいこうりつ	success rate 成功率　성공률 例 合格 / 出席 / 増加 / 利益率 ごうかく しゅっせき ぞう か り えきりつ

価値観 か ち かん	values 价值观　가치관 ★見方、考え方。 み かた かんが かた 例 人生 / 結婚観 じんせい けっこんかん
要点 ようてん	main point 要点　요점 例 注意点、問題点、視点、観点 ちゅういてん もんだいてん してん かんてん
強気な姿勢 つよ き し せい	strong attitude 强势　강경한 자세 例 弱気 / 勝気 / 陽気 / 陰気（な） よわ き か ち き よう き いん き
勘違いをする かんちが	get the wrong idea, misunderstand 误会　착각을 하다 例 思い違い、人違い、色違い おも ちが ひとちが いろちが
国産の牛肉 こくさん ぎゅうにく	domestically-produced beef 国产牛肉　국산 소고기 ★生産（品）。 せいさん ひん 例 外国産、県の特産 がいこくさん けん とくさん
芸能界のニュース げいのうかい	showbiz news 演艺界的新闻　연예계 뉴스 例 政界、経済界（財界）、医学界、文学界 せいかい けいざいかい ざいかい い がくかい ぶんがくかい
賛成派 さんせい は	supporter 赞成派　찬성파 例 反対 / 改革 / 都会 / 自然派 はんたい かいかく と かい し ぜん は
安心感がある あんしんかん	sense of security 有安全感　안심이 된다 例 不安 / 緊張 / 達成 / 季節感、好感、実感 ふ あん きんちょう たっせい き せつかん こうかん じっかん
重要視 じゅうようし	attach importance to 重视　중요시 例 疑問視、特別視、重視、軽視 ぎ もん し とくべつ し じゅうし けい し
人間味がない にんげん み	impersonal 没有人情味　인간미가 없다 ★それを味わうだけの内容。 あじ ないよう 例 新鮮 / 真剣 / 面白味 しんせん しんけん おもしろ み
仕事柄～に詳しい し ごとがら くわ	acquainted with ～ because of one's job 对工作性质认识详细　일 관계 상 ~를 잘 알다 例 季節柄、風邪を引きやすい。 き せつがら か ぜ ひ
プロ並みの技術 な ぎじゅつ	professional-level skill 有着跟专业人士一样的技术　프로급의 기술 例 人並み / 世間並みの生活 ひと な せ けん な せいかつ
やりがいのある仕事 し ごと	worthwhile work 有价值的工作　보람이 있는 일 ★～するだけの意味や価値。 い み か ち 例 生きがいを見つける、教えがいのある生徒 い み おし せいと
町ぐるみの活動 まち かつどう	citywide activity 整条街的活动　마을 전체의 활동 例 家族ぐるみのつきあい か ぞく

ドリル

1 つぎの（　）に合うものをそれぞれa～dの中から一つ選びなさい。

① （　　　）のある生徒
② （　　　）、風邪を引きやすい
③ （　　　）の生活
④ （　　　）の付き合い

a. 人並み　　b. 季節柄　　c. 教えがい　　d. 家族ぐるみ

⑤ （　　　）が高い
⑥ 釣りの（　　　）
⑦ （　　　）な音楽
⑧ （　　　）の牛肉

a. 名人　　b. 国産　　c. 陽気　　d. 合格率

2 a、bのうち、正しいほうを一つ選びなさい。

① 留学したいと言ったら、父に（a. 反対派　b. 猛反対）された。
② 大学の入学試験が近づいてきたので、（a. 真剣味　b. 緊張感）が高まって来た。
③ ドイツに滞在した2週間は、ソーセージを（a. 食べ尽くして　b. 食べまくって）いました。
④ 共同で作業をするので、スタッフの採用では協調性を（a. 重視　b. 価値観）している。

3 つぎの（　）に合うものをa～eの中から一つ選びなさい。

① このような消費を控える傾向は、将来に対する（　　　）から来るようです。
② この本を読んで（　　　）が変わった気がしました。それくらい衝撃的だったのです。
③ マスコミの報道内容を（　　　）する声が上がっている。
④ この計画の（　　　）が浮かび上がってきた。

a. 問題点　　b. 疑問視　　c. 弱気　　d. 人生観　　e. 不安感

4 つぎの（　）に合うものをa～eの中から一つ選びなさい。

① その店なら知っています。私の会社のビルの（　　　）のビルの2階です。
② この映画は、日本映画を代表する（　　　）の一つです。
③ 学生証を失くしたので、（　　　）してもらった。
④ この辺りは、ビジネス街という（　　　）、週末はちょっと人通りが少ない。

a. 再発行　　b. 真正面　　c. 当店　　d. 場所柄　　e. 名作

52 自動詞・他動詞

Intransitive and transitive verbs
自动词・他动词　자동사・타동사

母親に甘える（ははおや あま）	depend on one's mother 向母亲撒娇　엄마에게 응석 부리다
子供を甘やかす（こども あま）	spoil a child 娇惯孩子　아이의 응석을 받아주다
年が改まる（とし あらた）	the year has changed 岁月更替　해가 바뀌다
態度を改める（たいど あらた）	improve one's attitude 改变态度　태도를 바꾸다 例 日を改める（ひ あらた）
経験が生きる（けいけん い）	experience comes in useful 经验起作用　경험이 살다
経験を生かす（けいけん い）	leverage one's experience 发挥经验　경험을 살리다
各地に（台風の）影響が及ぶ（かくち たいふう えいきょう およ）	various places were influenced by (a typhoon) 台风的影响波及各地　각지에 (태풍의) 영향이 미치다 例 3時間に及ぶ、深夜にまで及ぶ、被害が及ぶ（じかん およ しんや およ ひがい およ）
（台風は）各地に影響を及ぼす（たいふう かくち えいきょう およ）	(the typhoon) exerts an influence on various places 台风对各地产生影响　(태풍은) 각지에 영향을 끼치다
部品が欠ける（ぶひん か）	parts are missing 欠缺部件　부품이 없다 例 メンバー / 前歯が欠ける（まえば か）
注意を欠く（ちゅうい か）	be careless 欠缺注意　주의력이 없다 例 努力を欠く（どりょく か）
夢が叶う（ゆめ かな）	dream comes true 实现梦想　꿈이 이루어지다
願いを叶える石（ねが かな いし）	stone that fulfills one's wishes 能实现梦想的石头　소망이 이루어지는 돌
目標が定まる（もくひょう さだ）	a target is set 目标决定下来　목표가 정해지다
目標を定める（もくひょう さだ）	set a target 决定目标　목표를 정하다
用を済ます／済ませる（よう す す）	finish one's job / get one's job done 办完事　볼일을 마치다
用が済む（よう す）	job is done 事情办完　볼일이 끝나다
その場にとどまる（ば）	stay there 在那里逗留　그 장소에 머무르다
調査対象を国内にとどめる（ちょうさ たいしょう こくない）	keep the scope of the research domestic 调查对象限于国内　조사대상을 국내로 그치다 例 記憶にとどめる（きおく）
仕事に慣れる（しごと な）	get used to one's work 习惯工作　일에 익숙해지다
耳を慣らす（みみ な）	train one's ear 听惯　귀를 익숙하게 하다 例 体を慣らす（からだ な）
コードがねじれる	cord is twisted 电线歪歪扭扭　코드가 꼬이다
腕をねじる（うで）	twist one's arm 拧胳膊　팔을 비틀다
文明が滅びる（ぶんめい ほろ）	civilization collapses 文化消亡　문명이 망하다
国が滅ぶ（くに ほろ）	country is destroyed 国家灭亡　나라가 망하다
国を滅ぼす（くに ほろ）	destroy a country 灭掉国家　나라를 멸망시키다
自信に満ちる（じしん み）	filled with confidence 充满自信　자신이 넘치다
条件を満たす（じょうけん み）	meet a requirement 满足条件　조건을 만족시키다 例 コップに水を満たす（みず み）
情報が漏れる（じょうほう も）	information gets leaked 情报泄漏　정보가 새다 例 水が漏れる（みず も）
秘密を漏らす（ひみつ も）	divulge a secret 透露情报　비밀을 누설하다
音楽で気持ちが和らぐ（おんがく きも やわ）	be soothed by music 用音乐来使心情平和　음악으로 기분이 풀리다
音楽が気持ちを和らげる（おんがく きも やわ）	music soothes one's feelings 音乐缓和心情　음악이 기분을 부드럽게 하다
背骨が歪む（せぼね ゆが）	backbone is bent 脊柱弯曲　등뼈가 휘다 例 歪んで見える、性格が歪む（ゆが み せいかく ゆが）
顔を歪める（かお ゆが）	distort one's face 痛苦　얼굴을 일그러뜨리다 例 事実を歪める（じじつ ゆが）

ドリル

1 つぎの（　）に合うものをそれぞれa〜dの中から一つ選びなさい。

① 祖母が孫を（　　）
② バランスを（　　）食生活
③ 夢を（　　）ために頑張る
④ 今日中に仕事を（　　）

　　a. 済ます　　b. 甘やかす　　c. 叶える　　d. 欠く

⑤ 役割が（　　）
⑥ ようやく怒りが（　　）
⑦ 将来への希望に（　　）
⑧ ヘッドホンから音が（　　）

　　a. 和らぐ　　b. 定まる　　c. 満ちる　　d. 漏れる

2 a、bのうち、正しいほうを一つ選びなさい。

① イヤホンのコードが（a. ねじれて　b. ねじって）いて、なかなかほどけない。
② これまでの経験を（a. 生きる　b. 生かせる）仕事に就きたいと思っています。
③ （a. 改まった　b. 済ませた）気持ちで、すがすがしく新年を迎えたい。
④ 長く繁栄を誇ったA国も、結局は戦争によって（a. 滅びた　b. 滅ぼした）のだった。

3 つぎの（　）に合うものをa〜eの中から一つ選びなさい。

① これだけたくさんの条件を（　　）人なんて、どこにもいないと思う。
② 手術後の傷の痛みに、彼は思わず顔を（　　）しまった。
③ 係員の指示があるまで、その場に（　　）ようにしてください。
④ 日本語に耳を（　　）ために、毎日日本語のCDを聞いています。

　　a. 歪めて　　b. とどまる　　c. 満たす　　d. 定めて　　e. 慣らす

4 つぎの（　）に合うものをa〜eの中から一つ選びなさい。

① 人に（　　）ばかりいないで、自分のことは自分でやりなさい。
② 非常に精密な機械なので、部品が一つでも（　　）いたら動きません。
③ じゃ、私は先に用事を（　　）から、そのお店に行くね。
④ 機会を（　　）、またご挨拶に伺います。

　　a. 改めて　　b. 甘えて　　c. 生かして　　d. 欠けて　　e. 済ませて

53 漢語と和語① Words of Chinese/Japanese origin ① 汉语与和语① 한자어와 고유어①

いつも	always 总是，常常 항상		莫大な財産	enormous inheritance 巨额财产 막대한 재산 例 莫大な費用／損害／金
毎度ありがとうございます。	Thank you for your continued patronage. 多谢惠顾 매번 감사합니다		膨大なデータ	vast amount of data 庞大的数据 방대한 데이터 例 膨大な量／ページ数
常時録画する	record continuously 经常录像 상시 녹화하다		補う	supplement, compensate 补偿 보충하다
通常のやり方	usual way 通常的做法 보통의 방법		内容を補足する	add additional content 补充内容 내용을 보충하다
平常運転	normal operation 平时驾驶 평소대로의 운전		損害を補償する	compensate for damage 补偿损失 손해를 보상하다
始終わがままを言う	always say selfish things 始终说些任性的话 시종 멋대로 말하다		商品を補充する	replenish products 补充商品 상품을 보충하다
			ガソリンを補給する	refuel 加油 휘발유를 보급하다
承る・許す・認める	complying, giving permission/approval 接受・允许・承认 삼가 받다・허락하다・인정하다		行い・行う	actions, to do 行为・实行 행위・행하다
承知する	agree to 答应 알고 있다 ★事情などを知っていること。		法律を施行する	enforce a low 施行法律 법률을 시행하다
了承する	accept, understand 谅解 알았다 ★理解・納得をすること。		計画を実行する	carry out a plan 实施计划 계획을 실행하다
承認する	approve 承认 승인하다 ★正しい、それでいいと認めること。		愚かな行為	stupid behavior 愚蠢的行为 어리석은 행위
承諾する	allow 同意 승낙하다 ★頼み・願いを受け入れること。		決まり	rules and regulations 规定 규칙
			恒例の行事	established, customary event 惯例的节日 항상 하는 행사
移る	move 移动 옮기다		給与に関する規定	salary regulation 关于工资的规定 급여에 대한 규정
店を移転する	shift the location of a store 迁移店铺 가게를 이전하다		利用規約	terms of use 利用章程 이용규약
外国に移住する	migrate to a foreign country 移居外国 외국에 이주하다		規則に違反する	go against the regulations 违反规定 규칙에 위반하다
営業部に異動になる	get transferred to sales department 调入营业部 영업부로 이동하게 되다		製品の規格	product specification 产品的规格 제품의 규격
多い	a lot of 多 많다		決まる・決める	deciding, making a decision 规定・决定 정해지다・정하다
多数の応募者	many applicants 多数的应征者 다수의 응모자		日にちが確定する	dates are confirmed 确定日期 날짜가 확정되다
多量の出血	profuse bleeding 大量出血 다량의 출혈 例 多量の有害物質		可能性を判定する	determine possibility 判定可能性 가능성을 판정하다
多大な効果	considerable effect 巨大的效果 많은 효과 例 多大な貢献／利益／損失		原因を断定する	identify a cause 断定原因 원인을 단정하다
無数の穴	infinte number of holes 无数的洞穴 무수의 구멍		退職を決断する	decide to retire 决定退休 퇴직을 결단하다

ドリル

1 つぎの（　）に合うものをそれぞれa～dの中から一つ選びなさい。

① 隣の部署に（　　）になる
② 休みの届を（　　）する
③ 毎年（　　）のイベント
④ 説明を（　　）する

　　a. 恒例　　b. 承認　　c. 異動　　d. 補足

⑤ 改革を（　　）する
⑥ 品物を（　　）する
⑦ （　　）に反する
⑧ 犯人を（　　）する

　　a. 実行　　b. 補充　　c. 規約　　d. 断定

2 a、bのうち、正しいほうを一つ選びなさい。

① この研究グループは、この分野で（a. 多大な　b. 多量の）成果を上げています。
② 学校の（a. 規則　b. 規約）には従うようにしてください。
③ 当店の（a. 毎度　b. 通常）の営業時間は、朝10時から夜の8時までです。
④ このカフェ、今度駅前に（a. 移転　b. 移住）するんだって。

3 つぎの（　）に合うものをa～eの中から一つ選びなさい。

① あまり気は進みませんでしたが、知人の頼みなので（　　）しました。
② お酒を飲んで自転車に乗るのも、交通ルールに違反する（　　）です。
③ この「注文」をクリックすると、商品の注文が（　　）します。
④ 空港で預けた荷物が戻ってこなかったので、損害を（　　）してもらうことになった。

　　a. 確定　　b. 補給　　c. 行為　　d. 承諾　　e. 補償

4 つぎの（　）に合うものをa～eの中から一つ選びなさい。

① 山の頂上から空を見上げると、（　　）の星が見えました。
② 当ショールームでは、さまざまなメーカーの車を（　　）展示しております。
③ 当時と同じ城を造るとしたら、（　　）な費用と年月がかかるでしょう。
④ 彼女は（　　）文句を言っているので、あまり一緒にいたくありません。

　　a. 平常　　b. 常時　　c. 無数　　d. 莫大　　e. 始終

54 漢語と和語② — Words with Chinese/Japanese origins ②　汉语与和语②　한자어와 고유어②

配る（くば）　give out　分配　나누어 주다

資料を**配布**する（しりょう・はいふ）	hand out materials　分发资料　자료를 배포하다
時間**配分**（じかん・はいぶん）	time allocation　分配时间　시간 배분
食料を**配給**する（しょくりょう・はいきゅう）	distribute food　分发食物　식료품을 배급하다
利益を**分配**する（りえき・ぶんぱい）	share profit　分配利益　이익을 분배하다
荷物を**宅配**する（にもつ・たくはい）	deliver a package　送货上门　짐을 택배 시키다

苦しむ（くる）　suffering　苦恼　괴로워하다

苦痛を感じる（くつう・かん）	feel pain　感到痛苦　고통을 느끼다
問題に**苦悩**する（もんだい・くのう）	struggle with a problem　对问题感到烦恼　문제에 고뇌하다
苦難を乗り越える（くなん・の・こ）	overcome hardship　越过苦难　고난을 극복하다
制作に**苦心**する（せいさく・くしん）	make strenuous effort to produce　苦心制作　제작에 고심하다

探す（さが）　searching　找寻　찾다

事件を**捜査**する（じけん・そうさ）	investigate a case　捜査事件　사건을 수사하다
行方不明者を**捜索**する（ゆくえふめいしゃ・そうさく）	search for the missing person　捜索失踪者　행방불명자를 수색하다
街を**探索**する（まち・たんさく）	explore a city　捜査街道　거리를 탐색하다
美を**探求**する（び・たんきゅう）	pursue beauty　探求美　미를 탐구하다

助ける（たす）　help　帮助　돕다

子供を**救出**する（こども・きゅうしゅつ）	rescue a child　救出孩子　아이를 구출하다 例 事故現場から救出する（じこげんば・きゅうしゅつ）
活動を**支援**する（かつどう・しえん）	support an activity　支援活动　활동을 지원하다 例 団体を／学校を支援（だんたい／がっこう・しえん）
難民を**救済**する（なんみん・きゅうさい）	help out the refugees　救済难民　난민을 구제하다
救援活動（きゅうえん・かつどう）	rescue operation　救援活动　구원 활동 例 救援隊（きゅうえんたい）

建てる（た）　build　建造　세우다

ビルを**建造**する（けんぞう）	construct a building　建造房屋　빌딩을 건조하다 例 博物館を／大型船を建造する（はくぶつかん／おおがたせん・けんぞう）
理論を**構築**する（りろん・こうちく）	construct a theory　构筑理论　이론을 구축하다 例 環境を／構築する（かんきょう・こうちく）
寺を**再建**する（てら・さいけん）	rebuild a temple　再建寺庙　절을 재건하다 例 会社を再建する（かいしゃ・さいけん）
会社を**設立**する（かいしゃ・せつりつ）	establish a company　设立公司　회사를 설립하다

作る（つく）　make　制作　만들다

創作意欲（そうさく・いよく）	desire to create　创作热情　창작 의욕
作品を**制作**する（さくひん・せいさく）	produce work　创作作品　작품을 제작하다
日時を**設定**する（にちじ・せってい）	set a date and time　设定时期　일시를 설정하다 例 パスワードを／言語を設定する（げんご・せってい）
新しい文化を**創造**する（あたら・ぶんか・そうぞう）	create new culture　创造新文化　새 문화를 창조하다 例 市場を創造する（しじょう・そうぞう）

できる・できあがる　to be established, come into being　能・完成　생기다・완성하다

予算が**成立**する（よさん・せいりつ）	budget gets established　达成预算　예산이 성립되다
夢が**実現**する（ゆめ・じつげん）	dream comes true　实现梦想　꿈이 실현되다
願いが**成就**する（ねが・じょうじゅ）	wish gets fulfilled　实现愿望　소망이 성취되다

直す（なお）　altering, changing　修改　고치다

法律を**改正**する（ほうりつ・かいせい）	amend a law　修改法律　법률을 개정하다
料金を**改定**する（りょうきん・かいてい）	revise the price　重新规定费用　요금을 개정하다
内容を**改訂**する（ないよう・かいてい）	revise the content　修订内容　내용을 개정하다
間違いを**訂正**する（まちが・ていせい）	correct a mistake　订正错误　틀린 것을 정정하다

ふえる	to increase 増加 늘다
急増する（きゅうぞう）	increase rapidly 突然増加 급증하다
激増する（げきぞう）	increase suddenly 急劇増加 격증하다
倍増する（ばいぞう）	double 倍増 배증하다

易しい（やさ）	easy 简单 쉽다
安易なやり方（あんい・かた）	asy way 容易的做法 쉬운 방법
平易な文章（へいい・ぶんしょう）	easy article 浅显易懂的文章 평이한 문장
簡易な手続き（かんい・てつづ）	simple procedure 简易的手续 간편한 수속

54 漢語と和語②

ドリル

1 つぎの（　）に合うものをそれぞれa〜dの中から一つ選びなさい。

① 町の（　）計画
② （　）不可能な目標
③ 犯罪を（　）する
④ 書籍の（　）版

　　a. 改訂　　b. 再建　　c. 捜査　　d. 実現

⑤ 人口が（　）する
⑥ 運賃を（　）する
⑦ 信頼関係を（　）する
⑧ 被災者を（　）する

　　a. 急増　　b. 救出　　c. 構築　　d. 改定

2 a、bのうち、正しいほうを一つ選びなさい。

① さまざまな人が読む文章なので、(a. 平易な　b. 安易な) 言葉を使ったほうがいい。
② この製品の開発には、ずいぶん (a. 苦心　b. 苦痛) しました。
③ 来年度には、弊社の子会社を (a. 設立　b. 成立) する予定です。
④ まだチェックインまで時間があるから、ちょっと街を (a. 捜索　b. 探索) しようか。

3 つぎの（　）に合うものをa〜eの中から一つ選びなさい。

① 数々の（　）を乗り越え、ついに今年の大会で優勝することができました。
② 当店ではエコのために、（　）包装を行っています。
③ 今日は夕食を作りたくないから、ピザの（　）でも頼もうか。
④ やまと川にかける新しい橋の（　）計画が発表された。

　　a. 探求　　b. 建造　　c. 宅配　　d. 簡易　　e. 苦難

55 熟語・慣用句①

Phrase, idioms ①　复合词・惯用语 ①　숙어・관용구①

	意味	例文
あいづちを打つ	相手が話しているときに、理解を示すためにうなずいたりする。	彼の話を聞きながら、ただ**あいづちを打って**いただけです。
あしからず	相手の意向に合わないことについて「申し訳ない、悪く思わないで」という気持ちを表す。	1月5日までお休みをいただきます。**あしからず**ご了承ください。
案の定	予想したとおり。	**案の定**、雨が降ってきた。
いたるところで	あらゆる場所。	名物のそのまんじゅうは、街の**いたるところで**売られていた。
いつの間にか	気がつかないうちに。	**いつの間にか**、雨は止んでいた。
肝に銘じる	強く心に留めて、決して忘れないようにすること。	もう二度とこのような失敗はしないと、**胆に銘じた**。
きりがない	限りがない。	上を見たら**きりがない**から、ほどほどのものを買おうと思う。
計算に入れる	それを含めて考える。	手続きに時間がかかることを**計算に入れて**おいたほうがいい。
心当たり	「これだ」「これなら適当ではないか」と思い当たることや場所、人など。	タイ料理の店なら、**心当たり**があります。
心構え	物事に対しての心の準備。	新人研修の第一の目的は、仕事に対する**心構え**を身につけることです。
心配り	いろいろと気をつかう。	ここの店員の**心配り**は素晴らしい。
心残り	気になることを残して、気持ちがすっきりしないこと。	最後に先生にお礼を言えなかったことが**心残り**だ。
心細い	頼りになるものや人がいなくて不安だ、心配だ。	この仕事を一人でやるのは**心細い**です。
ごまをする	相手にお世辞を言ったりして、自分の利益を得ようとする。	彼は上司に**ごまをすって**ばかりで、同僚には嫌われている。
さじを投げる	改善や解決を試みたことについて、もう見込みはないとあきらめること。	彼にはこれまで何度も注意をしてきましたが、今回の件で、もう、**さじを投げました**。
試行錯誤	困難な課題に対して、何度も失敗しながら目標に達しようとすること。	この新しいブレーキシステムは、5年の**試行錯誤**を経て完成に至った。
十中八九	ほとんど、たいてい。	**十中八九**、彼が代表に選ばれるだろう。
～ふりをする	実際は違うが、そのように見えるように振る舞うこと。	ほんとは知ってたけど、知らない**ふりをしてた**。
底をつく	使いきって、なくなる。	貯金も**底をついて**、電気代も払えない。
台無しになる	何かのせいで、物事がすっかりだめになること。	もうすぐ収穫だったのに、台風のせいで**台無しになった**。

ドリル

1 つぎの（　）に合うものをそれぞれa～dの中から一つ選びなさい。

① （　）を繰り返す　　　　② 興味のない（　）
③ （　）に感謝する　　　　④ 社長に（　）

　　a. ごまをする　　b. ふりをする　　c. 試行錯誤　　d. 心配り

⑤ 警察官としての（　）　　⑥ 一人で行くのは（　）。
⑦ （　）こんなことになった。　⑧ （　）勝ち目はない。

　　a. 案の定　　b. 十中八九　　c. 心構え　　d. 心細い

2 a、bのうち、正しいほうを一つ選びなさい。

① 今回の台風によって、（a. いたるところに　b. きりがなく）被害が及んでいます。
② （a. あしからず　b. いつの間にか）、残っているのは自分だけになっていた。
③ 二度と同じ過ちは繰り返すまいと、（a. あいづちを打った　b. 肝に銘じた）。
④ 定員になり次第、受付を終了いたします。（a. あしからず　b. 案の定）、ご了承ください。

3 つぎの（　）に合うものをa～eの中から一つ選びなさい。

① うまく行っていたのに、彼が余計なことを言うから全部（　）になってしまった。
② ここに鍵が置いてあったんだけど、誰か（　）のある人いませんか。
③ （　）があるとすれば、お世話になった研修所の皆さんに十分にお礼ができなかったことです。
④ （　）の末、新薬の実用化に成功した。

　　a. 心残り　　b. 試行錯誤　　c. 心構え　　d. 台無し　　e. 心当たり

4 つぎの（　）に合うものをa～eの中から一つ選びなさい。

① 当日遅れて来る人とか欠席になる人もいるから、その辺も（　）に入れといて。
② ぜいたくを言っても（　）がないからね。これで十分だよ。
③ 山田さんの細かい（　）には、いつも感謝している。
④ 今回の旅行用に３万円を用意してきたけど、そろそろ（　）をつきそうだ。

　　a. 心配り　　b. 計算　　c. きり　　d. さじ　　e. 底

56 熟語・慣用句②

Phrase, idioms ②　复合词・惯用语②　숙어・관용구②

	意味	例文
つじつまが合う	矛盾がなく、理屈が合うこと。	一応**つじつまは合って**いるので、嘘を言っているわけではないようだ。
手遅れ	手当や対応のタイミングを逃し、どうにもならなくなること。	**手遅れ**になる前に手術したほうがいい。
手違い	方法や順序を間違えること。	**手違い**で別の商品を送ってしまった。
手直し	一度完成したものを修正すること。	この原稿はちょっと**手直し**が必要だ。
手短に	簡単に、短く。	用があれば、**手短に**言ってください。
取るに足らない	取り上げるだけの価値がない、つまらない。	この人たちの苦労に比べれば、私の苦労なんて、**取るに足らない**ものです。
何が何でも	どうしても。	今度の試験では、**何が何でも**合格したい。
何気ない	特に何も考えたり気にしたりしていない。	彼の**何気ない**一言で傷つきました。
根回し	事がうまく運ぶように、事前に関係者の理解や協力を得ておくこと。	その場で面倒なことにならないよう、ちゃんと**根回し**をしておいてください。
八方美人	誰にでも愛想よくふるまうこと。	彼は**八方美人**だから、誰にでもいい顔をする。
早とちり	よく確かめたりしないうちに、すぐにわかったつもりになって失敗すること。	まだ中止と決まったわけじゃないんですか。すみません、**早とちり**してしまいました。
一息つく	作業を止め、ちょっと休むこと。	3時になったら、**一息つき**ましょう。
氷山の一角	表面に表れているのは、（よくないことの）全体のごく一部にすぎない、ということ。	今回明るみになった年金の記録漏れも、**氷山の一角**と言われている。
ひょっとしたら	もしかしたら。	**ひょっとしたら**、そのお店で誰かスターに会えるかもしれない。
回りくどい	遠回しで、わずらわしい。	そんな**回りくどい**言い方をしないで、はっきり言ったらどう？
万一／万に一つ	「めったにないが、もしも」という意味。	**万一**、何か事故が起きても、決して慌てないでください。
三日坊主	飽きやすく、長続きしないこと。	健康のためだと、父がジョギングを始めたけど、どうせ**三日坊主**だから続かないと思う。
持ち運び	携帯すること。持って移動すること。	**持ち運び**に便利な小さめのカメラを買った。
八つ当たり	腹を立てたときに、誰か人に何か文句を言ったりすることで気分を晴らそうとすること。	何があったか知らないけど、**八つ当たり**しないでよ。
優柔不断な	いろいろ迷ったりして、物事をなかなか決められないこと。	彼は**優柔不断**な性格だから、食事の注文もなかなか決まらない。

ドリル

1 つぎの（　）に合うものをそれぞれa〜dの中から一つ選びなさい。
① （　　）説明
② （　　）一言
③ （　　）の事態に備える
④ （　　）な性格

a. 早とちり　　b. 回りくどい　　c. 何気ない　　d. 万一

⑤ 発送の（　　）
⑥ 日常の（　　）風景
⑦ （　　）なところがある
⑧ （　　）にすぎない

a. 八方美人　　b. 手違い　　c. 何気ない　　d. 氷山の一角

2 a、bのうち、正しいほうを一つ選びなさい。
① 彼は、(a. つじつまを合わせる　b. 手直しをする)ために、嘘に嘘を重ねた。
② (a. 何気ない　b. 一息つく)間もなく、また次の仕事の依頼が来た。
③ すみません、今忙しいので、(a. 手短に　b. 早とちりで)お願いします。
④ (a. ひょっとしたら　b. 万一)、来年あたりに海外転勤になるかもしれない。

3 つぎの（　）に合うものをa〜eの中から一つ選びなさい。
① （　　）のことを考えると、やはりこっちの軽いほうがいい。
② うちの子供は（　　）で、何をやっても長続きしないんです。
③ 話がうまくまとまるようにするには、（　　）が必要だ。
④ このような公務員の怠慢は、（　　）かもしれない。

a. 根回し　　b. 氷山の一角　　c. 優柔不断　　d. 三日坊主　　e. 持ち運び

4 つぎの（　）に合うものをa〜eの中から一つ選びなさい。
① 彼らはまだ結婚すると決まったわけじゃなかったんだ。（　　）してしまったよ。
② こういう深刻な問題に比べれば、私の悩みなんて（　　）ものですね。
③ （　　）そこに行きたいわけじゃありません。どこでもいいんです。
④ 今頃そんなことを言っても、もう（　　）だよ。

a. 手遅れ　　b. 手直し　　c. 早とちり　　d. 何が何でも　　e. 取るに足らない

第7回 実戦練習(UNIT49〜56)

問題1 (　　)に入れるのに最もよいものを、1・2・3・4から一つ選びなさい。

① 連日の(　　)暑の影響で、エアコンがよく売れているらしい。
　1　猛　　　　　2　真　　　　　3　純　　　　　4　派

② 最近、父の頭に(　　)白髪が見られるようになった。
　1　ぼうっと　　2　ちらほら　　3　きちっと　　4　てくてく

③ このスーパーは、ネットで注文して、商品を自宅に(　　)してもらうこともできる。
　1　分配　　　　2　宅配　　　　3　配分　　　　4　配布

④ 駅前の人通りの多い場所に、店を(　　)することにした。
　1　移住　　　　2　決行　　　　3　移転　　　　4　異動

⑤ 友人と協力して、通販の会社を(　　)することにした。
　1　成立　　　　2　設立　　　　3　施行　　　　4　設定

⑥ 人口が急増したのに伴い、(　　)ごみをどう処理するかが大きな問題になっている。
　1　倍増の　　　2　多数の　　　3　多大な　　　4　大量の

⑦ 田中さんならきっと合格すると思うよ。そんなに(　　)にならないで。
　1　弱味　　　　2　弱者　　　　3　弱気　　　　4　弱点

⑧ (　　)お世話になっております。A社の田中と申します。
　1　平常　　　　2　毎度　　　　3　常時　　　　4　通常

⑨ 先ほどのグラフの説明を(　　)しますので、お手元の資料をご覧ください。
　1　補償　　　　2　補充　　　　3　補給　　　　4　補足

⑩ 姉の子どもを預かって一日中遊び相手になってあげたら、(　　)になった。
　1　こつこつ　　2　くたくた　　3　くすくす　　4　ひしひし

問題2 ＿＿＿の言葉に意味が最も近いものを、1・2・3・4から一つ選びなさい。

① 「田中さん、まだ来ないの？」「遅いね。ひょっとしたら、電車が遅れてるのかも」
　1　いつの間にか　　2　もしかしたら　　3　たぶん　　　　　4　きっと

② どうせ彼は遅刻してくるだろうと思っていたら、案の定遅れてきた。
　1　いつも通り　　　2　ずいぶん　　　　3　やっぱり　　　　4　ひどく

③ いらいらしたときは、お茶を飲むと少し気持ちが和らぐよ。
　1　落ち着く　　　　2　楽しくなる　　　3　変わる　　　　　4　明るくなる

④ 書類にミスがあった場合は、すぐに訂正してください。
　1　持ってきて　　　2　連絡して　　　　3　たしかめて　　　4　書き直して

問題3 次の言葉の使い方として最もよいものを、1・2・3・4から一つ選びなさい。

① まくる
　1　窓を開けまくって寝ると、風が入って涼しい。
　2　自分にできることはやりまくったつもりだ。あとは試験の結果を待つだけだ。
　3　みんながA社の株を買いまくった結果、株価が急激に上昇した。
　4　食べまくった料理は、あとで冷蔵庫に入れておこう。

② じめじめ
　1　最近、雨が続いているせいで、部屋の中がじめじめして気持ちが悪い。
　2　ゆうべお酒を飲みすぎて、頭がじめじめする。
　3　車の中で本を読んだら、じめじめしてきた。
　4　突然雨が降ってきたので、全身じめじめになってしまった。

③ 苦心する
　1　いつまでも昔の失敗を苦心してばかりいては、前に進むことはできないよ。
　2　みんなの前で部長に叱られて、本当に苦心した。
　3　40キロも走ったら、次の日も体が苦心した。
　4　せっかく苦心して資料を用意したのに、ほとんど使ってもらえなかった。

57 慣用句①

体に関する語を使ったもの――頭・目

Idioms ①　慣用语①　관용구①

	意味	例文
頭を抱える	問題の解決方法が思い浮かばず、困る。	どうしたらいいのか、頭を抱えているところです。
頭を冷やす	興奮した気持ちを押さえて、冷静になる。	少し頭を冷やしたほうがいいよ。
目に留まる	見える。注目される。	店に貼ってあるポスターが、ふと目に留まった。
痛い目にあう／ひどい目にあう	つらい思いをする。	軽い気持ちで書類にサインをしたら、あとで痛い目にあった。
大目に見る	人の失敗や欠点を厳しく責めず、寛大に扱う。	ちょっとぐらいの遅刻は大目に見てほしい。
目にする	見る。	最近、この広告をよく目にする。
目がくらむ	あるものに心を奪われて判断力を失う。	お金に目がくらんで、罪を犯してしまった。
目が高い	いい物を選ぶ能力を持っている。	これを選ぶなんて、お客さん、お目が高いですね。
目が届く	細かいところまで十分注意が行く。	親の目の届かないところで何をしているか、ちょっと心配です。
目がない	とても好きだ。	私は甘いものに目がないんです。
目をつける	何かに関心を抱いたり、ねらいをつけたりして、注意を払うこと。	いいところに目をつけましたね。
目をかける	目上の人が、その人のことを特別に大切にする。	私が新人のころ目をかけてくださったのが、部長でした。
目を光らせる	悪いことがないか、厳しく注意して見る。	コーチが目を光らせているので、練習をさぼったりはできません。
目を奪う	その素晴らしさによって、注目をさせる。	彼女の美しさに、誰もが目を奪われた。
目の色を変える	真剣になる。	行きたい学校が決まって、目の色を変えて勉強しはじめた。
目を背ける	見るのが辛くて、見ないようにする。	事故の写真は、目を背けたくなるような悲惨なものだった。
目に余る	ひどくて、黙って見ていることができない。	彼の勝手な行動は目に余る。
長い目で見る	現在のことだけで判断せず、将来にわたって気長に見守る。	まだできたばかりのチームですから、長い目で見ましょう。
目と鼻の先	とても近い、すぐそば。	郵便局なら、ここから目と鼻の先ですよ。
見る目がある	いいものを見分ける能力がある。	彼を落とすなんて、面接官も見る目がない。

142

ドリル

1 つぎの（　）に合うものをそれぞれa〜dの中から一つ選びなさい。

① ワインに（　　）
② 部下の失敗を（　　）
③ パスポートを忘れて（　　）
④ 客のマナーの悪さが（　　）

a. 頭を抱える　　b. 大目に見る　　c. 目がない　　d. 目に余る

⑤ 先生に目を（　　）
⑥ カンニングがないか、目を（　　）
⑦ 目を（　　）光景
⑧ 少し頭を（　　）必要がある

a. 光らせる　　b. 背けたくなる　　c. つけられる　　d. 冷やす

2 a、bのうち、正しいほうを一つ選びなさい。

① この町でも、ときどき外国の人を目に（a. 留まる　b. する）ようになった。
② 期待をして私が目を（a. かけた　b. 奪った）後輩が、会社をやめてしまった。
③ まだ小さい子なので、私の目が（a. 高い　b. 届く）ところでしか遊ばせません。
④ ここから（a. 目と鼻の先　b. ひどい目）に、昔よく行った公園がある。

3 つぎの（　）に合うものをa〜eの中から一つ選びなさい。

① 自分の欠点から（　　）はいけない。
② ボーナスが出るとわかったら、彼は（　　）働きだした。
③ 急がないでもう少し（　　）見よう。
④ 彼女は大金に（　　）、好きでもない人と結婚してしまった。

a. 目の色を変えて　b. 目を奪って　c. 目を背けて　d. 長い目で　e. 目がくらんで

4 つぎの（　）に合うものをa〜eの中から一つ選びなさい。

① 子供のしたことだから、（　　）あげましょう。
② ちゃんと勉強しておいたほうがいいんじゃないの？ 試験の時に（　　）も知らないよ。
③ 父はお酒に（　　）、量をたくさん飲むので心配なんです。
④ 私は男を（　　）、なかなかいい恋愛ができないんです。

a. 大目に見て　b. 頭を抱えて　c. 痛い目にあって　d. 目がなくて　e. 見る目がなくて

58 慣用句②

体に関する語を使ったもの――耳・鼻・口・顔

Idioms ②　惯用语②　관용구②

	意味	例文
耳にはさむ	偶然聞く。	A社について悪い噂を**耳にはさんだ**ので、ちょっと心配です。
鼻が高い	誇らしく、自慢に思う。	子供があんなに優秀だったら、親はさぞかし**鼻が高い**だろう。
鼻にかける	相手よりも優れていることを自慢し、嫌な思いにさせる。	確かにきれいだけど、それを**鼻にかけた**ところがあって、あまり好きじゃない。
口が重い	あまり話さない、話そうとしない。	彼は、その話になると**口が重く**なる。
口が滑る	不注意で言ってはいけないことを言う。	つい**口が滑って**、原さんが結婚することを言ってしまった。
口を挟む	人の会話に横から入ってきて何か言う。	田中さんは関係ないのに、すぐ**口をはさんで**くる。
口が悪い	言い方や話す内容が粗い。人がいやがるようなことを平気で言う。	彼は**口が悪い**からときどききついことを言うけど、いい人ですよ。
舌を巻く	（技術などが）あまりにすごくて、驚き、感心する。	初めて見るプロのレベルの高さに**舌を巻いた**。
息が合う	何人かで一つのことをするときに、気持ちや動きがよく合う。	二人の**息の合った**見事な踊りに、大きな拍手が贈られた。
息が詰まる	緊張やがまんの状態が続いて、息が苦しくなる。	今朝の会議は重いテーマで、しかも社長も同席したから、**息が詰まり**そうになった。
声を上げる	①自分の意見や気持ちを示す。 ②大声を出す。	①約9割の人々が反対の**声を上げた**。 ②もうちょっと**声を上げない**と聞こえないよ。
顔を合わせる	会う。試合相手になる。	名前は知ってるけど、顔を合わせたことは一度もない。
顔を立てる	その人の周囲や世間に対する立場にマイナスが生じないようにする。	紹介してくれた先生の**顔を立てる**ように、その人に会いに行くつもりです。
顔が利く	ある分野・業界で力があり、多少無理なこともできる。	その店なら**顔が利く**ので、予約なしでも大丈夫ですよ。
大きな顔をする	いばる。	ちょっと有名になったからって、**大きな顔を**しないでほしい。
顔色をうかがう	相手の表情を見て、機嫌や気持ちを知ろうとする。	人の**顔色をうかがう**んじゃなくて、自分で決めなさい。
顔に泥を塗る	世話になった人などに恥をかかせる。	紹介してあげたのにすぐ辞めるなんて、**顔に泥を塗られた**思いだ。
首をかしげる	疑問に思う。	不思議そうに、彼女は**首をかしげ**た。
首を横に振る	賛成しない、納得できない。広く否定の意味を表す。	空いてる席がないか、彼が見に行ったけど、すぐに**首を横に振った**。
首を突っ込む	関心を持ち、その話やできごとに関係する。	彼は、どんな話にでも**首を突っ込もう**とする。

ドリル

1 つぎの（　）に合うものをそれぞれa～dの中から一つ選びなさい。

① 初めて（　　）。
② 変な噂を（　　）。
③ 先輩の（　　）。
④ 技術の高さに（　　）。

　a. 舌を巻いた　　b. 耳にはさんだ　　c. 顔を立てた　　d. 顔を合わせた

⑤ 不思議そうに（　　）いる。
⑥ 実力もないのに（　　）いる。
⑦ いつも部長の（　　）いる。
⑧ 見事に（　　）いる。

　a. 大きな顔をして　　b. 顔色をうかがって　　c. 息が合って　　d. 首をかしげて

2 a、bのうち、正しいほうを一つ選びなさい。

① あんな優秀な息子を持てば、親は（a. 顔　b. 鼻）が高いでしょうね。
② 会議はずっと重苦しい雰囲気で、息が（a. ひねり　b. 詰まり）そうだった。
③ 彼は（a. 声　b. 口）が重く、質問しても何も答えない。
④ 何か飲むか聞いても、彼女は黙って（a. 首　b. 耳）を横に振るだけだった。

3 つぎの（　）に合うものをa～eの中から一つ選びなさい。

① あなたは関係ないんだから、口を（　　）ください。
② 電話では伝えにくいから、直接顔を（　　）話しませんか。
③ 先生の顔に（　　）はいけないから、ちゃんとした発表ができるようにしよう。
④ 彼は何にでも首を（　　）くるから、ちょっとうっとうしい。

　a. はさまないで　　b. 合わせて　　c. 突っ込んで　　d. 泥を塗って　　e. 立てて

4 つぎの（　）に合うものをa～eの中から一つ選びなさい。

① 彼は学歴の高さを鼻に（　　）ところがあるから、あまり好きじゃない。
② あの人、本当は優しいんだけど、ちょっと口が（　　）んだよね。
③ この業界なら私も少しは顔が（　　）ほうだから、誰か紹介してほしいときは相談して。
④ つい口が（　　）ということもあるから、まだ誰にも言わないでおいてください。

　a. かけている　　b. すべる　　c. 悪い　　d. 合わせる　　e. 利く

59 慣用句③

体に関する語を使ったもの――腕・手・足

Idioms ③　慣用語③　관용구③

	意味	例文
腕を上げる	技術が上達する。	また料理の**腕を上げた**ね。これ、すごくおいしい。
手を焼く	方法がわからなくて困る。	息子には本当に**手を焼いた**。
手を引く	それまで行っていたことをやめる、関係を切る。	この事業からは**手を引く**ことになった。
手が届く	自分の能力の範囲で買う（手に入れる）ことができる。	中古なら**手が届く**かもしれない。
手が出ない	能力を超えていて、どうすることもできない。	値段が高すぎて**手が出ない**。
手が込む	細かいところまで手間をかけている。	この指輪、よく見ると、すごく**手が込んで**いる。
手が回らない	忙しくて、そのことまでできない。	忙しくて、ほかのことに**手が回らない**。
手を尽くす	できる限りの方法を行う。	あらゆる**手を尽くした**が、助からなかった。
手に余る	物事の難しさが自分の能力を超えていて、どうしたらいいのか、わからない。	この製品は機能が多すぎて私の**手に余る**。
手に負えない	問題の程度が激しすぎて、自分の力ではどうにもならない。	こうなってしまうと、もう私の**手には負えない**。
手がつけられない	（問題となっているものが）最悪の状態になって、どうすることもできない。	彼女は一度怒り出すと、**手がつけられなく**なる。
手を切る	付き合いをやめる、関係を切る。	あんな連中とは早く**手を切った**ほうがいい。
手を打つ	①対策をとる。 ②取引や交渉で、話をまとめる。	①早く**手を打たない**と、大変なことになる。 ②じゃあ、この金額で**手を打ち**ましょう。
足が棒になる	長く歩いたりして足が疲れきった状態になる。	今日はたくさん歩いたから、**足が棒になってる**よ。
足を引っ張る	人の成功や前進のじゃまをする、じゃまとなる。	またミスをして、チームの**足を引っ張って**しまった。
揚げ足をとる	人の言い間違いや失敗を、からかったり責めたりする。	林さんは人の**揚げ足をとって**ばかりだ。
足元を見る	相手の弱みを知って強い立場になり、自分に有利な条件を出す。	こっちの**足元を見て**、こんな無理な要求をしてきました。
足が早い	［食べ物が］腐りやすい。	豆腐は**足が早い**から、早めに食べないと。
足元にも及ばない	相手が優れていて、全くかなわない。比べ物にならない。	やっぱり先生の作品はすごい。私なんか、**足元にも及ばない**。
手足となる	あるもののために、その意思のとおりに動く。	会社の**手足となって**、ひたすらまじめに働いてきた。

ドリル

1 つぎの（　）に合うものをそれぞれa～dの中から一つ選びなさい。

① 新人には（　）重要な仕事　　② 新しいプロジェクトから（　）
③ この価格なら（　）　　　　　④ 練習して（　）

```
a. 腕を上げる    b. 手を引く    c. 手が届く    d. 手に余る
```

⑤ （　）ばかりで申し訳ない　　⑥ （　）助けを求める
⑦ （　）治療に当たる　　　　　⑧ （　）高い金額を要求する

```
a. 手に負えなくて  b. 手を尽くして  c. 足元を見て  d. 足を引っ張って
```

2 a、bのうち、正しいほうを一つ選びなさい。

① 火の勢いは激しさを増し、もう手が（a. つけられない　b. 回らない）状態だった。
② あんな悪いやつとは早く手を（a. 打った　b. 切った）ほうがいい。
③ 彼は前からテニスが上手だったが、最近また（a. 手を尽くした　b. 腕を上げた）ようだ。
④ 魚は足が（a. 棒になる　b. 早い）から、早く食べたほうがいい。

3 つぎの（　）に合うものをa～eの中から一つ選びなさい。

① うちの子は本当にわがままで、（　）います。
② あの人はいやな性格で、いつも人の（　）ばかりいる。
③ その店の料理はどれも（　）いて、とてもおいしかったです。
④ 今のうちに何か（　）おかないと、後で大変なことになる。

```
a. 手を焼いて  b. 手足となって  c. 手を打って  d. 手が込んで  e. 揚げ足をとって
```

4 つぎの（　）に合うものをa～eの中から一つ選びなさい。

① この車が欲しいけれど、私の給料ではとても（　）。
② 彼は本当に日本語が上手で、私なんて、（　）。
③ （　）ほどあちこち探し歩いたけど、結局、気に入った服は見つからなかった。
④ 責任が重すぎて、私の（　）ような仕事ではない。

```
a. 手が出ない  b. 足元にも及ばない  c. 手に負える  d. 足元を見る  e. 足が棒になる
```

60 慣用句④

体に関する語を使ったもの――肩・胸・腹・腰・身・心・気

Idioms ④　慣用語④　관용구④

	意味	例文
肩を持つ	片方の味方をする。	肩を持つつもりはないけど、彼の言っていることは正しいよ。
肩の荷が下りる	責任などから解放されて、安心する。楽になる。	やっとスピーチも終わって、肩の荷が下りた。
胸に刻む／心に刻む	しっかりと記憶にとどめて、忘れまいとする。	今日の悔しい思いを、しっかりと胸に刻んだ。
胸をなで下ろす	心配することが終わったりなくなったりして、ほっとする。	やっと娘の就職が決まって、胸をなで下ろしました。
胸を張る	自信を持つ、得意になる。	優勝したので、胸を張って帰ることができます。
胸騒ぎ	よくないことが起こるような感じがして、心が穏やかでないこと。	胸騒ぎがしたので、母に電話をかけた。
腹を決める	こうするしかないと、固く決心する。	ついに社長も腹を決めたようだ。
腹を割る	本当の気持ち・考えを話す。	腹を割って話し合おう。
腰が低い	人に対して偉そうにしないで、謙虚な態度で接する。	あの人は腰が低いよね。工場長なのにみんなに敬語を使ってる。
骨が折れる／骨を折る	面倒で、苦労を要する。	面倒な作業が多い骨の折れる仕事だけど、断るわけにはいかない。
身になる	①そういう立場になったと仮定する。②体や心のためになる。役に立つ。	①被害者の身になってみてください。②今回入賞して、努力が身になった気がした。
心を奪われる	魅力的で、心をひきつけられる。	あまりの美しさに、誰もが心を奪われた。
気が重い	気が進まない。面倒だ。	明日の仕事のことを考えると気が重い。
気が引ける	相手より下の立場なので、申し訳ない気持ちになる。	先生に手伝っていただくのは、気が引けます。
気が晴れる	気持ちがすっきりして、不安がなくなる。	嫌なことがあったけど、友達と話したら気が晴れた。
気に障る	嫌な気持ちにさせる。	私の言ったことが気に障ったなら、ごめんなさい。
気を利かせる	相手の立場や状況を考えて、気をつかう。	二人で話したそうだったので、気を利かせて外へ出たんです。
気を抜く	緊張した気持ちをゆるめる。	今まで負けたことのない相手だったので、つい気を抜いてしまった。
気が気でない	心配で、全然落ち着かない。	娘と全然連絡がとれないので、気が気でないです。
気が遠くなる	規模の大きさや量の多さがあまりにすごくて、判断ができなくなる	気が遠くなるほどの仕事の量だった。

ドリル

1 つぎの（　）に合うものをそれぞれa～dの中から一つ選びなさい。
① （　　）話し合う　　　　② （　　）会社を辞める
③ （　　）お茶を出す　　　④ （　　）何も言えなかった

　　a. 気が引けて　　b. 腹を決めて　　c. 腹を割って　　d. 気を利かせて

⑤ 家族の無事がわかって（　　）　⑥ もう治ったと思って（　　）
⑦ 複雑な作業が多くて（　　）　　⑧ 友達に話して少し（　　）

　　a. 胸をなでおろす　　b. 気を抜く　　c. 骨が折れる　　d. 気が晴れる

2 a、bのうち、正しいほうを一つ選びなさい。
① 彼の意見は正しいけど、話し方が（a. 気が重い　b. 気に障る）。
② その時、先生に言われた言葉を、しっかりと（a. 胸に刻んだ　b. 身になった）。
③ 今週中にやらなければならない仕事が多すぎて、（a. 気が遠くなる　b. 心を奪われる）。
④ 先輩に荷物を持ってもらうのは（a. 気を抜く　b. 気が引ける）。

3 つぎの（　）に合うものをa～eの中から一つ選びなさい。
① いい成績がとれたので、（　　）親に報告できる。
② けんかを止めに来たのに、つい女性の（　　）しまった。
③ 部長は（　　）、誰に対しても丁寧な言葉使いで話す。
④ 昨日の夜は何だか（　　）、なかなか眠れなかったんです。

　　a. 腰が低くて　b. 胸騒ぎがして　c. 胸を張って　d. 気を抜いて　e. 肩を持って

4 つぎの（　）に合うものをa～eの中から一つ選びなさい。
① 町内会の委員の仕事が今月で終わり、やっと（　　）。
② 森先生が依頼を引き受けてくれるかどうか、（　　）。
③ 相手先に謝りに行かなければならないことを考えると（　　）。
④ 今はつらいかもしれないけど、こういう経験は必ず（　　）から頑張って。

　　a. 気が重い　b. 気が気でなかった　c. 気に障る　d. 身になる　e. 肩の荷が下りた

61 基本漢字①
きほんかんじ

Basic kanji ①　基本汉字①　기본 한자①

一

問題の一因 もんだい　いちいん	one of the causes of the problem 问题的一个原因　문제의 일인
一概に言えない いちがい　い	can't make a generalization about 不能一概而论　한마디로 말할 수 없다
仕事が一段落する しごと　いちだんらく	work settles down 工作告一段落　일이 일단락되다
一人前になる いちにんまえ	become independent, full-fledged 成为一个出色的人　제 몫을 할 수 있게 되다
一目置かれる いちもく　お	earn some respect from 被放置一天　실력을 인정받다
一律な料金 いちりつ　りょうきん	flat fee 同样的费用　일률 요금
一連の活動 いちれん　かつどう	sequence of activities 一连串的活动　일련의 활동
改革の一環 かいかく　いっかん	part of a series of reforms 改革的一个环节　개혁의 일환
一貫して行う いっかん　おこな	do something consistently 贯彻实施　일관되게 행하다
一気に読む いっき　よ	read at one go 一口气读下去　단숨에 읽다
一挙に解決する いっきょ　かいけつ	solve at one stroke 一并解决　한꺼번에 해결하다
書類一式 しょるいいっしき	a set of documents 整套公文格式　서류 일식
一手に引き受ける いって　ひ　う	take on all the work 垄断接收　혼자 도맡다
100円均一 えんきんいつ	everything for ¥100 一律100日元　100엔 균일
一息つく ひといき	take a rest 歇一会儿　한숨 돌리다
唯一の楽しみ ゆいいつ　たの	one's only pleasure 唯一的期望　유일한 즐거움

運

パソコン教室を運営する きょうしつ　うん　えい	run a computer school 经营电脑学习班　컴퓨터 교실을 운영하다
運河 うん　が	canal 运河　운하
バスの運行状況 うんこうじょうきょう	bus service situation 公共汽车的运行情况　버스 운행 상황
荷物を運搬する にもつ　うんぱん	carry a luggage 搬运货物　짐을 운반하다
運命 うんめい	destiny 命运　운명

運輸業 うん　ゆ　ぎょう	transportation industry 运输业　운수업
制度を運用する せいど　うんよう	operate a system 运用制度　제도를 운용하다
幸運を祈る こううん　いの	wish for good luck 祈祷幸运　행운을 빌다

気

勝気な女性 かちき　じょせい	determined lady 好胜的女性　기승스러운 여성
部屋を換気する へや　かんき	ventilate a room 给房间换气　방을 환기하다
気圧の変化 きあつ　へんか	changes in atmospheric pressure 气压的变化　기압의 변화
気軽に答える きがる　こた	answer casually 轻松地回答　가볍게 답하다
激しい気性 はげ　きしょう	fiery temperament 暴躁的脾气　과격한 성격
気品を感じる きひん　かん	feel the grace, refinement 感到气派　기품을 느끼다
気力がある きりょく	full of vigor 有精力　기력이 있다
根気がない こんき	have no patience 没耐性　끈기가 없다
水蒸気 すいじょうき	steam 水蒸气　수증기
大気の状態 たいき　じょうたい	state of the atmosphere 大气的状态　대기 상태
水気を切る みずけ　き	drain off the water 去掉水分　물기를 없애다
陽気な性格 ようき　せいかく	cheerful personality 开朗的性格　명랑한 성격

見

意見を言う いけん　い	give one's opinion 提意见　의견을 말하다
会見を開く かいけん　ひら	hold a conference 召开记者招待会　회견을 열다
私の見解 わたし　けんかい	my view 我的见解　나의 견해
見当をつける けんとう	take aim at, guess 估计，预料　짐작하다
運転を見合わせる うんてん　みあ	shut down, postpone service 推迟发车　운전을 보류하다
見込み違い みこ　ちが	miscalculation 估计错误　예상이 틀림
見通しを立てる みとお　た	make a forecast 指望　전망을 세우다

ドリル

1 つぎの（　）に合うものをそれぞれa〜dの中から一つ選びなさい。

① 大臣が（　　）する　　　② （　　）価格
③ （　　）入れる　　　　　④ （　　）を述べる

| a. 見解 | b. 一息 | c. 会見 | d. 均一 |

⑤ 電車の（　　）情報　　　⑥ サークルの（　　）方針
⑦ （　　）が荒い　　　　　⑧ 低（　　）が近づく

| a. 運行 | b. 運営 | c. 気性 | d. 気圧 |

2 a、bのうち、正しいほうを一つ選びなさい。

① 台風の影響で、今日の開催は（a. 見当をつける　b. 見合わせる）ことになった。
② 野菜を洗ったら、よく（a. 水蒸気　b. 水気）を切ったあと、小さく切ってください。
③ 細かいことは気にしなくていいので、積極的に（a. 勝気　b. 意見）を出してください。
④ 誰にどんなことを言われても、彼は（a. 一貫　b. 一律）して態度を変えなかった。

3 つぎの（　）に合うものをa.〜eの中から一つ選びなさい。

① 私は（　　）がないので、そんなに長い時間勉強を続けることはできません。
② 朝出勤したら、まず窓を開けて、（　　）をしてください。
③ 彼は、この分野の仕事をほとんど（　　）に引き受けている。
④ ここにあるのが、私が仕事で使う道具（　　）です。

| a. 一目 | b. 根気 | c. 換気 | d. 一手 | e. 一式 |

4 つぎの（　）に合うものをa.〜eの中から一つ選びなさい。

① 今日の深夜には、雨が降り出す（　　）です。
② 大型商品は、これとは別のトラックで（　　）することになっています。
③ どれくらいでこの仕事が終わるのか、全く（　　）がつかない。
④ 新しい会計システムは、来月から（　　）されることになった。

| a. 見込み | b. 運命 | c. 見通し | d. 運搬 | e. 運用 |

62 基本漢字②

Basic kanji ②　基本汉字②　기본 한자②

行

新制度に**移行**する しんせいど いこう	shift to a new system	过渡到新制度　신제도로 이행하다
奥行きがある おくゆ	have a depth	含蓄　안 길이가 있다
開催を**強行**する かいさい きょうこう	go ahead with holding 〜	强行举办　개최를 강행하다
行政サービス ぎょうせい	administrative service	行政服务　행정서비스
雨天**決行** うてんけっこう	held rain or shine	雨天也进行　우천결행
現行の制度 げんこう せいど	the present system	现行的制度　현행의 제도
計画を**実行**する けいかく じっこう	carry out a plan	实行计划　계획을 실행하다
修行を積む しゅぎょう つ	gain experience and training	积累修行　수행을 쌓다
会が**進行**する かい しんこう	meeting progresses	会议进行　모임이 진행되다
先行販売 せんこうはんばい	presale	先行销售　선행 판매
試合を**続行**する しあい ぞっこう	game carries/pushes on	继续进行比赛　시합을 계속하다
並行して進める へいこう すす	proceed in parallel/conjunction	平行前进　병행하여 진행하다

交

交渉する こうしょう	negotiate	交涉　교섭하다
係を**交替**する かかり こうたい	change duties/personnel	交替担任　담당자를 교체하다
証明書を**交付**する しょうめいしょ こうふ	issue a certificate	上交证明　증명서를 교부하다
国交がある こっこう	have diplomatic relations	有邦交　국교가 있다
親交を深める しんこう ふか	deepen ties	加深友情交往　친교를 깊게 하다
友人と**絶交**する ゆうじん ぜっこう	break off one's friendship with	和朋友绝交　친구와 절교하다

実

果実 かじつ	fruit	果实　과실
堅実な方法 けんじつ ほうほう	steady way	可靠的方法　견실한 방법

理想と**現実** りそう げんじつ	ideal and reality	理想和现实　이상과 현실
口実を作る こうじつ つく	make excuses	找借口　구실을 만들다
実感がわく じっかん	sense of reality emerges	产生真实感　실감이 나다
実技試験 じつぎ しけん	practical test	技能考试　실기시험
夢が**実現**する ゆめ じつげん	dream comes true	实现梦想　꿈이 실현되다
仮説を**実証**する かせつ じっしょう	verify hypothesis	实际证明假设　가설을 실증하다
実情を探る じつじょう さぐ	search out the real facts	探寻实情　실정을 살피다
実態を調査する じったい ちょうさ	investigate in actual conditions	调查实态　실태를 조사하다
実直な性格 じっちょく せいかく	honest personality	耿直的性格　올곧은 성격
実費を請求する じっぴ せいきゅう	claim expenses	索取实际费用　실비를 청구하다
実務に役立つ じつむ やくだ	useful for one's professional practice	实际业务中有用　실무에 도움이 되다
例 **実務**に携わる じつむ たずさ		
実用的 じつようてき	practical	实用性的　실용적
実例を示す じつれい しめ	show a real-life example	显示实例　실례를 제시하다
真実を伝える しんじつ つた	tell the truth	告知真相　진실을 전달하다
無実の罪 むじつ つみ	crime one did not commit	冤枉罪　억울한 죄

手

大手企業 おおて きぎょう	major company	大型企业　대기업
手遅れになる ておく	become too late	延误　뒤늦어지다
手作業で作る てさぎょう つく	make something by hand	用手工操作来做　수작업으로 만들다
手順を示す てじゅん しめ	show someone the procedure	显示顺序　순서를 제시하다
手数をかける てかず	trouble somebody	添麻烦　귀찮게 하다
ちょっとした**手違**いで てちが	because of a minor mistake	一小点差错　작은 착오
原稿を**手直**しする げんこう てなお	revise, fine-tune a draft	修改原稿　원고를 고치다
会場を**手配**する かいじょう てはい	make arrangements for the venue	安排会场　회장을 수배하다
例 旅行の**手配** りょこう てはい		

152

ドリル

1 つぎの（　）に合うものをそれぞれa〜dの中から一つ選びなさい。

① 選手の（　）
② （　）な生活
③ （　）の法律
④ 利用の（　）

a. 現行　　b. 堅実　　c. 交替　　d. 手順

⑤ タクシーを1台（　）する
⑥ 大臣と（　）がある
⑦ 新しい企画が（　）する
⑧ 取引先と（　）する

a. 交渉　　b. 進行　　c. 親交　　d. 手配

2 a、bのうち、正しいほうを一つ選びなさい。

① データはすべて新しいパソコンに（a. 移行　b. 先行）させました。
② デザインがいいものよりも、（a. 実直　b. 実用）性のあるものを選ぶことになります。
③ 担当者の（a. 手違い　b. 手直し）で、違う会社に商品が届いてしまったようです。
④ 彼は（a. 実証　b. 無実）の罪で逮捕されたかもしれないのです。

3 つぎの（　）に合うものをa〜eの中から一つ選びなさい。

① ユーザーの使用（　）を調査するため、購入者を対象にアンケートが行われた。
② ベッドと壁の間は狭いので、あまり（　）のある棚は置けません。
③ この講座に参加する場合、材料の（　）として3千円が必要になります。
④ 病院に行った時点で、すでに彼女の病気は（　）の段階だった。

a. 強行　　b. 奥行き　　c. 実費　　d. 実態　　e. 手遅れ

4 つぎの（　）に合うものをa〜eの中から一つ選びなさい。

① 予定の時間は過ぎましたが、このまま試合を（　）します。
② 人が足りないので、7月までは複数の仕事を（　）して担当することになった。
③ この作品の映画化はほとんど無理だろうと思われていたが、ついに（　）した。
④ どうしても彼女のしたことが許せず、それ以来（　）しています。

a. 実現　　b. 並行　　c. 交付　　d. 続行　　e. 絶交

63 基本漢字③

Basic kanji ③ 基本汉字③ 기본한자③

身

身動きがとれない（みうご）	cannot move	动不了　몸을 움직일 수 없다
身内で集まる（みうち あつ）	get together with relatives	自己人聚会　친척이 모이다
身軽な服装（みがる ふくそう）	light, casual clothes	轻松的服装　가벼운 복장
身近な場所（みちか ばしょ）	familiar place	近旁　가까운 장소
身なりを整える（み ととの）	tidy up one's appearance	整理装束　복장을 가다듬다
身の回りの物（み まわ もの）	things around you	随身携带物品　신변의 물건
身分を証明する（みぶん しょうめい）	verify one's identity	证明身份　신분을 증명하다
身元がわかる（みもと）	be identified	身份明了　신원을 알다

新

技術革新（ぎじゅつかくしん）	technological innovation	技术革新　기술 혁신
契約を更新する（けいやく こうしん）	renew a contract	更新合同　계약을 갱신하다 例 記録を更新する（きろく こうしん）
デザインを刷新する（さっしん）	refurbish a design	革新设计　디자인을 쇄신하다
新規の仕事（しんき しごと）	new work	新工作　신규의 일 例 新規採用
新卒（しんそつ）	fresh graduate	新毕业的学生　신규 졸업생
新米教師（しんまいきょうし）	novice teacher	新人教师　신출내기 교사

人

悪人（あくにん）	wicked person	坏人　악인
偉人（いじん）	great man	伟人　위인
故人（こじん）	the deceased	故人　고인
立派な人格（りっぱ じんかく）	fine character	优秀的人格　훌륭한 인격 例 二重人格（にじゅうじんかく）
人災（じんさい）	man-made disaster	人祸　인재 ★人の失敗や不注意などで起こる災害。　対 自然災害（さいがい／しぜんさいがい）
人材を育てる（じんざい そだ）	cultivate talent	培养人才　인재를 키우다
人事（じんじ）	personnel	人事　인사
人望がある（じんぼう）	be popular	声望　인망이 있다
先人の教え（せんじん おし）	teachings of one's predecessors	前人的教诲　선인의 가르침
善人（ぜんにん）	good man	好人　선인
当人の話（とうにん はなし）	story about the person in question	当事人的话　당사자의 말
人情がある（にんじょう）	have empathy	有情义　인정이 있다
人柄がいい（ひとがら）	have a good personality	人品好　인품이 좋다
人並みの生活（ひとな せいかつ）	decent life	普通的生活　보통 정도의 생활
人目を気にする（ひとめ き）	be conscious of the public gaze	在意别人的眼光　타인의 눈을 신경 쓰다
保証人（ほしょうにん）	guarantor	担保人　보증인
凡人（ぼんじん）	ordinary, average person	凡人　범인
有人ロケット（ゆうじん）	manned rocket	载人火箭　유인 로켓
有名人（ゆうめいじん）	famous person	名人　유명인

生

DVDを再生する（さいせい）	play back a DVD	播放DVD　DVD를 재생하다 例 音楽を再生する（おんがく さいせい）
地域の再生（ちいき さいせい）	regional regeneration	区域再生　지역 재생
出生率（しゅっしょうりつ）	birthrate	出生率　출생률
生臭いにおい（なまぐさ）	fishy smell	腥臭的　비린내
生身の人間（なまみ にんげん）	real, living person	活着的人　살아 있는 몸뚱이의 사람
生もの（なま）	raw food	生鲜食品　날것
問題が発生する（もんだい はっせい）	problem occurs	出现问题　문제가 발생하다 例 ガス／事件が発生する（じけん はっせい）
野生の動物（やせい どうぶつ）	wild animal	野生动物　야생동물

ドリル

1 つぎの（　）に合うものをそれぞれa〜dの中から一つ選びなさい。

① （　　）的なアイディア　　　② （　　）不明の女性
③ 面接の際の（　　）　　　　　④ 優秀な（　　）

> a. 革新　　b. 人材　　c. 身元　　d. 身なり

⑤ 事件が（　　）する　　　　　⑥ 企業の（　　）部
⑦ データを（　　）する　　　　⑧ （　　）のクマ

> a. 更新　　b. 発生　　c. 野生　　d. 人事

2 a、bのうち、正しいほうを一つ選びなさい。

① ごみの回収や分別などの問題は、誰にでも関係のある（a. 身近な　b. 身内の）問題です。
② 彼女の優しい言葉に、（a. 人情　b. 人柄）の良さが表れていると思った。
③ 明日は軽い運動もするので、Tシャツなど（a. 身動き　b. 身軽）な服装でお越しください。
④ ウォーキングをするときは、（a. 人目　b. 有人）を気にせず、手をしっかり振って歩くようにしましょう。

3 つぎの（　）に合うものをa〜eの中から一つ選びなさい。

① カードを作るには、免許証やパスポートなどの（　　）証明書が必要です。
② 山田課長は部下の面倒をよく見るので、（　　）が厚い。
③ パソコンでCDを（　　）してみたのですが、音が出ないんです。
④ 今年から当社のホームページのデザインが（　　）されました。

> a. 刷新　　b. 再生　　c. 身分　　d. 人格　　e. 人望

4 つぎの（　）に合うものをa〜eの中から一つ選びなさい。

① マンションの部屋を借りるときには、（　　）が必要です。
② （　　）なので、冷蔵庫に入れて、数日中に食べてください。
③ 医者だって（　　）の人間ですから、失敗することもあるでしょう。
④ 彼女は地元のテレビ番組によく出ているので、この辺りでは（　　）ですよ。

> a. 保証人　　b. 有名人　　c. 生身　　d. 先人　　e. 生もの

64 基本漢字④

Basic kanji ④　基本汉字④　기본한자④

頭

街頭アンケート（がいとう）	street survey	街头问卷调查　길거리 앙케트
口頭で質問する（こうとう しつもん）	ask a question orally	口头提问　구두로 질문하다
優れた頭脳（すぐ ずのう）	superior brain	优秀的头脑　우수한 두뇌
列の先頭（れつ せんとう）	front of the line	队伍的前面　줄의 선두
話の冒頭（はなし ぼうとう）	beginning of a story	故事的开头部分　이야기 머리

特

特技を披露する（とくぎ ひろう）	exhibit a speciality	披露特技　특기를 피로하다
特殊なケース（とくしゅ）	special case	特殊的事件　특수한 케이스
雑誌の特集（ざっし とくしゅう）	feature in a magazine	杂志的特集　잡지 특집
日本特有の習慣（にほんとくゆう しゅうかん）	custom peculiar to Japan	日本特有的习惯　일본 특유의 습관
特価（とっか）	special price	特价　특가

不

不運な人生（ふうん じんせい）	unfortunate life	不走运的人生　불행한 인생
返品不可（へんぴん ふか）	no refunds	不可以退货　반품 불가
不快に感じる（ふかい かん）	feel unpleasant	感到不愉快　불쾌하게 느끼다
不吉な夢（ふきつ ゆめ）	ominous dream	不吉利的梦　불길한 꿈
不気味な音（ぶきみ おと）	creepy sound	恐怖的声音　기분 나쁜 소리
不潔なトイレ（ふけつ）	dirty toilet	不干净的卫生间　불결한 화장실
天候不順（てんこう ふじゅん）	unseasonable weather	气候不正常　일기 불순
経営不振（けいえい ふしん）	unprofitable business operation	经营不善　경영부진
不審に思う（ふしん おも）	feel suspicious about	感到奇怪　수상히 생각하다
不正が明らかになる（ふせい あき）	injustice is apparent	非法行为公之于众　부정이 드러나다
体の不調（からだ ふちょう）	physical disorder	身体不舒服　몸 상태가 나쁘다
不当な判決（ふとう はんけつ）	unfair judgment	不妥当的判决　부당한 판결
不備がある（ふび）	be incomplete	有不完善的地方　충분히 갖추어지지 않다
不評を買う（ふひょう か）	be unfavorably received	招致不好的评价　불평을 사다
原因不明（げんいん ふめい）	cause unknown	原因不明　원인불명
年齢不問（ねんれい ふもん）	all ages	不问年龄　연령 불문
不利な条件（ふり じょうけん）	unfavorable conditions	不利的条件　불리한 조건
不良品（ふりょうひん）	defective product	不良品　불량품

分

配達区分（はいたつ くぶん）	delivery division	配送区分　배달 구분
本を処分する（ほん しょぶん）	dispose of books	处理书　책을 처분하다　例 処分を受ける（しょぶん）
水分が多い（すいぶん おお）	high water content	水分多　수분이 많다
化粧品の成分（けしょうひん せいぶん）	ingredients in cosmetics	化妆品的成分　화장품의 성분
作業を手分けする（さぎょう てわ）	divide the work up	分工操作　작업을 나누다
ケーキを等分する（とうぶん）	divide a cake into equal pieces	等量分配蛋糕　케이크를 등분하다　例 4つに等分する（とうぶん）
時計を分解する（とけい ぶんかい）	take a clock apart	拆开时钟　시계를 분해하다
分割払い（ぶんかつばら）	payment in installments	分期付款　할부
データを分析する（ぶんせき）	analyze data	分析数据　데이터를 분석하다
利益を分配する（りえき ぶんぱい）	distribute profits	分配利益　이익을 분배하다
全国に分布する（ぜんこく ぶんぷ）	be distributed all over the country	分布到全国　전국에 분포하다
油と分離する（あぶら ぶんり）	be separated from oil	与油分离　기름과 분리하다
分量を計る（ぶんりょう はか）	measure the quantity	计算容积　분량을 재다
養分を吸収する（ようぶん きゅうしゅう）	absorb nutrients	吸收养分　양분을 흡수하다

ドリル

1 つぎの（　）に合うものをそれぞれa〜dの中から一つ選びなさい。

① 平等に（　）する　　　　② データの（　）結果
③ ペット（　）のマンション　④ （　）での約束

| a. 不可 | b. 分析 | c. 分配 | d. 口頭 |

⑤ 人口の（　）　　　　⑥ 番組の（　）
⑦ （　）行為　　　　　⑧ （　）な差別

| a. 不正 | b. 不当 | c. 分布 | d. 冒頭 |

2 a、bのうち、正しいほうを一つ選びなさい。

① 新型のノートパソコンがこのお値段！ 週末だけの（a. 特有　b. 特価）です。
② 書類に（a. 不評　b. 不備）がある場合、申し込みを受け付けることはできません。
③ ケーキを初めて作るなら、きちんと（a. 分量　b. 成分）を計って作ったほうがいいですよ。
④ 何か（a. 不順　b. 不明）な点がありましたら、お気軽にお尋ねください。

3 つぎの（　）に合うものをa〜eの中から一つ選びなさい。

① 当日までの準備の時間が少ない分、（　）だと思う。
② 新しいパソコンは、6回の（　）払いで購入した。
③ 荷物の量が多いから、みんなで（　）して運ぼう。
④ たくさんあったCDは、引越しの際にすべて（　）しました。

| a. 手分け | b. 分割 | c. 不良 | d. 処分 | e. 不利 |

4 つぎの（　）に合うものをa〜eの中から一つ選びなさい。

① 今回は（　）な例です。いつもこのようなことが認められるわけではありません。
② 彼の冗談が下品だったので、その場にいた皆が（　）に感じたと思います。
③ この求人は年齢も学歴も（　）で、誰でも応募できます。
④ 列の（　）から30人までが、その日、新製品を手にすることができた。

| a. 不問 | b. 特殊 | c. 不快 | d. 街頭 | e. 先頭 |

65 基本漢字⑤

Basic kanji ⑤　基本汉字⑤　기본한자⑤

本

脚**本**を書く きゃくほん　か	write a screenplay	写剧本　각본을 쓰다
契約書の**原本** けいやくしょ　げんぽん	original of a contract	合同的原本　계약서의 원본
根本の原因 こんぽん　げんいん	fundamental cause	根本原因　근본 원인 例 **根本**的に異なる、**根本**から治療する こんぽんてき　こと　こんぽん　ちりょう
資**本**主義 しほんしゅぎ	capitalism	资本主义　자본주의
台**本**通りに進む だいほんどお　すす	go with what the script says	按照剧本进行　대본대로 진행하다
手**本**にする てほん	model after	当做范本　본보기로 하다
本格的な料理 ほんかくてき　りょうり	authentic food	正宗的料理　본격적인 요리
本気で取り組む ほんき　と　く	deal with something seriously	认真地解决　본심으로 몰두하다
パソコンの**本体** ほんたい	the body of a PC	电脑的主机　컴퓨터 본체 例 **本体**価格 ほんたい　かかく

無

無口な男性 むくち　だんせい	quiet man	沉默的男性　말이 없는 남성
無効になる むこう	become invalid	无效　무효가 되다 例 チケットが**無**効、契約が**無**効 むこう　けいやく　むこう
無言 むごん	without a word	沉默　무언
無償の愛 むしょう　あい	selfless love	无偿的爱　보상 없는 사랑 例 **無**償で働く むしょう　はたら
無人改札 むじんかいさつ	unmanned ticket gate	无人检票　무인 개찰
無念に思う むねん　おも	feel regret	感到遗憾　원통하게 생각하다 例 **無**念な結果 むねん　けっか
無論賛成だ むろんさんせい	Of course I agree.	当然赞成　물론 찬성이다

明

問題を解**明**する もんだい　かいめい	solve the problem	弄清问题　문제를 해명하다
原因を究**明**する げんいん　きゅうめい	ascertain a cause	追究原因　원인을 규명하다
賢**明**な判断 けんめい　はんだん	clever judgment	贤明的判断　현명한 판단
自**明**の結果 じめい　けっか	obvious result	当然的结果　자명한 결과
理由を釈**明**する りゆう　しゃくめい	explain a reason	解释理由　이유를 해명하다
室内の照**明** しつない　しょうめい	indoor lighting	室内照明　실내의 조명
真実が判**明**する しんじつ　はんめい	truth becomes clear	判明真相　진실이 판명되다
未**明**からの雨 みめい　あめ	rain since early dawn	凌晨开始下的雨　미명부터 내리는 비
明快な答え めいかい　こた	clear answer	明快的回答　명쾌한 대답
明確な目標 めいかく　もくひょう	definite goal	明确的目标　명확한 목표
条件を**明**示する じょうけん　めいじ	specify condition	明示条件　조건을 명시하다
明白な理由 めいはく　りゆう	obvious reason	明显的理由　명백한 이유
明瞭な声 めいりょう　こえ	clear voice	清楚的声音　명료한 목소리
明朗な性格 めいろう　せいかく	cheerful personality	开朗的性格　명랑한 성격 例 **明**朗会計、**明**朗な料金システム めいろうかいけい　めいろう　りょうきん

力

圧**力**をかける あつりょく	put pressure on	施加压力　압력을 주다
威**力**がある いりょく	powerful	有威慑力　위력이 있다
強**力**な味方 きょうりょく　みかた	strong supporter	有力量的同伴　강력한 아군
気**力**が充実する きりょく　じゅうじつ	be full of vigor	精力充沛　기력이 충실하다 例 気**力**がある きりょく
権**力**を持つ けんりょく　も	have power	有权力　권력을 가지다 例 権**力**を失う けんりょく　うしな
効**力**を失う こうりょく　うしな	lose potency	失去效果　효력을 잃다
集中**力**がある しゅうちゅうりょく	have the ability to concentrate	注意力集中　집중력이 있다
勢**力**を伸ばす せいりょく　の	extend one's influence	发展势力　세력을 키우다 例 勢**力**をふるう、勢**力**が衰える せいりょく　せいりょく　おとろ
労**力**を要する ろうりょく　よう	require labor	需要劳动力　노력을 요하다

ドリル

1 つぎの（　）に合うものをそれぞれa〜dの中から一つ選びなさい。
① 田舎の（　）駅
② （　）を握る
③ リビングの（　）
④ ドラマの（　）家

　　　a. 脚本　　　b. 権力　　　c. 無人　　　d. 照明

⑤ 彼のやり方を（　）にする
⑥ 時間と（　）を惜しまない
⑦ 自分の立場を（　）にする
⑧ 台風の（　）が衰える

　　　a. 手本　　　b. 明確　　　c. 勢力　　　d. 労力

2 a、bのうち、正しいほうを一つ選びなさい。
① 彼が世界旅行をやめた本当の理由が、最近になって（a. 明示　b. 判明）した。
② 昼に飲んだ薬の（a. 効力　b. 威力）が薄れて、また傷が痛み出した。
③ 朝からずっと勉強して疲れたので、もう（a. 勢力　b. 集中力）が切れてしまった。
④ 契約に必要な証明書は、コピーではなく、（a. 原本　b. 根本）をお持ちください。

3 つぎの（　）に合うものをa〜eの中から一つ選びなさい。
① このレシピどおりに作ると、（　）なベトナム料理の味になります。
② イベントの中止は残念だが、さまざまな事情を考えると（　）な判断だと思う。
③ 山野さんは（　）な人ですが、たまに言う冗談がおもしろいんです。
④ 今回の事故を見れば、A社が何の対策もしていなかったことは（　）だ。

　　　a. 賢明　　b. 本格的　　c. 明瞭　　d. 無口　　e. 明白

4 つぎの（　）に合うものをa〜eの中から一つ選びなさい。
① 親の承諾なしに未成年が行った契約は、（　）となります。
② どうしてこのような事故が起こったのか、徹底的に原因を（　）すべきだ。
③ 大臣は、問題となった先日の発言について、「報道されているような意図はない」と（　）した。
④ （　）、親の私が息子の夢に反対するつもりはありません。

　　　a. 無効　　b. 釈明　　c. 無念　　d. 究明　　e. 無論

66 もう一丁！
いっちょう

One more!　还有一页！　한 그릇 더!

一様ではない（いちよう）	not the same / 不是一样的　똑같지는 않다
円滑な進行（えんかつ しんこう）	smooth progress / 顺利地进行　원활한 진행
頑丈な扉（がんじょう とびら）	sturdy door / 牢固的门　튼튼한 문
事件に関与する（じけん かんよ）	be involved in the incident / 与事件有关　사건에 관여하다
観覧席（かんらんせき）	grandstand / 观览席　관람석
気合いを入れる（きあい い）	show fighting spirit / 鼓起干劲　정신을 가다듬다
気まずい関係（き かんけい）	awkward relationship / 不融洽的关系　서먹서먹한 관계
小説を脚色して映画にする（しょうせつ きゃくしょく えいが）	dramatize a novel and make a movie out of it / 把小说改变成电影　소설을 각색하여 영화로 만들다
～の考え方に共鳴する（かんが かた きょうめい）	identify with the idea of ～ / 对～的想法产生共鸣　～의 생각에 공명하다
日本の選手を激励する（にほん せんしゅ げきれい）	cheer on the Japanese athletes / 激励日本选手　일본의 선수를 격려하다
新チームを結成する（しん けっせい）	form a new team / 组成新集体　새 팀을 결성하다
厳格な父（げんかく ちち）	strict father / 严格的父亲　엄격한 아버지
仕事に拘束される（しごと こうそく）	be tied to one's work / 被工作所限制　일에 구속되다
こってりしたスープ	rich soup / 浓汤　느끼한 수프 ★塩分や油分などが多いこと。（えんぶん ゆぶん おお）
チームから孤立する（こりつ）	be isolated from the team / 被集体所孤立　팀에서 고립하다
AとBを混同する（こんどう）	mix up A with B / A 与 B 混淆　A 와 B 를 혼동하다
雑談を始める（ざつだん はじ）	start chatting / 开始闲谈　잡담을 시작하다
貯金の残高（ちょきん ざんだか）	balance in one's (savings) bank / 积蓄的余额　저금의 잔액
面接でしくじる（めんせつ）	fail an interview / 面试失败　면접에서 실수하다
受賞を辞退する（じゅしょう じたい）	decline the award / 拒绝获奖　수상을 사퇴하다
アンケートを集計する（しゅうけい）	tally up the results of a survey / 统计问卷调查　앙케트를 집계하다
恐竜の出現（きょうりゅう しゅつげん）	appearance of the dinosaurs / 恐龙的出现　공룡의 출현
上昇と下降を繰り返す（じょうしょう かこう く かえ）	repeatedly go through a series of ups and downs / 重复上升和下降　상승과 하강을 반복하다
相手に譲歩する（あいて じょうほ）	meet someone halfway / 给对方让路　상대에게 양보하다
体力を消耗する（たいりょく しょうもう）	strength dissipates / 消耗体力　체력을 소모하다
処置が必要（しょち ひつよう）	treatment is necessary / 有必要处置　처치가 필요
人権を守る（じんけん まも）	protect human rights / 保障人权　인권을 지키다
厳しい審査を受ける（きび しんさ う）	undergo a strict inspection / 接受严格的审查　엄격한 심사를 받다　例 入国審査、審査員（にゅうこくしんさ しんさいん）
海外に進出する（かいがい しんしゅつ）	diversify and expand overseas / 向国外发展　해외에 진출하다
神秘の世界（しんぴ せかい）	world of mysticism / 神秘的世界　신비의 세계
診療案内（しんりょうあんない）	instructions for medical examination / 诊疗指南　진료안내
観客スタンド（かんきゃく）	spectator stand / 观众席　관객 스탠드
制裁を与える（せいさい あた）	impose sanctions / 给予制裁　제재를 하다　例 社会的制裁（しゃかいてきせいさい）
成熟した女性（せいじゅく じょせい）	mature lady / 成熟的女性　성숙한 여성
返事を急かす（へんじ せ）	speed up the reply / 急于回信　답을 서두르다　例 人を急かす（ひと せ）
おもちゃをせがむ	pester for a toy / 央求买玩具　장난감을 사 달라고 하다
繊細な性格（せんさい せいかく）	sensitive personality / 敏感的性格　섬세한 성격

語彙	英訳	中/韓訳
先進国と途上国（せんしんこく と じょうこく）	developed country and developing country	发达国家和发展中国家　선진국과 개발도상국
安さで対抗する（やす たいこう）	compete on price	用价格便宜来进行对抗　싼 가격으로 대항하다
雑誌の対談企画（ざっし たいだん きかく）	plan for a magazine interview	杂志的对谈企划　잡지의 대담 기획
大胆な発想（だいたん はっそう）	bold idea	大胆的想法　대담한 발상
市民の声を代弁する（しみん こえ だいべん）	represent the voice of the people	代表市民的心声　시민의 목소리를 대변하다
大量のごみ（たいりょう）	huge amount of trash	大量的垃圾　대량의 쓰레기　例 大量の水／石油（たいりょう みず／せきゆ）
労働者が団結する（ろうどうしゃ だんけつ）	workers unite	工人团结　노동자가 단결하다
勝利を断言する（しょうり だんげん）	declare the victory	断言胜利　승리를 단언하다
パンをちぎる	tear bread	撕开面包　빵을 잘게 뜯다
試合を中継する（しあい ちゅうけい）	broadcast a game	直播比赛　시합을 중계하다　例 生中継（なまちゅうけい）
演説を中断する（えんぜつ ちゅうだん）	interrupt a public speech	中断演讲　연설을 중단하다
著名な学者（ちょめい がくしゃ）	well-known scholar	著名的学者　저명한 학자
A社と提携する（しゃ ていけい）	cooperate with company A	与A公司提携　A사와 제휴하다
本の体裁（ほん ていさい）	appearance of a book	书的组成部分　책의 겉모양
映像制作を手がける（えいぞうせいさく て）	handle video production	亲自动手做图像制作　영상제작을 하다
環境に適応する（かんきょう てきおう）	adjust to the environment	适应环境　환경에 적응하다
的確な判断（てきかく はんだん）	accurate judgment	确切的判断　정확한 판단
電気設備を点検する（でんき せつび てんけん）	inspect the electrical equipment	检查电气设备　전기설비를 점검하다
失敗をとがめる（しっぱい）	blame for a failure	指责失败　실패를 나무라다
同一人物（どういつじんぶつ）	same person	同一个人物　동일인물
独創的なアイデア（どくそうてき）	original idea	独创的想法　독창적인 아이디어
仕事に取りかかる（しごと と）	to start work	着手工作　일을 착수하다
ワインで名高いこの地方（なだか ちほう）	this region renowned for wine	由于红酒而出名的这个地方　와인으로 이름 높은 이 지방
何卒ご協力ください。（なにとぞ きょうりょく）	I would really appreciate your cooperation.	务必请您协助　부디 협력해 주십시오.
試合が成り立つ条件（しあい な じょうけん）	requirements for a game to take place	比赛形成的条件　시합이 성립되는 조건
周りに配慮する（まわ はいりょ）	consider the people around you	照顾到周围　주변에 배려하다
容器が破損する（ようき はそん）	container breaks	容器破损　용기가 파손되다
華やかな舞台（はな ぶたい）	spectacular stage	华美的舞台　화려한 무대　例 華やかな世界／衣装（はな せかい／いしょう）
万能の薬（ばんのう くすり）	medicine for all ailments	万能药　만능 약
事故を引き起こす要因（じこ ひ お よういん）	the reason an accident occurs	发生事故的主要原因　사고를 일으키는 요인
日本の風俗（にほん ふうぞく）	Japanese custom	日本的风俗　일본의 풍속
負担が分散する（ふたん ぶんさん）	burden is distributed	分散负担　부담이 분산되다
弁解に終始する（べんかい しゅうし）	be full of excuses	不停地辩解　변명으로 시종일관하다
郵便事業の変遷（ゆうびん じぎょう へんせん）	changes in the postal business	邮政事业的变迁　우편 사업의 변천
調査を妨害する（ちょうさ ぼうがい）	interfere with investigation	妨碍调查　조사를 방해하다
住宅が密集する地域（じゅうたく みっしゅう ちいき）	area densely packed with houses	住宅密集的区域　주택이 밀집한 지역
湯気が立つ（ゆげ た）	steam rises	冒热气　김이 오르다
用心深い性格（ようじんぶか せいかく）	cautious personality	极其慎重的性格　주의 깊은 성격

66 もう一丁！（いっちょう）

第8回 実戦練習(UNIT57〜66)

問題1 (　　)に入れるのに最もよいものを、1・2・3・4から一つ選びなさい。

① どれくらい時間がかかるかわからないから、早めに(　　)ほうがいいよ。
　　1　手遅れになった　　2　見合わせた　　3　取りかかった　　4　引き起こした

② 今日は仕事が多いので、さっき頼まれたことまで(　　)かもしれません。
　　1　手が回らない　　2　手を切る　　3　手が出ない　　4　手を引く

③ 提出した書類に(　　)があったようで、また書き直さなければならない。
　　1　無念　　2　無効　　3　不備　　4　不問

④ いろいろと(　　)のですが、お力になれなくて申し訳ありません。
　　1　目が届いた　　2　手は尽くした　　3　目をかけた　　4　手に余った

⑤ 今朝の(　　)から雪が降り始め、昼前にはだいぶ積もっていました。
　　1　照明　　2　明快　　3　明白　　4　未明

⑥ 私も手伝うから、作業の(　　)を教えてくれない？
　　1　手順　　2　等分　　3　実技　　4　生計

⑦ 何の話にでもすぐ(　　)たがるのが、林さんの悪いところです。
　　1　腹を決め　　2　顔に泥を塗り　　3　気を抜き　　4　首をつっこみ

⑧ 昨日はひどく叱られたから、先生と(　　)たくない気分です。
　　1　顔を合わせ　　2　息が合い　　3　鼻にかけ　　4　胸を張り

⑨ つい(　　)、秘密にしなければならない話を話してしまった。
　　1　息が詰まって　　2　舌を巻いて　　3　声を上げて　　4　口が滑って

⑩ 教室でさくらさんと(　　)しているところに、たかしくんがやって来ました。
　　1　適応　　2　雑談　　3　激励　　4　親交

問題2 ＿＿＿の言葉に意味が最も近いものを、1・2・3・4から一つ選びなさい。

① 彼は、昨日のミスについて弁解した。
　　1　納得した　　　2　お詫びした　　　3　言い訳した　　　4　説明した

② 明日提出するレポートを手直しする。
　　1　修正する　　　2　印刷する　　　3　作成する　　　4　提出する

③ 祖母のことについて、身内で話し合いをしました。
　　1　みんな　　　2　室内　　　3　病院　　　4　親戚

④ 無論、やる気がないわけではない。
　　1　もちろん　　　2　ひとまず　　　3　べつに　　　4　あいにく

問題3 次の言葉の使い方として最もよいものを、1・2・3・4から一つ選びなさい。

① 提携
　　1　来週、ゴミ拾いのボランティアに提携していただける方を探しています。
　　2　地域と学校が提携し、子どもたちの教育に取り組むべきである。
　　3　明日は、朝から部長と提携して取引先に行く予定です。
　　4　弊社はやまと社と提携して、音楽事業に進出する予定です。

② 新規
　　1　家族4人で住むために、田舎に家を新規しました。
　　2　今年の春に働き始めたばかりの、23歳の新規社員です。
　　3　来月から新規のサービスを開始するので、社内で準備を進めています。
　　4　特に問題が起こらなければ、2年後に契約が新規されます。

③ 分担
　　1　昔は一つの国でしたが、今は四つに分担してしまいました。
　　2　この作業は量が多いので、3人で分担してやりましょう。
　　3　自分用の小さい車を、24回の分担払いで購入しました。
　　4　どんな構造になっているのかを見てみたくて、古いデジカメを分担した。

第8回　実戦練習

N1 語彙 第1回模擬試験 解答用紙
（ごい　もぎしけん　かいとうようし）

問題 1				
1	①	②	③	④
2	①	②	③	④
3	①	②	③	④
4	①	②	③	④
5	①	②	③	④
6	①	②	③	④
7	①	②	③	④

問題 2				
8	①	②	③	④
9	①	②	③	④
10	①	②	③	④
11	①	②	③	④
12	①	②	③	④
13	①	②	③	④

問題 3				
14	①	②	③	④
15	①	②	③	④
16	①	②	③	④
17	①	②	③	④
18	①	②	③	④
19	①	②	③	④

N1 語彙 第2回模擬試験 解答用紙
（ごい　もぎしけん　かいとうようし）

問題 1				
1	①	②	③	④
2	①	②	③	④
3	①	②	③	④
4	①	②	③	④
5	①	②	③	④
6	①	②	③	④
7	①	②	③	④

問題 2				
8	①	②	③	④
9	①	②	③	④
10	①	②	③	④
11	①	②	③	④
12	①	②	③	④
13	①	②	③	④

問題 3				
14	①	②	③	④
15	①	②	③	④
16	①	②	③	④
17	①	②	③	④
18	①	②	③	④
19	①	②	③	④

PART 2

模擬試験
もぎしけん

第1回　模擬試験

問題1　（　　）に入れるのに最もよいものを、1・2・3・4から一つ選びなさい。

[1] 息子は高校3年間、毎日サッカーに（　　）いた。

　1　追い込んで　　2　思い込んで　　3　取り込んで　　4　打ち込んで

[2] あの店の店員は態度が（　　）で、愛想がない。

　1　軽率（けいそつ）　　2　横柄（おうへい）　　3　曖昧（あいまい）　　4　怠慢（たいまん）

[3] 姉はいつもはなかなか服を貸してくれないのに、今日は（　　）貸してくれた。

　1　やんわり　　2　すんなり　　3　きっぱり　　4　ぎっしり

[4] かぜだと嘘をついて仕事を休んだので、外にいるところを誰かに見られないかと（　　）していた。

　1　よろよろ　　2　にやにや　　3　だらだら　　4　びくびく

[5] この曲を聴くと、昔の恋人を思い出して（　　）なる。

　1　紛（まぎ）らわしく　　2　悩ましく　　3　切なく　　4　渋（しぶ）く

[6] 電車が2本走って交通の便がいいので、この（　　）は人気がある。

　1　エリア　　2　スペース　　3　カテゴリー　　4　ベース

[7] この選手は、相手の動きを（　　）プレーするのが実にうまい。

　1　図って　　2　感じて　　3　行って　　4　読んで

問題２ ＿＿＿＿＿＿ の言葉に意味が最も近いものを、１・２・３・４から一つ選びなさい。

[8] 今日は仕事でたくさんの人と会ったので、くたびれた。

1 緊張した　　　2 つかれた　　　3 おもしろかった　4 忙しかった

[9] 彼は就職してこの町を離れてからも、まめに連絡をくれる。

1 積極的に　　　2 ときどき　　　3 たまに　　　　　4 たびたび

[10] 駐車場に止めていたら、車に無数の傷が付けられていた。

1 ひどい　　　　2 たくさんの　　3 わずかに　　　　4 目立つ

[11] 久しぶりに会った友人に声をかけたら、そっけない態度だった。

1 懐かしい　　　2 消極的な　　　3 冷たい　　　　　4 いやみな

[12] かねてから噂になっていた二人が、結婚することになったそうだ。

1 以前から　　　2 最近　　　　　3 突然　　　　　　4 急に

[13] 今日は雨が降っているので、デパートの店内はがらがらだ。

1 汚れている　　2 しめっている　3 ぬれている　　　4 すいている

問題3　次の言葉の使い方として最もよいものを、1・2・3・4から一つ選びなさい。

14 鼻にかける

1　彼は大学入試に失敗したことを鼻にかけ、落ち込んでいる。
2　この薬は飲むのではなく、直接鼻にかけるタイプです。
3　彼女は一流大学を卒業していることを鼻にかけていて、感じが悪い。
4　この香水は鼻にかけるきつい匂いだ。

15 一段落

1　仕事が一段落したので、休憩を取った。
2　この一段落をこちらに運んでください。
3　皿に料理が一段落残っている。
4　この地下鉄は一段落の距離が短い。

16 ギャップ

1　さっきまで同点だったのに、いつの間にか2点のギャップがついてしまった。
2　飛行機を利用した場合と新幹線を利用した場合では、1万円のギャップが出る。
3　映画館は、年齢によって料金にギャップを設けている。
4　政府の方針と現場の教師の考え方には、大きなギャップがある。

17 大らか

1　その俳優は、いつか大らかな舞台で演じるのが夢だと語っていた。
2　私は大らかな性格ではないので、約束を守らない人は許せない。
3　この美術館は有名建築家の設計で、大らかなロビーが特徴的だ。
4　私は体が大らかだったので、高校に入学した時、柔道部に誘われた。

[18] 潔い

1 ホテルで食事をするときは、少し潔い格好をして行ったほうがいい。
2 森監督は、成績不振の責任を取って、潔く辞職した。
3 この公園は、地域の人たちによって、いつも潔く掃除がされている。
4 私が職場のパソコンを壊したと疑われたので、自分は潔く訴えた。

[19] あらかじめ

1 この薬は、食事のあらかじめに飲んでください。
2 サービスの利用を始める前に、あらかじめ会員番号などを登録しておいてください。
3 あらかじめ何度か来たことがあったので、店の場所はすぐにわかった。
4 集合時間のあらかじめに着いたが、もうほとんどの人が来ていた。

第2回　模擬試験

問題1　（　　）に入れるのに最もよいものを、1・2・3・4から一つ選びなさい。

[1] ビザを取りに行くのを（　　）に、会社を休んだ。

　1　口実　　　　2　見当　　　　3　はっきり　　　4　体裁

[2] くじを引いたら、3等が当たった。今日は（　　）があるみたいだ。

　1　めど　　　　2　ツキ　　　　3　よしあし　　　4　アポ

[3] 去年の7月に臨時職員として採用されて、今年から（　　）職員になった。

　1　中古　　　　2　正当　　　　3　中堅　　　　　4　正規

[4] 初めて会ったばかりであんな口の利き方をするなんて、ちょっと（　　）。

　1　けがらわしい　2　みすぼらしい　3　なれなれしい　4　すがすがしい

[5] 料理だけでなく、店内の家具にも（　　）店にしようと思う。

　1　いたわった　　2　もたれた　　3　ためらった　　4　こだわった

[6] 誰にも言わないでと言ったのに、友達に私の秘密を（　　）。

　1　告白された　　2　打ち明けられた　3　ばらされた　4　白状された

[7] 大学が移転して、電車やバスの（　　）がぐっとよくなった。

　1　アクセス　　　2　プログラム　　　3　ステップ　　4　コントロール

問題2 ＿＿＿＿の言葉に意味が最も近いものを、1・2・3・4から一つ選びなさい。

[8] その映画のシーンが忘れられない。

1 女優　　　　2 場面　　　　3 宣伝（せんでん）　　　　4 曲

[9] 彼女に出会ってから、四六時中彼女のことを考えている。

1 急に　　　　2 ときどき　　　　3 たまに　　　　4 ずっと

[10] これまでの仕事のキャリアが評価（ひょうか）され、転職することになった。

1 内容　　　　2 経歴　　　　3 年数　　　　4 種類

[11] 彼のけがは着々と回復に向かっている。

1 急に　　　　2 次々に　　　　3 無理に　　　　4 順調に

[12] 今年はとりわけ蒸し暑さを感じる。

1 少し　　　　2 なんだか　　　　3 特に　　　　4 ずっと

[13] 台風が過ぎ去ったので、じきに風もおさまるだろう。

1 だんだん　　　　2 瞬間（しゅんかん）に　　　　3 突然　　　　4 そのうち

問題3 次の言葉の使い方として最もよいものを、1・2・3・4から一つ選びなさい。

[14] 取り締まる

1 交通違反を取り締まるため、警官が道路わきにずっと立っている。
2 新聞や雑誌を捨てるときは、崩れないようにひもで固く取り締まってください。
3 入口付近は、この防犯カメラで24時間取り締まっています。
4 新キャプテンは、チームをよく取り締まっている。

[15] 内訳

1 友達に就職説明会に誘われたけど、どんな内訳か、まだ詳しく聞いていない。
2 新しいチームは、ベテランと若手がちょうどいい内訳になっている。
3 今日のコンサートの内訳は、このパンフレットに書いていますよ。
4 A社の収支の内訳を見ると、アジア向けの輸出が大半を占めている。

[16] 侵入する

1 見学のため、工場に侵入させてもらった。
2 誰かが家に侵入した気配があるので、警察に通報した。
3 普段はとても穏やかな海ですが、台風が侵入したときだけはさすがに荒れます。
4 窓が少し開いていたようで、外から冷たい風が侵入していた。

[17] 脱する

1 彼はバンドから脱して、一人で活動をすることにした。
2 消防隊の懸命な活動によって、爆発の危機を脱することができた。
3 まだ会議は続いているのですが、少し脱して電話しているところです。
4 どんな困難と出合っても、現実から脱さないで頑張ってほしい。

[18] 絶滅する

1 昨日の台風で、うちの畑の野菜が絶滅してしまった。
2 この洗剤を使えば、しつこい汚れも絶滅するそうです。
3 昔よく読んでいたファッション雑誌が絶滅することになった。
4 恐竜はおよそ6550万年前に絶滅したと言われている。

[19] 撤退する

1 経営の効率化のため、採算の悪い事業から撤退することになった。
2 優勝を目指して頑張ったが、第一試合で撤退してしまった。
3 将来仕事を撤退したら、田舎に引っ越してのんびり暮らすつもりだ。
4 年金制度の改革は、進むどころか、むしろ前より少し撤退している。

索引
さくいん

※五十音順

～
- ～うす ………… 37
- ～がい ………… 51
- ～かい[界] …… 24,51
- ～がら ………… 51
- ～かん[刊] ……… 8
- ～かん[感] ……… 51
- ～かん[観] ……… 51
- ～き[気] ………… 51
- ～ぐるみ ………… 51
- ～けん[圏] ……… 24
- ～さん[産] ……… 51
- ～し[視] ………… 51
- ～しょう[省] …… 15
- ～ちがい ………… 51
- ～ちょ …………… 9
- ～つくす ………… 51
- ～てん …………… 51
- ～なみ …………… 51
- ～にあたいする … 12
- ～は[派] ………… 51
- ～ぶり …………… 51
- ～ふりをする …… 55
- ～まくる ………… 51
- ～み[味] ………… 51
- ～りつ[率] ……… 51

あ
- あいじょう ……… 2
- あいそ …………… 1
- あいつぐ ………… 31
- あいづちをうつ … 55
- あいま …………… 25
- あいまい ………… 45
- あえて …………… 28
- あおむけ ………… 3
- あかす …………… 31
- あかるい ………… 37
- あくしつ ………… 12
- アクセス ………… 47
- アクティブ ……… 47
- あくにん ………… 63
- あげあしをとる … 59
- あける …………… 44
- あざむく ……… 21,41
- あざやか ………… 42
- あしがはやい …… 59
- あしがぼうになる … 59
- あしからず ……… 55
- あじけない ……… 29
- アシスタント …… 20
- あしもとにもおよばない
  ……………… 59
- あしもとをみる … 59
- あしをひっぱる … 59
- あせる …………… 24
- あたふた ………… 49
- あたまをかかえる … 57
- あたまをひやす … 57
- あたる …………… 37
- あっか …………… 13
- あつかましい … 29,42
- あつくるしい …… 29
- あっさり …… 11,27,42
- あっしゅく ……… 33
- あっしょう ……… 10
- あっせん ………… 20
- あっというま … 25,26
- あっとう ………… 10
- あっとうてき …… 30
- アップ …………… 47
- あつりょく ……… 65
- あてはまる ……… 41
- あとまわし ……… 25
- アナログ ………… 19
- アピール ………… 47
- アフターサービス … 17
- アプローチ ……… 47
- あべこべ ………… 43
- アポ(イント) … 18,47
- あまい …………… 37
- あまえる ………… 52
- あまくだり ……… 15
- あまやかす ……… 52
- あやふや ………… 30
- あやまち ………… 21
- あらかじめ ……… 26
- あらすじ ………… 8
- あらたまる ……… 52
- あらためる …… 13,52
- ありふれた ……… 42
- あるきまわる …… 36
- アレンジ ………… 47
- あわい …………… 24
- あんい ………… 12,54
- あんか …………… 45
- あんじる ……… 31,41
- あんせい ………… 5
- あんのじょう …… 55
- いいあい ………… 4
- いいかえる ……… 36
- いいかげん ……… 42
- いかす …………… 52
- いかにも～らしい … 27
- いきがあう ……… 58
- いきがつまる …… 58
- いきごみ ………… 7
- いきさつ ………… 43
- いきる …………… 52
- いくせい ………… 10
- いくぶん ……… 28,42
- いけん …………… 61
- いこう[以降] …… 46
- いこう[意向] ……… 6
- いこう[移行] … 33,62
- いさぎよい ……… 42
- いささか ………… 28
- いし ……………… 20
- いじ[意地] ………… 7
- いじ[維持] …… 33,41
- いじゅう ………… 53
- いしょう ……… 9,11
- いじる …………… 3
- いじん …………… 63
- いぜん[以前] …… 46
- いぜんとして[依然]・26
- いそいそ ………… 49
- いぞん …………… 44
- いたい …………… 37
- いたいめにあう … 57
- いたく …………… 33
- いただき[頂] …… 23
- いたって ………… 28
- いたる …………… 13
- いたるところで … 55
- いたわる ………… 4
- いちいん[一員] …20,39
- いちいん[一因] … 61
- いちおう ………… 27
- いちがい ………… 61
- いちじ …………… 25
- いちじるしい …… 29
- いちだんらく …… 39
- いちにんまえ …… 61
- いちもく ………… 61
- いちよう ………… 66
- いちらん ………… 8
- いちりつ ………… 61
- いちれん ………… 61
- いっかつ ………… 44
- いっかん[一環] … 61
- いっかん[一貫] … 61
- いっきに ………… 61
- いっきょに …… 27,61
- いっこうに～ない … 28
- いっさい～ない … 28
- いっしき ………… 61
- いっしょ ………… 37
- いっせいに ……… 27
- いっち …………… 33
- いってに ………… 61
- いつのまにか …… 55
- いっぺん[一変] … 13
- いてん …………… 53
- いでんし ………… 19
- いと[意図] ……… 7,9
- いどう[異動] …… 53
- いとなむ ………… 11
- いどむ …………… 7
- いふく …………… 11
- いほう …………… 21
- いまだに ………… 26
- いやがらせ ……… 4
- いやしい ………… 29
- いやに ………… 27,42
- いやらしい ……… 29
- いよく …………… 7
- いりょう ………… 5
- いりょく ………… 65
- いるい …………… 11
- いれかえる ……… 36
- いろけがある …… 1
- いろん …………… 4
- いわかん ………… 39
- イントネーション … 8
- インパクト ……… 47
- インフレ ………… 46
- いんよう ………… 8

174

うえる ……………… 31	おおむね ……… 24	かいこ …………… 44	かすか …………… 30
うけいれる ……… 36	おおめにみる …… 57	かいご …………… 5	かぜい …………… 15
うけとめる ……… 36	おおもの ……… 39	がいこうかん …… 20	かせぐ …………… 31
うけとる ……… 36	おおらか ……… 1	かいしゅう[回収]… 33	かせつ[仮説] …… 19
うける ……………… 37	おかす[犯す] …… 21	かいしゅう[改修]・11,41	かせん[下線] …… 8
うちあける ……… 4,41	おき[沖] ……… 23	かいせい[改正]… 15,54	かせん[河川] …… 23
うちきる ……… 36	おきあがる …… 36	かいぞう ……… 41	がぞう …………… 39
うちこむ …………… 9	おきかえる …… 36	かいたく ……… 33	かだい …………… 19
うちわけ ………… 16	おく〈時間を〉…… 37	かいてい[改訂]… 8,54	かたい[堅い] …… 37
うっとうしい …… 2,29	おく〈重点を〉…… 37	かいてい[改定]… 15,54	かたい[固い] …… 37
うつぶせ ………… 3	おくびょう ……… 1	かいていばん …… 9	かたい[硬い] …… 37
うつむく ………… 3	おくゆき ……… 62	かいとう[回答]…… 6	かたおもい …… 2
うでをあげる …… 59	おくる ……… 37	がいとう[街頭]… 64	かたのにがおりる… 60
うでまえ ………… 11	おごそか ……… 30	がいとう[該当]… 41	かたむける ……… 31
うてん …………… 23	おこたる ……… 7	かいにゅう …… 33	かたよる …………… 13
うながす ………… 4	おごる ……… 31	がいねん ……… 6,19	かたわら ……… 24
うなる ……………… 3	おさえる ……… 37	かいふく ……… 41	かたをもつ ……… 60
うぬぼれる ……… 7	おさめる[治める]… 37	かいほう[介抱]… 5	かちかん …………… 6
うまる ……………… 37	おさめる[収める]… 37	かいほう[解放]… 33	かちき …………… 61
うらむ ……………… 2	おさめる[納める]… 37	かいめい ……… 65	かっきてき ……… 16
うるおう ………… 13	おしきる ……… 36	がいらい ……… 5	かつぐ …………… 3
うんえい ………… 61	おしむ ……… 2,31	かう[買う] ……… 37	かっしょく ……… 24
うんが …………… 61	おしよせる …… 41	かえりみる[顧みる]・7,41	がっしり ………… 49
うんこう ………… 61	オス ……… 23	かえりみる[省みる]・41	がっち ……………… 33
うんざり ………… 2	おせっかい ……… 1	かおいろをうかがう・58	かつて …………… 26
うんと ……………… 28	おせん ……… 22	かおがきく ……… 58	かっぱつ ………… 1
うんどう ………… 37	おそう ……… 22	かおにどろをぬる… 58	がっぺい ………… 33
うんぱん ………… 61	おだてる ……… 4,41	かおをあわせる …… 58	カテゴリー ……… 47
うんめい ………… 61	おって ……… 26	かおをたてる …… 58	かど ……………… 45
うんゆ …………… 61	おどす ……… 4	かがい ……… 19	かなう[叶う] … 7,37,52
うんよう ……… 16,61	おとろえる ……… 5	かきこむ ……… 36	かなう[敵う] …… 37
えいぞう …………… 9	おびえる ……… 7	かく～[隔] ……… 25	かなう[適う] …… 37,41
エコ ……………… 23	おびる ……… 31	かく／かかす[欠く]・52	かなえる ………… 7,52
えつらん …………… 8	オプション ……17,47	かくご ……… 33	かにゅう ………… 33
えもの …………… 23	オペラ ……… 9	かくさ ……… 39	かねがね ………… 26
エリア …………… 47	おもいがけない … 29	かくさん ……… 33	かねて(から) …… 26
エリート ……… 20,47	おもいこむ …… 36	かくしん[確信]… 2	かねる …………… 31
えんかつ ………… 66	おもいつく …… 36	かくしん[革新]	かばう …………… 4
えんがん ………… 23	おもいやり ……… 1	……………… 14,44,63	かぶ ……………… 16
えんじる …………… 9	おもむく ……… 18	がくせつ ……… 19	かぶき ……………… 9
えんせん ………… 11	おもんじる ……… 7	かくてい[確定]… 53	かみつ …………… 39
えんちょう ……… 44	およそ ……… 28	がくふ ……… 9	かめい …………… 15
おいこむ ………… 36	およぶ ……… 31,52	かくべつ ……… 12	カメラマン ……… 20
おうへい ………… 45	およぼす ……… 52	かくほ ……… 33	からい …………… 37
おうよう ………… 19	おり[折] ……… 25	かくめい ……… 14	がらがら ………… 49
おおかた ………… 24	おりもの ……… 9	かくりつ[確立]… 33	からむ …………… 13
おおがら ……… 1,45	おろそか ……… 7,41	かけい ……… 11	がらりと／がらっと・49
おおきなかおをする・58	おんせい ……… 9	かけつ ……… 44	かりゅう ………… 23
おおげさ ………… 30		かけつける ……… 22	かろう …………… 5
おおざっぱ ……… 27	**か**	かける[欠ける]…31,52	かろうじて ……… 27
オーソドックス … 12	かいが ……… 9	かこう ……… 16	かわせ …………… 16
オーダーメイド … 17	がいか ……… 16	かさなる ……… 13	かわるがわる …… 27
おおて …………… 62	かいか[開花] …… 23	かさばる ……… 13	がん ……………… 5
オーナー ………… 17	かいかく ……14,33	かじつ ……… 62	かんい …………… 54
おおはば ………… 30	がいかん ……… 11	かしつ[過失] …… 39	かんかく ………… 25
おおまか ………… 27	かいけん ……… 8,61	かじょう ……… 30	かんかん ………… 49

かんき ・・・・・・・・・・・ 61	きたない ・・・・・・・・・・ 37	きょうりょく[強力]・65	くわだてる ・・・・・・・・ 6
かんげき ・・・・・・・・・・ 2	きちっと ・・・・・・・・・・ 49	きょくげん ・・・・・・・・ 39	ケア ・・・・・・・・・・・・・ 47
かんげん ・・・・・・・・・・ 33	きちょうめん ・・・・・・ 1	きょくたん ・・・・・・・・ 30	けいい[敬意] ・・・・・・ 39
がんこ ・・・・・・・・・・・・ 1	きっかり ・・・・・・・・・・ 26	きょだい ・・・・・・・・・・ 24	けいい[経緯] ・・・・39,43
かんこう ・・・・・・・・・・ 9	ぎっしり ・・・・・・・・・・ 49	きょよう ・・・・・・・・・・ 33	けいかい[警戒] ・・・・ 44
かんこく[勧告] ・・・・ 33	きっちり ・・・・・・・・・・ 49	きらく ・・・・・・・・・・・・ 1	けいかい[軽快] ・・・・ 30
かんごし ・・・・・・・・・・ 20	きっぱり ・・・・・・・・27,42	きりがない ・・・・・・・・ 55	けいさい ・・・・・・・・・・ 8
かんし ・・・・・・・・・・・・ 33	きてい[規定] ・・・・・・ 53	きりつ[規律] ・・・・・・ 15	けいさんにいれる ・・・ 55
かんしゅう ・・・・・・・・ 39	きにかける ・・・・・・・・ 41	きりょく ・・・・・・・61,65	けいし ・・・・・・・・・・・・ 44
かんしょう ・・・・・・・・ 33	きにさわる ・・・・・・・・ 60	きる ・・・・・・・・・・・・・ 37	けいせい ・・・・・・・・・・ 33
がんじょう ・・・・・・・・ 66	ぎのう ・・・・・・・・・・・・ 39	キレる ・・・・・・・・・・・・ 2	けいそつ ・・・・・・・・・1,45
かんしん[関心] ・・・・ 2	きはん ・・・・・・・・・・・・ 15	ぎろん ・・・・・・・・・・・・ 6	けいひ ・・・・・・・・・・・・ 18
かんじん ・・・・・・・・・・ 30	きばん ・・・・・・・・・・・・ 39	ぎわく ・・・・・・・・・・・・ 39	けいびいん ・・・・・・・・ 20
かんぜい ・・・・・・・・・・ 16	きひん ・・・・・・・・・・・・ 61	きわめて ・・・・・・・・・・ 28	けいほう ・・・・・・・・・・ 22
かんせつ ・・・・・・・・・・ 46	きふく ・・・・・・・・・・・・ 24	ききをきかせる ・・・・・ 60	けいれき ・・・・・・・・・・ 43
かんせん[感染] ・・・・ 5	きまぐれ ・・・・・・・・・・ 1	きをぬく ・・・・・・・・・・ 60	ケース ・・・・・・・・・・・・ 47
かんせん[観戦] ・・・・ 10	きまずい ・・・・・・・・・・ 66	きんいつ ・・・・・・・・・・ 61	けがらわしい ・・・・・・ 1
かんだい ・・・・・・・・・・ 7	きまま ・・・・・・・・・・・・ 1	きんきゅう ・・・・・・・・ 15	げきぞう ・・・・・・・・・・ 66
かんちょう[官庁] ・・ 15	きみわるい ・・・・・・・・ 29	きんこう[均衡] ・・・・ 16	げきてき ・・・・・・・・・・ 13
かんてん ・・・・・・・・・・ 39	ぎむ ・・・・・・・・・・・・・・ 46	きんし[近視] ・・・・・・ 5	げきれい ・・・・・・・・・・ 66
かんぶ ・・・・・・・・・・・・ 20	きもにめいじる ・・・・・ 55	きんべん ・・・・・・・・・・ 12	けっかん ・・・・・・・・・・ 22
かんぺき ・・・・・・・・・・ 12	きやく ・・・・・・・・・・・・ 53	ぎんみ ・・・・・・・・・・・・ 33	けつごう ・・・・・・・・・・ 33
かんべん ・・・・・・・・・・ 4	きゃくしょく ・・・・・・ 66	きんむじかん ・・・・・・ 18	けっこう[決行] ・・・・ 62
かんゆう ・・・・・・・・・・ 4	ぎゃくてん ・・・・・・・・ 10	きんもつ ・・・・・・・・・・ 39	けっこう[結構] ・・・・ 38
かんよ ・・・・・・・・・・・・ 66	きゃくほん ・・・・・・・9,65	くうふく ・・・・・・・・・・ 46	けっさい ・・・・・・・・・・ 17
かんよう ・・・・・・・・・・ 7	きゃっかん ・・・・・・・・ 46	くぐる ・・・・・・・・・・・・ 3	けっさく ・・・・・・・・・・ 12
がんらい ・・・・・・・・・・ 42	きゃっかんてき ・・・・ 12	くしん ・・・・・・・・・・・・ 54	けっさん ・・・・・・・・・・ 18
かんらん ・・・・・・・・・・ 66	ギャップ ・・・・・・・・・・ 47	くすくす ・・・・・・・・・・ 49	けつじょ ・・・・・・・・・・ 33
かんりょう[官僚] ・・・ 15	キャリア ・・・・・・18,43,47	ぐずぐず ・・・・・・・・・・ 49	けっしょう ・・・・・・・・ 10
かんわ ・・・・・・・・・・・・ 16	キャンペーン ・・・・・・ 17	くずす ・・・・・・・・・・・・ 31	けっせい ・・・・・・・・・・ 66
きあい ・・・・・・・・・・・・ 66	きゅうえん ・・・・・・22,54	ぐたいてき ・・・・・・・・ 45	けっそく ・・・・・・・・・・ 10
きあつ ・・・・・・・・・・23,61	きゅうきょ ・・・・・・・・ 26	くたくた ・・・・・・・・・・ 49	げっそり ・・・・・・・・・・ 27
きがおもい ・・・・・・42,60	きゅうくつ ・・・・・・・・ 24	くたびれる ・・・・・・・・ 41	けつだん ・・・・・・・・・・ 53
きがきでない ・・・・・・ 60	きゅうさい ・・・・・・33,54	くちがおもい ・・・・・・ 58	けつろん ・・・・・・・・・・ 6
きかく[規格] ・・・・・・ 53	きゅうしゅつ ・・・・・22,54	くちがすべる ・・・・・・ 58	けなす ・・・・・・・・・・・2,31
きがとおくなる ・・・・・ 60	きゅうぞう ・・・・・・・・ 66	くちがわるい ・・・・・・ 58	けむたい ・・・・・・・・・・ 29
きがはれる ・・・・・・・・ 60	きゅうそく ・・・・・・・・ 30	くちずさむ ・・・・・・・・ 9	げり ・・・・・・・・・・・・・・ 5
きがひける ・・・・・・・・ 60	きゅうめい ・・・・・・・・ 65	くちをはさむ ・・・・・・ 58	けんい ・・・・・・・・・・・・ 19
きがみじかい ・・・・・・ 1	きゅうよう ・・・・・・・・ 5	くつう ・・・・・・・・・・・・ 54	げんえき ・・・・・・・・・・ 39
きがる ・・・・・・・・・・・・ 61	きょうか ・・・・・・・・・・ 33	くつがえす ・・・・・・・・ 31	けんかい ・・・・・・・・・6,61
きき ・・・・・・・・・・・・・・ 22	ぎょうかい ・・・・・・・・ 39	くっきり ・・・・・・・・・・ 27	げんかく ・・・・・・・・・・ 66
ぎきょく ・・・・・・・・・・ 9	きょうぎ[協議] ・・・・ 14	ぐっしょり ・・・・・・・・ 49	けんきょ ・・・・・・・・・・ 45
きけん[棄権] ・・・・・・ 33	きょうきゅう ・・・・・・ 16	ぐったり ・・・・・・・・・・ 27	けんげん ・・・・・・・・・・ 39
きげん[起源] ・・・・・・ 39	きょうくん ・・・・・・・・ 39	くっつける ・・・・・・・・ 36	げんこう[現行] ・・・・ 62
きさい ・・・・・・・・・・・・ 8	きょうこう ・・・・・・33,62	ぐっと ・・・・・・・・・・・・ 49	けんこうほけん ・・・・ 5
きさく ・・・・・・・・・・・・ 1	きょうざい ・・・・・・・・ 19	くなん ・・・・・・・・・・・・ 54	げんこく ・・・・・・・・・・ 21
きしつ ・・・・・・・・・・・・ 39	きょうさんしゅぎ ・・・ 14	くのう ・・・・・・・・・・・・ 54	げんざい ・・・・・・・・・・ 39
きしむ ・・・・・・・・・・11,13	ぎょうしゃ ・・・・・・・・ 39	くびをかしげる ・・・・・ 58	けんじ ・・・・・・・・・・・・ 21
きじゅつ ・・・・・・・・・・ 8	きょうしゅう ・・・・・・ 39	くびをつっこむ ・・・・・ 58	けんじつ ・・・・・・・・・・ 62
きしょう[希少] ・・・・ 23	きょうじる ・・・・・・・・ 31	くびをよこにふる ・・・ 58	げんじつ ・・・・・・・・・・ 62
きしょう[気象] ・・・・ 23	きょうせい ・・・・・・41,46	くぶん ・・・・・・・・・・・・ 64	げんじゅう ・・・・・・・・ 30
きしょう[気性] ・・・・ 61	ぎょうせい ・・・・・・14,62	くむ[組む] ・・・・・・・・ 38	げんしりょくはつでん16
きしょう[起床] ・・・・ 11	ぎょうせき ・・・・・・12,18	くもる ・・・・・・・・・23,38	けんぜん ・・・・・・・・・・ 30
ぎせい ・・・・・・・・・・・・ 22	きょうちょうせい ・・・ 1	くらくら ・・・・・・・・・・ 49	けんぞう ・・・・・・・・・・ 54
ぎぞう ・・・・・・・・・・・・ 21	きょうめい ・・・・・・・・ 66	くれる[暮れる] ・・・・ 44	けんちく ・・・・・・・・・・ 54
きそく ・・・・・・・・・・・・ 53	きょうりゅう ・・・・・・ 23	グローバル ・・・・・・・・ 47	げんどう ・・・・・・・・・・ 39

けんとう[健闘] ….. 10	こうりつ ………… 39	こりつ ………… 66	さだめる ……… 52
けんとう[見当] …6,61	ごうりてき ……… 12	こる …………… 11	ざつ …………… 30
げんぽん ………… 65	こうりょ ………… 6	ころころ ………… 49	さっか ………… 20
げんみつ ………… 30	こうりょく ……… 65	こんき ………… 61	さっきゅう／そうきゅう
けんめい[懸命] …… 7	こうれい ………… 53	こんきょ ……… 19	………………… 26
けんめい[賢明] …… 65	こえをあげる …… 58	コンスタント …… 47	さっしん ……… 63
けんやく ………… 44	コーラス ………… 9	コンセンサス …… 47	さっする ……… 31
けんよう ………… 39	こがら ………… 1,45	こんちゅう …… 23	ざっそう ……… 23
けんり …………… 46	こきゃく ……… 17,18	コンテンツ ……… 9	ざつだん ……… 66
けんりょく ……… 65	ごく …………… 28	こんどう ……… 66	さっと ………… 42
こうあん[考案] … 19	こくさん ………… 17	コントロール …… 47	さっぱり ……… 27
こうい[行為] …… 53	こくど …………… 15	コンパクト ……… 24	さっぱり〜ない …… 28
こううん ………… 61	こくはく ……… 4,41	こんぽん ……… 65	さどう …………… 9
こうか[高価] …… 45	こくれん ………… 15	こんらん ……… 33	さとる ………… 31
こうかい[後悔] …… 2	こげくさい ……… 11		さばく ………… 21
こうぎ[抗議] …10,33	こける …………… 3	さ	サポート ……… 47
こうきしん ……… 1	こころあたり …… 55	さい[際] ……… 25	さわやか ……… 42
こうきょう[好況] … 46	こころえる ……… 7	さい〜[再] ……… 51	さんぎいん …… 14
こうげいひん …… 9	こころがける …… 7	さいあく ……… 46	さんきゅう …… 18
こうげき ………… 10	こころがまえ … 7,55	ざいがく ……… 19	さんじ ………… 22
こうご[口語] …… 8	こころくばり …… 55	さいきん ……… 5	さんしゅつ …16,23
こうざ[講座] …… 19	こころざし ……… 7	サイクル ……… 47	さんしょう ……8,19
こうざん[鉱山] …16,23	こころざす … 7,19,31	さいけん ……… 54	ざんだか ……… 66
こうじつ ………… 62	こころづよい …… 2	ざいこ ………… 17	さんち ………… 17
こうしょう[交渉] ‥4,62	こころにきざむ …… 60	さいさん[再三] …… 25	し〜[私] ……… 51
こうじょう[向上] … 33	こころのこり …… 55	さいさん[採算] …… 18	しいく ………… 23
こうしん ………… 63	こころほそい …2,55	さいせい ……… 63	しいて ………… 28
こうしんりょう … 11	こころみる ……… 31	ざいせい ……15,16	しいる ………… 41
こうずい ………… 22	こころよい ……… 29	さいぜん[最善] …43,46	しいれ ………… 17
こうすいりょう … 23	こころをうばわれる ‥ 60	さいそく ……… 34	シーン ………… 47
こうせき ………… 12	ごさ …………… 13	さいたく ……… 15	しえん ………… 54
こうぜん ………… 39	こしがひくい …… 60	さいちゅう …… 25	しお[潮] ……… 23
こうそう[構想] … 43	こじれる ………… 4	さいはつ ……… 22	しおがひく …… 23
こうそく ………… 66	こじん …………… 63	さいばんかん …… 20	じが …………… 39
こうたい[後退] …33,44	コスト …………… 18	さいぽう ……… 23	じきに ………26,42
こうたい[交替] …33,62	こだわる ……… 2,31	さいよう ……… 20	しきゅう ……… 25
こうたく ………… 39	ごちゃごちゃ …… 49	さえる ………… 31	しきん ………… 18
こうちょう ……… 12	こちょう ………… 33	さかさま ……… 43	しくじる ……… 66
こうてき ………… 46	こつ ……………… 39	さからう ……… 41	しくみ ………… 19
こうてん[好天] …… 23	こっか[国家] …… 14	さぎ …………… 21	じこ[自己] …… 39
ごうとう ………… 21	こっこう ………… 62	さきごろ ……… 26	しこう[施行] …15,53
こうとう[口頭] … 64	こつこつ ………… 49	さきのばし …… 25	しこう[嗜好] … 39
こうとう[高等] … 19	こってり ………… 66	さきみだれる …… 36	しこうさくご …… 55
こうとう[高騰] … 16	こてん …………… 9	さきゆき ……… 25	じこしゅちょう …… 4
こうどく ………… 8	ことがら ………… 39	さく[策] ……… 39	じさ …………… 39
こうにゅう ……… 17	こどく …………… 1	さく[裂く] …… 31	しさく ………… 19
こうばしい ……… 11	ことごとく ……… 28	さくげん ……… 34	しさつ ………… 34
こうはん ………… 10	ことに …………… 28	さくせん ……… 10	しさん ………… 46
こうひょう[好評] ‥12,45	ことのほか ……… 28	ささい ………… 45	しじゅう ……25,53
こうふ ………15,62	こね …………… 39	ささやく ……… 3	しぜんとう た ……… 23
こうへい ………… 21	このましい ……… 42	さしかえる …… 36	じぜんに ……… 26
こうぼ …………… 20	こまかい ………… 24	さしず[指図] …4,41	じぞく ………… 13
こうみょう ……… 30	ごまをする ……41,55	さじをなげる …… 55	じそんしん …… 7
こうむいん ……… 20	コメント ………… 6	さす ……………… 3	じたい[字体] …… 8
こうやく ………… 14	こゆう …………… 39	さする ………… 3	じたい[辞退] …… 66
こうり …………… 17	こよう ………16,44	さだまる ……… 52	したう …………… 2

語彙さくいん

177

したうけ ……… 18	しゃこ ………… 11	じょうか ……… 22	しんこく ……… 15
したび ………… 39	しゃこうてき …… 1	しょうきぼ …… 24	しんさ ………… 66
したをまく …… 58	じゃっかん …… 24	しょうきょ …… 34	じんさい ……… 63
じちたい ……… 15	しゃめん ……… 24	しょうげん …… 21	じんざい ……… 63
しちゃく ……… 17	ジャンル ……… 47	しょうこ ……… 40	しんさつ ……… 5
しちょう[試聴] …… 8	しゅうえき …… 18	しょうごう …… 34	じんじ ………… 63
しっかり ……… 27	しゅうぎいん … 14	じょうじ ……… 53	しんじつ ……… 62
じっかん ……… 62	しゅうぎょう … 44	じょうじゅ …… 54	しんしゅつ …… 66
じつぎ ………… 62	しゅうけい …… 66	しょうじょう …… 5	しんじょう …… 40
しつぎおうとう …8,19	じゅうし ……… 44	じょうしょう … 66	しんせい[申請] …… 34
しつぎょう …16,44	じゅうじ …… 16,20	しょうしん …18,34	しんせい[神聖] …… 30
じっくり ……… 27	しゅうし[収支] … 16	しょうする …… 31	しんぜん ……… 15
しつける ……… 19	しゅうし[終始] … 25	じょうせい …… 15	じんそく ……… 30
じつげん …54,62	しゅうじつ …… 25	しょうだく …… 53	しんそつ ……… 63
しつこい ……… 29	じゅうじつ …… 34	しょうち ……… 53	しんだん ……… 5
じっこう …53,62	しゅうしゅう … 34	じょうちょ／じょうしょ	しんちく ……… 11
じっしょう …… 62	しゅうしょく …… 8	………………… 40	しんちょう[慎重]・7,45
じつじょう …… 62	しゅうせい …… 34	しょうとつ …… 22	しんてい ……… 4
じっせん …34,46,62	じゅうだい …… 45	しょうにん …34,53	しんど ………… 22
しっそ ………… 1	しゅうちゃく … 34	じょうほ ……… 66	しんどう ……… 22
じったい ……… 62	しゅうちゅうりょく・65	しょうみきげん … 11	しんにゅう …21,34
じっちゅうはっく … 55	じゅうなん …… 30	しょうめい …11,65	しんねん ……… 40
じっちょく …… 62	じゅうらい …… 39	しょうもう …… 66	しんぱん ……… 21
しっとり ……… 27	しゅかん ……… 46	じょうやく …… 15	しんぴ ………… 66
じっとり ……… 27	しゅぎょう …20,62	しょうよ ／じょうよ … 18	しんぴん ……… 46
じっぴ ………… 62	しゅくじ ……… 8	しょうり ……… 10	じんぼう ……… 63
じつむ ………… 62	じゅくどく ……… 8	じょうりゅう … 23	しんまい ……… 63
じつよう ……… 62	しゅげい ………… 9	じょうれい …… 15	しんみつ ………… 1
じつれい ……… 62	じゅこう ……… 19	じょうれん …… 17	しんりゃく …… 15
してき[指摘] …… 34	しゅし[趣旨] …… 39	じょがい ……… 34	しんりょう …… 66
してき[私的] …… 46	しゅしょく …… 11	しょくにん …… 20	しんりん ……… 23
してん[視点] ……… 6	しゅだい ………… 8	じょしゅ ……… 20	しんろ ………… 43
シナリオ ………… 9	しゅちょう …6,19,39	しょぞく ……… 40	すい ………… 13
しはい ………… 14	しゅっか ……… 17	しょち ………… 66	ずいじ ………… 26
しばい …………… 9	しゅつげん …… 66	しょっちゅう … 26	すいじゅん …… 13
しばし ………… 26	しゅっしゃ …… 18	しょてい ……… 40	すいじょうき … 61
しぶい ………24,29	しゅっしょうりつ／	しょとく ……… 16	すいしん ……… 34
シフト ………… 47	しゅっせいりつ …… 63	しょはん ………… 9	すいそく ……… 34
しほう ………… 14	しゅっせ ……… 18	しょひょう ……… 9	すいたい …14,34
しぼう[脂肪] …… 5	しゅつだい …… 19	しょぶん …41,64	すいぶん ……… 64
しほん ………… 65	しゅつりょく … 19	しょほう …40,64	ずうずうしい … 42
しほんしゅぎ … 14	しゅどう ……… 39	しょほうせん …… 5	すうち ………… 13
(お)しまい …… 25	しゅにん ……… 20	しょみん ……… 40	すえる ………… 31
しみじみ ……… 27	しゅのう ……… 14	しょもつ ………… 8	すがすがしい …29,42
しみる ………… 13	しゅび ………… 10	しょゆう ……… 40	すぎる ………… 38
じめい ………… 65	じゅもく ……… 23	しょり ………… 41	すこぶる ……… 28
しめい[使命] …… 7	じゅよう[需要] … 16	じりつ ………… 44	すこやか ……… 11
しめきり ……… 25	じゅりつ ……… 34	しろくじちゅう … 25	すじ …………… 38
じめじめ ……… 49	しゅん ………… 11	しんか ……19,23	すそ …………… 11
しも …………… 23	じゅん〜 ……… 51	じんかく ……… 63	スタジオ ……… 47
ジャーナリスト … 20	じゅんい ……… 10	しんき ………… 63	すたれる ……… 31
しゃかいしゅぎ … 14	じゅんすい ……… 1	しんぎ ………… 14	スタンド ……… 66
しゃがむ ………… 3	じゅんとう …… 12	じんけん ……… 66	ステップ ……… 47
じゃくにくきょうしょく	しょう[章] ……… 8	しんこう[親交] … 62	ずのう ………… 64
………………… 23	しょうエネルギー … 19	しんこう[進行]・34,62	すばやい ……… 29
しゃくめい …… 65	しょうか ………… 5	じんこうえいせい … 19	スペース ……… 47

すます ………… 52	せっち ………… 34	そっけない ……… 42	だす ………… 38
すませる ………… 52	せってい ………… 54	ぞっこう ………… 62	たすう ………… 53
すむ[済む] ……… 52	せっとく ………… 4	そっこく ………… 26	たずさわる ……… 19
すむ[澄む] ……… 31	せつない ……… 2,29	そっせん ………… 7	ただい ………… 53
すらすら ………… 50	ぜつめつ ………… 23	そなわる ………… 31	たたえる ………… 10
ずらっと／ずらりと・27	せつやく ………… 44	そのうち ………… 42	ただちに ………… 26
すらりと／すらっと・50	せつりつ ……… 34,54	ソフト ………… 47	ただよう ………… 31
ずれ ………… 40	せまる ………… 31	そぼく ………… 1	たつ ………… 31
すんだ ………… 24	セミナー ………… 47	そまつ ………… 30	たっする ………… 13
すんなり ……… 27,42	せりふ ………… 9	そむく ………… 41	だっする ……… 22,31
せい ………… 7,40	セレモニー ……… 47	そもそも ………… 42	たっせい ………… 34
せいえん ………… 10	ぜんい ………… 7	そらす ………… 31	だっせん ………… 22
せいか ………… 12	せんげん ………… 34	そる ……… 24,31	だったい ………… 34
せいき ………… 20	せんこう[先行] …… 62	それとなく ……… 42	たてまえ ……… 6,40
せいけい ………… 11	せんこう[選考] …… 12	ぞろぞろ ………… 50	だとう ………… 30
せいけつ ………… 45	せんさいな ……… 66	そわそわ ………… 50	だぶだぶ ………… 50
せいけん ………… 14	せんじん ………… 63	そんがい ………… 21	だます ……… 21,41
せいこう[精巧] …… 30	ぜんしん ………… 44	そんしつ ………… 18	たまる ………… 31
ぜいこみ ………… 17	せんしんこく ……… 66		ためらう ………… 2
せいさい ………… 66	センス ………… 1	**た**	たもつ ……… 31,41
せいさく[制作] …… 54	せんせい ………… 34	たいい ………… 8	たよう[多様] …… 30
せいさく[政策] …… 14	ぜんそく ………… 5	たいか ………… 23	たよりない ……… 29
せいさん ………… 17	せんだって ……… 26	たいき[大気] …… 61	だらしない ……… 1
せいじつ ………… 1	せんたんぎじゅつ …19	だいきぼ ………… 24	だらだら ………… 50
せいしゃいん ……… 20	ぜんと ……… 25,43	たいぐう ……… 4,18	たりょう ………… 53
せいじゅく ……… 66	せんとう ……… 40,64	たいこう ………… 66	だるい ……… 5,29
せいしょ ………… 8	ぜんにん ………… 63	たいしゅう ……… 14	たんきゅう ……… 54
せいする ………… 10	ぜんはん ………… 10	たいせい[体制] …… 14	だんけつ ………… 66
せいだい ………… 30	せんめい ………… 42	たいせい[態勢] …… 40	だんげん ………… 66
ぜいたく ………… 44	ぜんめつ ………… 23	だいたい ………… 24	たんさく ………… 54
せいてい ………… 15	ぜんりょう ……… 30	たいだん ………… 66	たんしゅく ……… 44
せいてん ………… 23	せんりょく ……… 10	だいたん ………… 66	だんじょきょうがく・19
せいとう[政党] …… 14	そあく ………… 12	たいちょうをくずす ・5	だんぜん ………… 28
せいとう[正当] …… 12	そうさ ………… 54	だいなしになる …… 55	だんてい ………… 53
せいび ………… 15	そうさく[創作] …… 9	ダイナミック ……… 47	だんどり ……… 40,43
せいぶん ………… 64	そうさく[捜索] …21,54	だいべん ………… 66	ちあん ………… 14
せいべつ ………… 23	そうさくいよく …… 54	たいほ ………… 21	チームワーク ……… 18
せいみつ ………… 16	そうしょく ………… 9	だいほん ……… 9,65	チェンジ ………… 47
せいめい ………… 14	そうぞう[創造] …… 54	たいまん ………… 7	ちかづく ………… 44
せいやく ………… 40	そうだい ………… 30	タイミング ……… 47	ちかづける ……… 44
せいりつ ………… 54	ぞうてい ………… 4	たいようでんち …… 19	ちぎる ………… 66
せいりょく ……… 65	そうとう ……… 30,38	だいり ………… 20	ちくせき ………… 34
せかす ………… 66	そうば ………… 16	たいりょう ……… 66	ちせい ………… 19
せがむ ………… 66	そえる ………… 31	たいりょく ………… 5	ちつじょ ………… 14
せきにんかん ……… 1	ぞくご ………… 40	ダイレクト ……… 47	ちてき ………… 19
せきにんしゃ ……… 20	そくざに ………… 26	ダウン ………… 47	ちみつ ………… 30
セキュリティ ……… 47	そくしん ……… 34,44	たえず ………… 26	ちゃくしゅ ……… 34
セクハラ ………… 18	そくする ………… 31	たえる[絶える] …… 31	ちゃくちゃくと …… 27
ぜせい ………… 34	そくばく ………… 34	たえる[耐える] …… 31	ちゃっこう ……… 16
せつ ………… 8	そこそこ ………… 28	だかい ………… 34	ちゅうけい ……… 66
せっかち ………… 1	そこなう ………… 31	だきょう ………… 34	ちゅうけん ……… 20
せっきょう ………… 4	そこをつく ……… 55	たくはい ………… 54	ちゅうこ ………… 46
ぜっこう ………… 62	そざい ………… 11	たくましい ……… 1	ちゅうこく ……… 4
せつじつ ………… 12	そし ……… 22,34	たくみ ………… 10	ちゅうじつ ……… 1
せっする ………… 4	そしょう ………… 21	たさい ………… 12	ちゅうしゃく ……… 8
せったい ………… 41	そち ………… 15	たしょう ………… 42	ちゅうしょう[中傷]・4

179

ちゅうしょうてき … 45	つよい … 38	デモンストレーション 48	どく … 3
ちゅうせん … 34	つらなる … 13	デリケート … 48	とく[説く] … 32
ちゅうだん … 66	て … 38	でる … 38	とくい … 17
ちゅうとはんぱ … 30	てあしとなる … 59	てわけ … 41,64	とくいさき … 18
ちょういん … 15	てあて … 18	てをうつ … 59	とくぎ … 64
ちょうこう … 19	ていぎ … 19	てをきる … 59	どくさい … 14
ちょうこく … 9	ていけい[提携] … 66	てをつくす … 59	とくさん … 11
ちょうしゅう … 34	ていげん … 6	てをひく … 59	とくしゅ … 64
ちょうしょう … 4	ていさい … 66	てをやく … 59	とくしゅう … 64
ちょうへんしょうせつ … 9	ていしょう … 6	でんあつ … 19	どくそうてき … 66
ちょくご … 25	ていせい … 54	てんかい … 35	とくてん … 17
ちょくせつ … 46	ていたい … 35	てんかん … 35	とくゆう … 64
ちょくぜん … 25	ていめい … 16,35	でんき[伝記] … 8	とげる … 32
ちょくちょく … 26	ておくれ … 25,56,62	てんけい … 40	どける … 3
ちょさくけん … 9	でかい … 29	てんけん … 66	ところどころ … 27
ちょしょ … 9	てがかり … 40	てんこう … 23	とじょうこく … 66
ちょっかん … 40	てがき … 8	テンション … 48	とっか … 64
ちょめい … 66	てがける … 66	てんじる … 13,32	とっきょ … 19
ちらっと … 27	てがこむ … 59	てんで … 28	とっくに … 26
ちらほら … 50	てがつけられない … 59	てんてん[転々] … 27	とっさに … 26,42
ちんたい … 11	てがでない … 59	てんてん[点々] … 27	どっさり … 27
ちんもく … 3	てがとどく … 59	てんねん … 23	とつじょ … 26
ちんれつ … 17	てがまわらない … 59	でんぶん … 8	どっとくる … 41
ついきゅう … 15	てきおう … 66	テンポ … 48	ととのう … 32
ついとつ … 22	てきかくな … 66	とう〜 … 51	とどまる … 32,52
ついほう … 34	てきぎ … 25	どういつ … 66	とどめる … 52
ついらく … 22	てきせい … 12	どうが … 9	となえる … 14
つうか[通貨] … 16	てきせつ … 12	どうかん … 6,40	どなる … 2
つうかん … 34	てきど … 30,45	どうき … 40	とびきり … 28
つうじょう … 53	てきとう … 30	とうげい … 9	とぼける … 32
つうはん … 17	てくてく … 50	とうこう … 8	とぼしい … 29
つかのま … 25	テクノロジー … 19	とうごう … 35	とも〜 … 51
つかる … 3	てさぎょう … 62	どうこう[動向] … 16	トライ … 48
つき … 40	てじゅん … 43,62	とうし … 16	とりいれる … 36
つきそう … 5	てすう … 62	どうしようもない … 29	とりかえす … 36
つきる … 32	でたらめ … 30	とうせん … 14,44	とりかえる … 36
つく[突く] … 3	てちがい … 56,62	とうたつ … 35	とりかかる … 66
つくす … 32	てっきょ … 35	とうち … 14	とりこむ … 36
つくづく … 27	てっきり … 28	とうてい〜ない … 28	とりしまる … 15
つぐなう … 21	てっこう … 16	とうとい … 29	とりしらべる … 36
つくりだす … 36	デッサン … 9	どうにか … 27	とりだす … 36
つけかえる … 36	てったい … 35	とうにん … 63	とりひき … 18
つけくわえる … 41	てどり … 18	とうぶん … 64	とりもどす … 36
つじつまがあう … 56	てなおし … 56,62	とうめい … 30	とりわけ … 28
つつく … 32	てにあまる … 59	どうよう … 9	とるにたりない … 56
つつしむ … 32	てにおえない … 59	とうろく … 35	とろける … 32
つづり … 8	てはい … 43,62	とうろん … 4	どわすれ … 40
つとめる[努める] … 32	てはず … 43	とおざかる … 44	
つなみ … 22	デビュー … 48	とおざける … 44	**な**
つのる … 32	デフレ … 46	トータル … 48	ないか … 5
つぶやく … 3	てほん … 65	とおまわし … 42	ないかく … 14
つぼみ … 23	てまわし … 43	とおまわり … 24	ないしょ … 4
つまずく … 3	てみじかにいう … 56	とがった … 24	ないしん … 6
つまむ … 3	デメリット … 46	とがめる … 66	ないせん … 15
つまる … 38	デモ … 48	ときおり … 26	ないぞう … 5
つめかえる … 36	てもと … 40	とぎれる … 13	ないてい … 20

ないりく … 23	ねまわし … 43,56	はっくつ … 35	ひこく … 21
ながいめでみる … 57	ねる … 10	パッケージ … 48	ひごろ … 25
ながらく … 26	ねんがん … 7	ばっさい … 23	ひさい … 22
ながれる … 38	ねんきん … 40	はっせい … 63	ひさしい … 29
なきくずれる … 36	ねんしょう … 35	はっそう … 6	ひしひし … 50
なげく … 2	ノイローゼ … 5	ばっそく … 15	ひじょうきん … 20
なげだす … 41	のうど … 13	はっぽうびじん … 56	ひそか … 30
なごやか … 30	のうにゅう … 18	ばてる … 41	ひたす … 11
なさけない … 2,29	のきなみ … 13	はながたかい … 58	ひっしゅう … 19
なだかい … 66	のぞましい … 42	はなにかける … 58	びっしょり … 27
なだめる … 4	のぞみ … 7	はなはだ … 28	ひっそり … 27
なだらか … 24,30	のぞむ[臨む] … 32	はなはだしい … 29	ぴったり … 50
なっとく … 6	のどか … 30	はなばなしい … 29	ひっつける … 36
なにがなんでも … 56	のむ … 38	はなやか … 66	ひといきつく … 56,61
なにげない … 29,56	のる … 38	パニック … 48	ひどいめにあう … 57
なにとぞ … 66	ノルマ … 18	はばむ … 32	ひとがら … 63
なま … 38		ハプニング … 40	ひときわ … 28
なまぐさい … 29,63	**は**	はまべ … 23	ひとじち … 21
なまける … 41	はあく … 35	はまる … 13	ひとすじ … 40
なまぬるい … 29	バイオテクノロジー … 19	はやとちり … 56	ひとなみ … 63
なまみ … 63	はいき[廃棄] … 35	バラエティ … 48	ひとめ[人目] … 63
なまもの … 63	はいきガス … 22	ばらす … 4	ひな … 23
なまり … 8	はいきゅう … 35,54	はらはら … 50	ひなた … 46
なめらか … 24	はいし … 15	ばらばら … 43	ひなん[避難] … 22
なめる … 3	はいじょ … 35	はらをきめる … 60	ひにく … 8
なやましい … 29	ばいしょう … 21	はらをわる … 60	ひにひに … 27
なやます … 11	はいそう … 17	はれつ … 35	ひねる … 3
ならう … 32	ばいぞう … 66	はれる … 13	ひはん … 6
ならす … 52	はいふ … 54	はんえい … 14,35	ひび … 25
ならび … 24	はいぶん … 54	はんが … 9	びひん … 18
なりたつ … 66	はいぼく … 10	はんきょう … 40	ひやかす … 4
なれなれしい … 1	はいりょ … 66	はんげき … 10	ひやひや … 50
なれる … 52	パイロット … 20	はんけつ … 21	ひょうざんのいっかく … 56
なんかい … 45	はかどる … 32	はんそく[反則] … 10	びょうしゃ … 9
なんだかんだ … 27	ばかばかしい … 2	はんそく[販促] … 17	ひょうめい … 14
なんみん … 15	はき … 35	はんてい … 10,53	ひょうろんか … 20
ニーズ … 48	はくがい … 35	ばんねん … 25	ひょっとしたら … 56
にごった … 24	はくじょう … 4	ばんのう … 66	ひらたい … 29
にじむ … 32	ばくだい … 53	はんぱ … 30	ひりょう … 16
にせもの … 21	ばくはつ … 22	はんばいそくしん … 17	びりょう … 13,24
にちゃ … 25	ばくろ … 35	はんめい … 65	ひれい … 13
にやにや … 50	はげます … 4	はんろん … 4,6	ヒロイン … 46
ニュアンス … 9	はげむ … 10	ピーク … 13	ひろう[披露] … 35
にゅうか … 17	はげる … 13,24	ヒーロー … 46	ひろう[疲労] … 5
にわかあめ … 23	ばける … 13	ひがい … 22	ひんじゃく … 12
にんい … 46	はけん … 20	ひかえ … 10	ひんぱん … 25
にんじょう … 63	はさむ … 38	ひかげ … 46	ぶあいそう … 42
にんむ … 18	はじく … 32	ひかんてき … 45	ファスナー … 11
ねいろ … 9	はじる … 2	ひきあげる … 36	ふいに … 26
ねうち … 40	はずす … 32	ひきいる … 32	フィルター … 48
ねじる … 52	はそん … 66	ひきおこす … 66	ふうぞく … 66
ねじれる … 52	はたす … 32	ひきさげる … 36	ふうひょう … 40
ねたむ … 2	ばつ … 21	ひきだす … 36	ふうん … 64
ねだる … 4	はっき … 35	ひきわける … 10	フェア … 48
ねつい … 7	パック … 48	びくびく … 50	フォーム … 10
ねっとう … 11	パック … 48	ひけつ … 35,44	フォロー … 48

181

ふか[不可] ……… 64	ぶんぷ ………… 64	ほじゅう ……… 35,53	………… 56
ふか[ふ化] ……… 23	ぶんみゃく ……… 8	ほじょ ………… 35	まんぷく ……… 46
ふかい ………… 64	ぶんり ……… 35,64	ほしょう[保障] …… 15	みあわせる ……… 61
ふかけつ ……… 12	ぶんりょう ……… 64	ほしょう[補償] … 35,53	みうごき ……… 63
ふかぶか ……… 27	ぶんれつ ……… 23	ほしょうしょ ……… 17	みうち ………… 63
ふきつ ………… 64	へいい ……… 45,54	ほしょうにん ……… 63	みかく ………… 11
ふきとる ……… 11	へいおん ……… 12	ポスト ………… 48	みがる ………… 63
ぶきみ ………… 64	へいこう ……… 62	ほそく[補足] ‥ 35,41,53	みこみ ……… 6,61
ふきょう ……… 46	へいじょう ……… 53	ほっそく ……… 35	みさき ………… 23
ふけつ ……… 45,64	へいねん ……… 43	ほどこす ……… 32	みずけ ………… 61
ふける ………… 25	へいぼん ……… 42	ほにゅうるい ……… 23	みすぼらしい ……… 1
ふさい ……… 16,46	ベース ………… 48	ほねがおれる/おる ‥ 60	みぜんに ……… 26
ふさがる ……… 38	ベスト ………… 43	ほのめかす ……… 32	みぞ …………… 24
ふさわしい ……… 41	べたべた ……… 50	ポピュラー ……… 48	みたす ………… 52
ふじゅん ……… 64	へりくだる ……… 32	ほほ …………… 28	みち …………… 19
ぶじょく ………… 4	へる …………… 32	ぼやく ………… 32	みぢか ………… 63
ふしん[不審] …… 64	へる …………… 25	ぼやける ……… 32	みちなり ……… 24
ふしん[不振] … 10,64	べんかい ……… 66	ほろびる ……… 13,52	みちる ………… 52
ふせい ……… 21,64	へんかん ……… 35	ほろぶ ………… 52	みっかぼうず …… 56
ふだんぎ ……… 11	べんぎ ………… 40	ほろぼす ……… 52	みっしゅう ……… 66
ふち …………… 24	べんごし ……… 21	ぼろぼろ ……… 50	みっせつ ……… 30
ふちょう ……… 64	へんせん ……… 13,66	ほんかくてき …… 12,65	みつど ………… 13
ぶっか ………… 16	へんどう ……… 13	ほんき ………… 65	みっともない …… 29
ふっきゅう …… 22,41	へんぴん ……… 17	ぼんじん ……… 63	みつもり ……… 18
ふっこう ……… 22	ボイコット ……… 48	ほんたい ……… 65	みとおし … 6,41,43,61
ぶっし ………… 16	ほうあん ……… 14	ほんね ………… 4,6	みなり ……… 11,63
ふてきせつ ……… 30	ほうかい ……… 35	ほんば ………… 11	みになる ……… 60
ふとう ………… 64	ぼうがい ……… 66	ほんばん ……… 40	みのまわり ……… 63
ぶなん ……… 12,30	ほうき ………… 35		みぶん ………… 63
ふはい ……… 21,35	ぼうさい ……… 22	**ま**	みみにはさむ …… 58
ふび …………… 64	ほうし ………… 35	ま～[真] ……… 51	みめい ………… 65
ふひょう …… 12,45,64	ほうしゃのう …… 16	まいど ………… 53	みもと ………… 63
ふめい ………… 64	ほうしゅう ……… 18	まえおき ………… 8	ミュージシャン …… 20
ふもと ………… 23	ほうじる ……… 32	まえだおし ……… 25	みるめがある …… 57
ふもん ………… 64	ほうしん ……… 7,14	まかす[任す] …… 32	みれん ………… 2
ふらりと・ふらっと ・ 50	ほうじん ……… 16	まかす[負かす] … 10	みんよう ………… 9
プラン ………… 43	ぼうぜん ……… 40	まかなう ……… 32	むがい ………… 45
ふり[不利] …… 45,64	ぼうだい ……… 30,53	まぎらわしい …… 29	むかつく ………… 2
フリー ………… 48	ぼうちょう ……… 13	マグニチュード …… 22	むかむか ……… 50
ふりかえる ……… 3,41	ぼうっと ……… 50	まして ………… 28	むくち ……… 1,65
ふりょう ……… 12,64	ほうてい ……… 21	マスコミ ……… 14	むこう[無効] …… 65
ふるぎ ………… 11	ぼうとう ……… 64	マスメディア ……… 14	むごん ……… 8,65
プレー ………… 10	ぼうどう ……… 21	またがる ………… 3	むざい ………… 21
プレゼン ……… 18	ぼうはん ……… 21	またたくまに ……… 26	むじつ ………… 62
ふろく ………… 17	ほうらく ……… 16	まちまち ……… 43	むしにさされる …… 5
プログラム ……… 48	ほうりだす ……… 41	まとも ………… 30	むじゃき ………… 1
プロセス ……… 40	ほうわ ………… 13	まどり ………… 11	むしょう ……… 65
ぶんかい ……… 64	ほがらか ………… 1	マネージャー …… 20	むじん ………… 65
ぶんかつ ……… 44,64	ほきゅう ……… 53	まねく ………… 38	むすう ………… 53
ぶんげい ………… 9	ほけつ ………… 20	まめ(な) ………… 1	むすびつける …… 36
ぶんけん ………… 8	ぼける ………… 24	まるごと ……… 27,42	むせきにん ……… 42
ぶんさん ……… 66	ほけん[保険] ……… 5	まるっきり ……… 28	むちゃ ………… 30
ぶんせき ……… 64	ほご …………… 8	まるまる ……… 27,42	むっと ………… 27
ふんそう ……… 15	ほこく ………… 15	まわりくどい ……… 56	むなさわぎがする ‥ 60
ぶんたん ……… 18,41	ほこり …………… 7	まわりみち ……… 24	むなしい ………… 2
ぶんぱい ……… 54,64	ほしゅ ……… 14,44	まんいち/まんにひとつ	むねにきざむ …… 60

182

むねをなでおろす … 60	もちはこび …… 56	ようぎしゃ ……… 21	れいねん ………… 43
むねをはる ……… 60	もっぱら ………… 28	ようし[要旨] …… 8	レジュメ ………… 48
むねん …………… 65	もつれる ………… 32	ようじんぶかい …… 66	れんきゅう ……… 25
むやみに ………… 27	もてなす …………4,41	ようせい[要請]…… 22	れんじつ ………… 25
むろん …………… 65	もてる …………… 4	ようせい[養成]…10,19	レントゲン ……… 5
め ………………… 23	もはん …………… 40	ようてん ………… 8	ろうすい ………… 5
めい〜 …………… 51	もめる …………… 4	ようぶん ………… 64	ろうどく ………… 8
めいかい ………… 65	もらす …………32,52	ようやく ………… 26	ろうひ …………… 44
めいかく ………… 65	もれる …………32,52	ようやく[要約]…… 8	ろうりょく ……… 65
めいさん ………… 11	もろい …………… 29	ようりょう ……… 40	ろくな〜ない …… 30
めいじ …………… 65		ようりょうがい … 12	ろくに〜ない …… 28
めいじる ………… 41	**や**	よくせい ………35,44	ろこつ …………… 30
めいはく ………… 65	やかましい ……… 29	よける …………… 3	ロマンティック …… 48
めいよ …………… 12	やくいん ………… 20	よさん …………… 18	
めいりょう ……45,65	やくしゃ ………… 20	よしあし ………… 12	**わ**
めいろう ………… 65	やけに …………27,42	よせん …………… 10	わかて …………… 20
メイン …………… 48	やしなう ………… 4	よそうがい ……… 12	わかわかしい …… 1
めがかすむ ……… 5	やしん …………… 7	よそく …………… 43	わく ……………… 38
めがくらむ ……… 57	やせい …………… 63	よとう …………… 14	わけ ……………… 40
めがたかい ……… 57	やたら …………… 27	よびこう ………… 19	わざわざ ………… 27
めがとどく ……… 57	やつあたり ……… 56	よびとめる ……… 36	わびる …………… 4
めがない ………… 57	やっかい ………… 42	よぼう …………… 35	わらいとばす …… 36
めきめき ………… 27	やとう …………… 14	よみかえす ……… 36	ワンパターン …… 48
めぐみ …………… 11	やぶる …………… 10	よむ ……………… 38	
めくる …………… 3	やや ……………… 28	よろん …………… 14	
めぐる …………… 32	ややこしい ……29,42		
めさき …………… 43	やわらぐ ………… 52	**ら**	
めざましい ……… 29	やわらげる ……… 52	ライブ …………… 48	
メス ……………… 23	やんわり ………… 42	らくせん ………14,44	
メディア ………… 48	ゆいいつ ………… 61	らくのう ………… 16	
めど ……………… 40	ゆうい …………… 10	らっかんてき …… 45	
めどがたつ ……… 41	ゆううつ ………… 42	ラフ ……………… 48	
めとはなのさき … 57	ゆうがい ………… 45	リアル …………… 48	
めにあまる ……… 57	ゆうかん[勇敢] …… 1	リード …………… 48	
めにする ………… 57	ゆうこう ………… 15	りし ……………… 17	
めにとまる ……… 57	ゆうざい ………… 21	りじゅん ………… 18	
めのいろをかえる … 57	ゆうし …………… 16	リスト …………… 48	
めのまえ ………… 43	ゆうじゅうふだん … 56	りそう …………… 6	
めまい …………… 5	ゆうじん ………… 63	りっぽう ………… 14	
メリット ………43,46	ゆうどう ………… 35	りてん …………… 43	
めをうばう ……… 57	ゆうどく ………… 40	りゃくだつ ……… 21	
めをかける ……… 57	ゆうぼう ………10,12	りゅうつう ……… 16	
めをそむける …… 57	ゆうめいじん …… 63	りょういき ……… 19	
めをつける ……… 57	ゆうゆう ………… 27	りょうかい[領海]… 15	
めをひからせる … 57	ゆうり …………… 45	りょうしき ……… 40	
めんじょ ………… 15	ゆがむ …………13,52	りょうしゅうしょ … 17	
もう〜[猛] ……… 51	ゆがめる ………… 52	りょうしょう[了承]	
もうしでる ……… 4	ゆくえふめい …… 21	………………35,53	
もうしぶんない …… 12	ゆげ ……………… 66	りょうど ………… 15	
もうれつ ………… 30	ゆそう …………… 16	りょうはんてん …… 17	
もがく ……………3,32	ゆだん …………… 44	りろん …………… 46	
もぐる …………… 32	ゆるめる ………… 32	りんごく ………… 15	
もさく …………… 35	ゆるやか ………… 24	りんじ …………… 20	
もたらす ………22,32	ゆれる …………… 32	るいすい ………… 19	
もたれる ………… 3	よういん ………… 40	ルーズ …………1,48	
モチーフ ………… 48	ようき[陽気] …… 61	れいがい ………… 40	

●著者

中島智子（なかじま　ともこ）
広島大学教育学部日本語教育学科卒業。ルネッサンス ジャパニーズ ランゲージスクール専任講師。

高橋尚子（たかはし　なおこ）
広島大学教育学部第三類日本語教育系コース卒業。チェンマイラチャパット大学で専任講師を務めた後、編集者として日本語教材の制作に携わる。現在、熊本外語専門学校日本語教師養成コース常勤講師。

松本知恵（まつもと　ちえ）
広島大学教育学部第三類日本語教育系コース卒業。現在、NSA日本語学校専任講師。

DTP	朝日メディア
レイアウト	ポイントライン
カバーデザイン	滝デザイン事務所
翻　　訳	Darryl Jingwen Wee／Chinatsu Kadota／王雪／崔明淑

日本語能力試験問題集　N1語彙スピードマスター

平成23年（2011年）　10月10日　　初版第1刷発行
令和6年（2024年）　 4月10日　　　第8刷発行

著　者　中島智子／高橋尚子／松本知恵
発行人　福田富与
発行所　有限会社　Jリサーチ出版
　　　　〒166-0002　東京都杉並区高円寺北2-29-14-705
　　　　電話　03(6808)8801(代)　FAX　03(5364)5310
　　　　編集部　03(6808)8806
　　　　https://www.jresearch.co.jp
印刷所　大日本印刷株式会社

ISBN 978-4-86392-073-6　　禁無断転載。なお、乱丁、落丁はお取り替えいたします。
© Tomoko Nakajima, Naoko Takahashi, Chie Matsumoto 2011　Printed in Japan

日本語能力試験問題集　Ｎ１語彙スピードマスター

ドリル・実戦練習・模擬試験

解答

解答

●ウォーミングアップー復習ドリル

第1回 ①3 ②1 ③4 ④3 ⑤1
　　　　 ⑥2 ⑦4 ⑧2 ⑨1 ⑩3

第2回 ①4 ②1 ③3 ④2 ⑤1
　　　　 ⑥3 ⑦4 ⑧2 ⑨3 ⑩1

第3回 ①2 ②1 ③4 ④2 ⑤3
　　　　 ⑥1 ⑦4 ⑧2 ⑨4 ⑩1

第4回 ①1 ②3 ③2 ④4 ⑤3
　　　　 ⑥1 ⑦4 ⑧3 ⑨4 ⑩2

第5回 ①2 ②1 ③2 ④1 ⑤4
　　　　 ⑥3 ⑦2 ⑧4 ⑨3 ⑩3

●ドリル

ユニット1　外見・性格・様子
1) ①d ②a ③b ④c
　 ⑤c ⑥b ⑦a ⑧d
2) ①b ②b ③a ④a
3) ①c ②d ③a ④b

ユニット2　感情・気持ち
1) ①c ②d ③a ④b
　 ⑤a ⑥c ⑦d ⑧b
2) ①b ②a ③a ④b
3) ①d ②b ③c ④a
4) ①a ②b ③e ④d

ユニット3　動作・感覚
1) ①d ②c ③a ④b
　 ⑤a ⑥c ⑦b ⑧d
2) ①a ②b ③b ④a
3) ①d ②e ③c ④b
4) ①e ②b ③a ④c

ユニット4　人と人
1) ①d ②c ③a ④b
　 ⑤b ⑥c ⑦a ⑧d
2) ①a ②b ③a ④b
3) ①b ②e ③d ④a
4) ①d ②b ③e ④c

ユニット5　体調・健康・治療
1) ①d ②c ③b ④a
　 ⑤b ⑥a ⑦d ⑧c
2) ①b ②a ③a ④b
3) ①e ②a ③b ④d
4) ①b ②d ③a ④e

ユニット6　意見・考え
1) ①b ②a ③c ④d
　 ⑤c ⑥d ⑦a ⑧b
2) ①b ②a ③b ④a
3) ①b ②e ③d ④a
4) ①a ②e ③b ④d

ユニット7　意志・態度
1) ①d ②a ③b ④c
　 ⑤d ⑥a ⑦c ⑧b
2) ①a ②a ③b ④b
3) ①b ②e ③a ④c
4) ①e ②b ③c ④d

ユニット8　読む・書く・聞く・話す
1) ①b ②d ③a ④c
　 ⑤c ⑥d ⑦b ⑧a
2) ①b ②b ③b ④a
3) ①b ②e ③c ④a

ユニット9　文化・芸術
1) ①d ②c ③b ④a
　 ⑤d ⑥c ⑦a ⑧b
2) ①b ②a ③a ④a
3) ①d ②e ③a ④c

ユニット10　スポーツ
1) ①b ②a ③d ④c
　 ⑤d ⑥c ⑦b ⑧a
2) ①a ②a ③b ④a
3) ①b ②e ③d ④a
4) ①c ②b ③d ④a

ユニット11　衣食住
1) ①a ②d ③b ④c
　 ⑤b ⑥c ⑦a ⑧d
2) ①b ②a ③b ④a
3) ①a ②c ③e ④d
4) ①b ②c ③a ④d

ユニット12　評価
1) ①d ②c ③b ④a
　 ⑤c ⑥b ⑦d ⑧a
2) ①b ②b ③a ④a
3) ①a ②d ③c ④e
4) ①b ②e ③d ④a

ユニット13　ものの様子・変化
1) ①a ②c ③b ④d
　 ⑤b ⑥d ⑦c ⑧a
2) ①a ②a ③b ④a
3) ①e ②c ③b ④d
4) ①d ②c ③b ④e

ユニット14　国と社会①
1) ①c ②a ③d ④b
　　⑤c ⑥a ⑦b ⑧d
2) ①a ②a ③b ④b
3) ①e ②d ③b ④c
4) ①c ②d ③b ④e

ユニット15　国と社会②
1) ①a ②c ③d ④b
　　⑤b ⑥a ⑦d ⑧c
2) ①a ②b ③b ④a
3) ①a ②e ③b ④c
4) ①e ②d ③b ④c

ユニット16　経済・産業
1) ①a ②d ③c ④b
　　⑤c ⑥a ⑦d ⑧b
2) ①b ②a ③a ④b
3) ①e ②b ③c ④a
4) ①e ②b ③a ④d

ユニット17　商品・サービス
1) ①b ②d ③c ④a
　　⑤d ⑥c ⑦b ⑧a
2) ①a ②a ③b ④b
3) ①e ②d ③b ④a
4) ①e ②d ③a ④b

ユニット18　仕事・ビジネス
1) ①c ②d ③b ④a
　　⑤a ⑥d ⑦b ⑧c
2) ①b ②b ③b ④a
3) ①d ②a ③b ④e
4) ①e ②c ③b ④d

ユニット19　教育・研究・科学
1) ①a ②c ③b ④d
　　⑤d ⑥a ⑦b ⑧c
2) ①a ②a ③b ④a
3) ①a ②d ③c ④b
4) ①e ②b ③c ④a

ユニット20　職業・身分・立場
1) ①a ②c ③b ④d
　　⑤c ⑥a ⑦d ⑧b
2) ①a ②a ③a ④b
3) ①d ②c ③a ④b
4) ①c ②b ③a ④e

ユニット21　事件・犯罪・裁判
1) ①d ②a ③b ④c
　　⑤b ⑥c ⑦d ⑧a
2) ①a ②a ③a ④a
3) ①b ②a ③d ④e
4) ①b ②d ③a ④e

ユニット22　事故・安全
1) ①a ②b ③c ④d
　　⑤d ⑥a ⑦c ⑧b
2) ①b ②a ③a ④b
3) ①c ②a ③b ④d
4) ①e ②d ③b ④c

ユニット23　自然
1) ①c ②d ③b ④a
　　⑤a ⑥d ⑦c ⑧b
2) ①b ②a ③b ④a
3) ①c ②a ③d ④b

ユニット24　色・形・場所
1) ①d ②a ③b ④c
　　⑤a ⑥d ⑦c ⑧b
2) ①a ②b ③b ④b
3) ①d ②c ③e ④b
4) ①b ②a ③c ④d

ユニット25　時間
1) ①c ②b ③d ④a
　　⑤d ⑥a ⑦b ⑧c
2) ①b ②a ③b ④b
3) ①b ②d ③c ④a
4) ①d ②e ③a ④c

ユニット26　副詞①－時期・頻度
1) ①c ②d ③b ④a
　　⑤d ⑥a ⑦c ⑧b
2) ①b ②a ③b ④b
3) ①b ②d ③a ④c
4) ①d ②a ③e ④c

ユニット27　副詞②－様子
1) ①c ②b ③d ④a
　　⑤d ⑥c ⑦a ⑧b
2) ①a ②a ③a ④b
3) ①b ②d ③c ④e

ユニット28　副詞③－強調・程度
1) ①c ②a ③b ④d
　　⑤d ⑥c ⑦b ⑧a
2) ①a ②b ③b ④b
3) ①e ②d ③a ④b
4) ①d ②c ③e ④b

ユニット29　形容詞①－い形容詞
1) ①d ②b ③c ④a
　　⑤c ⑥a ⑦d ⑧b
2) ①a ②b ③b ④b
3) ①e ②c ③a ④d
4) ①b ②a ③c ④d

ユニット30　形容詞②－な形容詞
1) ①b ②c ③d ④a
　　⑤d ⑥a ⑦c ⑧b
2) ①b ②a ③a ④b
3) ①a ②b ③e ④c

ユニット31　動詞①
1) ①a ②d ③b ④c
　　⑤c ⑥b ⑦d ⑧a
2) ①a ②b ③b ④b
3) ①e ②a ③d ④c
4) ①d ②c ③e ④b

ユニット32　動詞②
1) ①b ②d ③a ④c
　　⑤a ⑥d ⑦c ⑧b
2) ①a ②b ③a ④b
3) ①d ②c ③a ④e
4) ①e ②b ③d ④a

ユニット33　する動詞①
1) ①d ②a ③b ④c
　　⑤b ⑥c ⑦a ⑧d
2) ①a ②a ③b ④a
3) ①a ②d ③e ④b
4) ①b ②a ③e ④c

ユニット34　する動詞②
1) ①a ②d ③c ④b
　　⑤b ⑥c ⑦d ⑧a
2) ①a ②b ③a ④b
3) ①d ②e ③b ④a
4) ①e ②a ③d ④c

ユニット35　する動詞③
1) ①a ②c ③b ④d
　　⑤b ⑥d ⑦a ⑧c
2) ①a ②b ③b ④a
3) ①d ②b ③e ④c
4) ①b ②a ③e ④c

ユニット36　複合動詞
1) ①d ②b ③c ④a
　　⑤b ⑥d ⑦a ⑧c
2) ①a ②a ③b ④a
3) ①c ②d ③e ④b
4) ①b ②d ③e ④c

ユニット37　いろいろな意味を持つ言葉①
1) ①c ②d ③a ④b
　　⑤d ⑥a ⑦c ⑧b
2) ①a ②b ③a ④a
3) ①e ②b ③c ④a
4) ①c ②d ③b ④e

ユニット38　いろいろな意味を持つ言葉②
1) ①b ②d ③a ④c
　　⑤c ⑥a ⑦d ⑧b
2) ①b ②a ③b ④a
3) ①a ②b ③c ④d
4) ①b ②c ③d ④a

ユニット39　名詞①
1) ①a ②b ③d ④c
　　⑤d ⑥c ⑦a ⑧b
2) ①a ②b ③a ④b
3) ①d ②c ③b ④a
4) ①b ②e ③d ④c

ユニット40　名詞②
1) ①c ②b ③a ④d
　　⑤c ⑥a ⑦d ⑧b
2) ①b ②b ③b ④a
3) ①c ②a ③e ④d
4) ①d ②e ③b ④a

ユニット41　類義語①－動詞
1) ①c ②d ③a ④b
　　⑤a ⑥c ⑦d ⑧b
2) ①b ②b ③b ④b
3) ①c ②b ③e ④d

ユニット42　類義語②－形容詞・副詞
1) ①d ②b ③c ④a
　　⑤a ⑥c ⑦d ⑧b
2) ①b ②a ③a ④a
3) ①c ②a ③b ④e
4) ①e ②a ③b ④d

ユニット43　類義語③－名詞
1) ①a ②d ③c ④b
　　⑤c ⑥d ⑦a ⑧b
2) ①a ②b ③b ④a
3) ①c ②e ③a ④b
4) ①c ②d ③e ④a

ユニット44　対義語①－動詞
1) ①a ②b ③d ④c
　　⑤d ⑥b ⑦c ⑧a
2) ①a ②a ③a ④b
3) ①e ②a ③b ④c
4) ①b ②d ③c ④e

ユニット45　対義語②－形容詞
1) ①a ②d ③b ④c
　　⑤d ⑥b ⑦c ⑧a
2) ①b ②a ③a ④b
3) ①a ②c ③d ④e
4) ①a ②b ③c ④d

ユニット46　対義語③－名詞
1) ①d ②c ③a ④b
　　⑤b ⑥d ⑦c ⑧a
2) ①a ②a ③a ④b
3) ①a ②e ③b ④d
4) ①b ②a ③c ④d

ユニット47　カタカナ語①
1) ①a ②c ③d ④b
　　⑤d ⑥b ⑦a ⑧c
2) ①b ②a ③a ④a
3) ①a ②c ③e ④d
4) ①d ②e ③b ④c

ユニット48　カタカナ語②
1) ①d ②b ③c ④a
　　⑤d ⑥a ⑦c ⑧b
2) ①a ②b ③a ④a
3) ①a ②e ③b ④d
4) ①e ②c ③a ④b

ユニット49　擬音語・擬態語①
1) ①c ②b ③a ④d
　　⑤d ⑥a ⑦b ⑧c
2) ①a ②a ③b ④a
3) ①b ②c ③a ④e
4) ①e ②b ③a ④d

ユニット50　擬音語・擬態語②
1) ①a ②c ③d ④b
　 ⑤d ⑥c ⑦a ⑧b
2) ①b ②b ③a ④a
3) ①c ②d ③e ④a
4) ①e ②a ③c ④d

ユニット51　前に付く語・後ろに付く語
1) ①c ②b ③a ④d
　 ⑤d ⑥a ⑦c ⑧b
2) ①b ②b ③b ④a
3) ①e ②d ③b ④a
4) ①b ②e ③a ④d

ユニット52　自動詞・他動詞
1) ①b ②d ③c ④a
　 ⑤b ⑥a ⑦c ⑧d
2) ①a ②b ③a ④a
3) ①c ②a ③b ④e
4) ①b ②d ③e ④a

ユニット53　漢語と和語①
1) ①c ②b ③a ④d
　 ⑤a ⑥b ⑦c ⑧d
2) ①a ②a ③b ④a
3) ①d ②c ③a ④e
4) ①c ②b ③d ④e

ユニット54　漢語と和語②
1) ①b ②d ③c ④a
　 ⑤a ⑥d ⑦c ⑧b
2) ①a ②a ③a ④b
3) ①e ②d ③c ④b

ユニット55　熟語・慣用句①
1) ①c ②b ③d ④a
　 ⑤c ⑥d ⑦a ⑧b
2) ①a ②b ③b ④a
3) ①d ②e ③a ④b
4) ①b ②c ③a ④e

ユニット56　熟語・慣用句②
1) ①b ②c ③d ④a
　 ⑤b ⑥c ⑦a ⑧d
2) ①a ②b ③a ④b
3) ①e ②d ③a ④b
4) ①c ②e ③d ④a

ユニット57　体の慣用句①
1) ①c ②b ③a ④d
　 ⑤c ⑥a ⑦b ⑧d
2) ①b ②a ③b ④a
3) ①c ②a ③d ④b
4) ①a ②c ③d ④e

ユニット58　体の慣用句②
1) ①d ②b ③c ④a
　 ⑤d ⑥a ⑦b ⑧c
2) ①b ②b ③b ④a
3) ①a ②b ③d ④c
4) ①a ②c ③e ④b

ユニット59　体の慣用句③
1) ①d ②b ③c ④a
　 ⑤d ⑥a ⑦b ⑧c
2) ①a ②b ③b ④b
3) ①a ②e ③d ④c
4) ①a ②b ③e ④c

ユニット60　体の慣用句④
1) ①c ②b ③d ④a
　 ⑤a ⑥b ⑦c ⑧b
2) ①b ②a ③a ④b
3) ①c ②e ③a ④b
4) ①e ②b ③a ④d

ユニット61　基本漢字①
1) ①c ②d ③b ④a
　 ⑤a ⑥b ⑦c ⑧b
2) ①b ②b ③b ④a
3) ①b ②c ③d ④e
4) ①a ②d ③c ④e

ユニット62　基本漢字②
1) ①c ②b ③a ④d
　 ⑤d ⑥c ⑦b ⑧a
2) ①a ②b ③a ④b
3) ①d ②b ③c ④a
4) ①d ②b ③a ④b

ユニット63　基本漢字③
1) ①a ②c ③d ④b
　 ⑤b ⑥d ⑦a ⑧c
2) ①a ②b ③b ④a
3) ①c ②e ③b ④a
4) ①a ②e ③c ④b

ユニット64　基本漢字④
1) ①c ②b ③a ④d
　 ⑤c ⑥d ⑦a ⑧b
2) ①b ②b ③a ④b
3) ①e ②b ③a ④d
4) ①b ②c ③a ④e

ユニット65　基本漢字⑤
1) ①c ②b ③d ④a
　 ⑤a ⑥d ⑦b ⑧c
2) ①b ②a ③b ④a
3) ①b ②a ③d ④c
4) ①a ②d ③b ④e

●実戦練習

【第1回】(U1-8)

問題1	
1	2
2	1
3	2
4	4
5	2
6	1
7	3
8	4
9	3
10	2
問題2	
1	4
2	2
3	3
4	1
問題3	
1	3
2	1
3	4

【第2回】(U9-16)

問題1	
1	2
2	4
3	3
4	1
5	4
6	4
7	2
8	2
9	1
10	4
問題2	
1	2
2	4
3	2
4	4
問題3	
1	1
2	4
3	2

【第3回】(U17-24)

問題1	
1	1
2	4
3	2
4	4
5	4
6	3
7	3
8	2
9	1
10	1
問題2	
1	2
2	4
3	3
4	3
問題3	
1	3
2	1
3	4

【第4回】(U25-32)

問題1	
1	3
2	1
3	1
4	2
5	4
6	3
7	3
8	2
9	1
10	2
問題2	
1	3
2	2
3	3
4	1
問題3	
1	4
2	1
3	2

【第5回】(U33-40)

問題1	
1	3
2	1
3	2
4	4
5	1
6	2
7	4
8	1
9	4
10	2
問題2	
1	3
2	4
3	2
4	1
問題3	
1	2
2	4
3	4

【第6回】(U41-48)

問題1	
1	1
2	3
3	2
4	4
5	4
6	2
7	1
8	3
9	2
10	4
問題2	
1	1
2	2
3	3
4	1
問題3	
1	4
2	2
3	1

【第7回】(U49-56)

問題1	
1	1
2	2
3	2
4	3
5	2
6	4
7	3
8	2
9	4
10	2
問題2	
1	2
2	3
3	1
4	4
問題3	
1	3
2	1
3	4

【第8回】(U57-66)

問題1	
1	3
2	1
3	3
4	2
5	4
6	1
7	4
8	1
9	4
10	2
問題2	
1	3
2	1
3	4
4	1
問題3	
1	4
2	3
3	2

● 模擬試験

【第1回】

問題 1	
1	4
2	2
3	2
4	4
5	3
6	1
7	4
問題 2	
8	2
9	4
10	2
11	3
12	1
13	4
問題 3	
14	3
15	1
16	4
17	2
18	2
19	2

【第2回】

問題 1	
1	1
2	2
3	4
4	3
5	4
6	3
7	1
問題 2	
8	2
9	4
10	2
11	4
12	3
13	4
問題 3	
14	1
15	4
16	2
17	2
18	4
19	1